CADERNO DE

# REVISÃO

# LITERATURA

ENSINO MÉDIO

ORGANIZADORA **EDIÇÕES SM**
Obra coletiva concebida, desenvolvida e produzida por Edições SM.

São Paulo,
1ª edição 2015

***Ser Protagonista BOX*** **Literatura – Caderno de Revisão**


| | |
|---|---|
| Direção editorial | Juliane Matsubara Barroso |
| Gerência editorial | Roberta Lombardi Martins |
| Gerência de processos editoriais | Marisa Iniesta Martin |
| Coordenação de área | Andressa Munique Paiva |
| Edição | Ana Álvares, Ana Spínola, Cristiane Escolástico Siniscalchi, Marília Rodela Oliveira, Talita Mochiute |
| Colaboração técnico-pedagógica | Nayara Moreira dos Santos, Maria Aparecida da Silva Lamas, Wilker Sousa |
| Assistência administrativa editorial | Alzira Aparecida Bertholim Meana, Camila Cunha, Flavia Casellato, Luciana Pereira da Silva, Silvana Siqueira |
| Preparação e revisão | Cláudia Rodrigues do Espírito Santo (Coord.), Ana Paula Ribeiro Migiyama, Angélica Lau P. Soares, Eliane Santoro, Fernanda Oliveira Souza, Izilda de Oliveira Pereira, Nancy Helena Dias, Rosinei Aparecida Rodrigues Araujo, Sandra Regina Fernandes, Valéria Cristina Borsanelli, Marco Aurélio Feltran (apoio de equipe) |
| Coordenação de *design* | Erika Tiemi Yamauchi Asato |
| Coordenação de arte | Ulisses Pires |
| Projeto gráfico | Erika Tiemi Yamauchi Asato |
| Capa | Megalo Design |
| Edição de arte | Andressa Fiorio, Melissa Steiner Rocha Antunes |
| Editoração eletrônica | Equipe SM, Setup Bureau |
| Iconografia | Josiane Laurentino (Coord.), Bianca Fanelli, Susan Eiko Diaz |
| Tratamento de imagem | Marcelo Casaro |
| Fabricação | Alexander Maeda |
| Impressão | Forma Certa Gráfica Digital |

**Dados Internacionais de Catalogação na Publicação (CIP)**
**(Câmara Brasileira do Livro, SP, Brasil)**

Ser protagonista box : literatura, ensino médio : caderno de revisão / organizadora Edições SM ; obra coletiva concebida, desenvolvida e produzida por Edições SM. — São Paulo : Edições SM, 2015. — (Coleção ser protagonista)

Vários autores.
Bibliografia.
ISBN 978-85-418-0999-3 (aluno)
ISBN 978-85-418-1000-5 (professor)

1. Literatura (Ensino médio) 2. Português (Ensino médio) I. Série.

15-03622 CDD-869.07

**Índices para catálogo sistemático:**
1. Literatura : Português : Ensino médio 869.07

**1ª edição, 2015**
**6 impressão , novembro 2024**

**Edições SM Ltda.**
Rua Tenente Lycurgo Lopes da Cruz, 55
Água Branca 05036-120 São Paulo SP Brasil
Tel. 11 2111-7400
edicoessm@grupo-sm.com
www.edicoessm.com.br

# Apresentação

Este livro, complementar à coleção *Ser Protagonista*, traz o conteúdo resumido dos principais tópicos que constituem o programa curricular de Literatura do Ensino Médio.

Ele foi organizado sob a forma de temas, seguidos de atividades, o que possibilita ao aluno fazer uma revisão criteriosa do que aprendeu e, ao mesmo tempo, aferir seu domínio dos assuntos por meio da realização de uma série de exercícios de vestibular selecionada com precisão para cada tema.

No final do livro, há um gabarito com respostas, para que o aluno possa conferir e corrigir os exercícios que realizou.

***Edições SM***

O *Ser Protagonista* Revisão retoma os conteúdos de Literatura e propõe a resolução de questões dos principais vestibulares do país.

Cada tema apresenta uma síntese dos principais conteúdos e conceitos estudados, proporcionando uma revisão do que foi estudado durante os três anos do Ensino Médio.

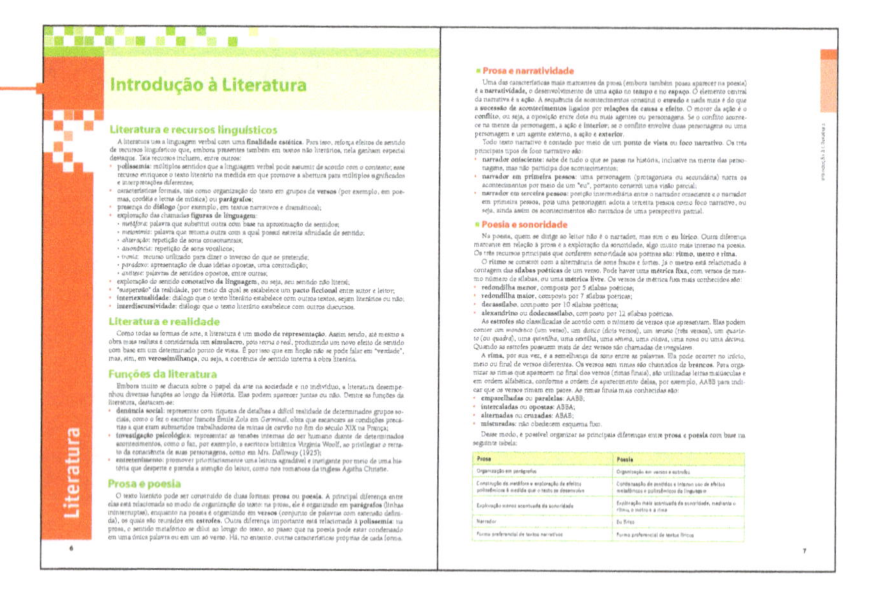


Relacionadas ao tema, questões de vestibulares de universidades de todo o Brasil contribuem para a compreensão e fixação dos conteúdos revisados.

Este espaço é destinado a resoluções de exercícios e anotações.

# SUMÁRIO

# Introdução à Literatura

## Literatura e recursos linguísticos

A literatura usa a linguagem verbal com uma **finalidade estética**. Para isso, reforça efeitos de sentido de recursos linguísticos que, embora presentes também em textos não literários, nela ganham especial destaque. Tais recursos incluem, entre outros:

- **polissemia**: múltiplos sentidos que a linguagem verbal pode assumir de acordo com o contexto; esse recurso enriquece o texto literário na medida em que promove a abertura para múltiplos significados e interpretações diferentes;
- características formais, tais como organização do texto em grupos de **versos** (por exemplo, em poemas, cordéis e letras de música) ou **parágrafos**;
- presença do **diálogo** (por exemplo, em textos narrativos e dramáticos);
- exploração das chamadas **figuras de linguagem**:
  - *metáfora*: palavra que substitui outra com base na aproximação de sentidos;
  - *metonímia*: palavra que retoma outra com a qual possui estreita afinidade de sentido;
  - *aliteração*: repetição de sons consonantais;
  - *assonância*: repetição de sons vocálicos;
  - *ironia*: recurso utilizado para dizer o inverso do que se pretende;
  - *paradoxo*: apresentação de duas ideias opostas, uma contradição;
  - *antítese*: palavras de sentidos opostos, entre outras;
- exploração do sentido **conotativo da linguagem**, ou seja, seu sentido não literal;
- "suspensão" da realidade, por meio da qual se estabelece um **pacto ficcional** entre autor e leitor;
- **intertextualidade**: diálogo que o texto literário estabelece com outros textos, sejam literários ou não;
- **interdiscursividade**: diálogo que o texto literário estabelece com outros discursos.

## Literatura e realidade

Como todas as formas de arte, a literatura é um **modo de representação**. Assim sendo, até mesmo a obra mais realista é considerada um **simulacro**, pois *recria o real*, produzindo um novo efeito de sentido com base em um determinado ponto de vista. É por isso que em ficção não se pode falar em "verdade", mas, sim, em **verossimilhança**, ou seja, a coerência de sentido interna à obra literária.

## Funções da literatura

Embora muito se discuta sobre o papel da arte na sociedade e no indivíduo, a literatura desempenhou diversas funções ao longo da História. Elas podem aparecer juntas ou não. Dentre as funções da literatura, destacam-se:

- **denúncia social**: representar com riqueza de detalhes a difícil realidade de determinados grupos sociais, como o fez o escritor francês Émile Zola em *Germinal*, obra que escancara as condições precárias a que eram submetidos trabalhadores de minas de carvão no fim do século XIX na França;
- **investigação psicológica**: representar as tensões internas do ser humano diante de determinados acontecimentos, como o faz, por exemplo, a escritora britânica Virginia Woolf, ao privilegiar o retrato da consciência de suas personagens, como em *Mrs. Dalloway* (1925);
- **entretenimento**: promover prioritariamente uma leitura agradável e instigante por meio de uma história que desperte e prenda a atenção do leitor, como nos romances da inglesa Agatha Christie.

## Prosa e poesia

O texto literário pode ser construído de duas formas: **prosa** ou **poesia**. A principal diferença entre elas está relacionada ao modo de organização do texto: na prosa, ele é organizado em **parágrafos** (linhas ininterruptas), enquanto na poesia é organizado em **versos** (conjunto de palavras com extensão definida), os quais são reunidos em **estrofes**. Outra diferença importante está relacionada à **polissemia**: na prosa, o sentido metafórico se dilui ao longo do texto, ao passo que na poesia pode estar condensado em uma única palavra ou em um só verso. Há, no entanto, outras características próprias de cada forma.

## Prosa e narratividade

Uma das características mais marcantes da prosa (embora também possa aparecer na poesia) é a **narratividade,** o desenvolvimento de uma **ação** no **tempo** e no **espaço**. O elemento central da narrativa é a **ação**. A sequência de acontecimentos constitui o **enredo** e nada mais é do que a **sucessão de acontecimentos** ligados por **relações de causa e efeito**. O motor da ação é o **conflito**, ou seja, a oposição entre dois ou mais agentes ou personagens. Se o conflito acontece na mente da personagem, a ação é **interior**; se o conflito envolve duas personagens ou uma personagem e um agente externo, a ação é **exterior**.

Todo texto narrativo é contado por meio de um **ponto de vista** ou **foco narrativo**. Os três principais tipos de foco narrativo são:

- **narrador onisciente**: sabe de tudo o que se passa na história, inclusive na mente das personagens, mas não participa dos acontecimentos;
- **narrador em primeira pessoa**: uma personagem (protagonista ou secundária) narra os acontecimentos por meio de um "eu", portanto constrói uma visão parcial;
- **narrador em terceira pessoa**: posição intermediária entre o narrador onisciente e o narrador em primeira pessoa, pois uma personagem adota a terceira pessoa como foco narrativo, ou seja, ainda assim os acontecimentos são narrados de uma perspectiva parcial.

## Poesia e sonoridade

Na poesia, quem se dirige ao leitor não é o narrador, mas sim o **eu lírico**. Outra diferença marcante em relação à prosa é a exploração da sonoridade, algo muito mais intenso na poesia. Os três recursos principais que conferem sonoridade aos poemas são: **ritmo**, **metro** e **rima**.

O **ritmo** se constrói com a alternância de sons fracos e fortes. Já o **metro** está relacionado à contagem das **sílabas poéticas** de um verso. Pode haver uma **métrica fixa**, com versos de mesmo número de sílabas, ou uma **métrica livre**. Os versos de métrica fixa mais conhecidos são:

- **redondilha menor**, composta por 5 sílabas poéticas;
- **redondilha maior**, composta por 7 sílabas poéticas;
- **decassílabo**, composto por 10 sílabas poéticas;
- **alexandrino** ou **dodecassílabo**, composto por 12 sílabas poéticas.

As **estrofes** são classificadas de acordo com o número de versos que apresentam. Elas podem conter um *monóstico* (um verso), um *dístico* (dois versos), um *terceto* (três versos), um *quarteto* (ou *quadra*), uma *quintilha*, uma *sextilha*, uma *sétima*, uma *oitava*, uma *nona* ou uma *décima*. Quando as estrofes possuem mais de dez versos são chamadas de *irregulares*.

A **rima**, por sua vez, é a semelhança de sons entre as palavras. Ela pode ocorrer no início, meio ou final de versos diferentes. Os versos sem rimas são chamados de **brancos**. Para organizar as rimas que aparecem no final dos versos (rimas finais), são utilizadas letras maiúsculas e em ordem alfabética, conforme a ordem de aparecimento delas, por exemplo, AABB para indicar que os versos rimam em pares. As rimas finais mais conhecidas são:

- **emparelhadas** ou **paralelas**: AABB;
- **intercaladas** ou **opostas**: ABBA;
- **alternadas** ou **cruzadas**: ABAB;
- **misturadas**: não obedecem esquema fixo.

Desse modo, é possível organizar as principais diferenças entre **prosa** e **poesia** com base na seguinte tabela:

| Prosa | Poesia |
|---|---|
| Organização em parágrafos | Organização em versos e estrofes |
| Construção de metáfora e exploração de efeitos polissêmicos à medida que o texto se desenvolve | Condensação de sentidos e intenso uso de efeitos metafóricos e polissêmicos da linguagem |
| Exploração menos acentuada da sonoridade | Exploração mais acentuada da sonoridade, mediante o ritmo, o metro e a rima |
| Narrador | Eu lírico |
| Forma preferencial de textos narrativos | Forma preferencial de textos líricos |

## Gêneros literários

Tradicionalmente, costuma-se classificar a produção literária em três gêneros distintos: o **épico**, o **lírico** e o **dramático**. As raízes dessa divisão se encontram na *Poética*, do filósofo grego **Aristóteles** (384 a.C.-322 a.C.). Essa classificação foi refinada durante o período do Renascimento (século XV) e do Neoclassicismo (século XVIII).

### Gênero épico

Originalmente, o gênero épico correspondia a um longo poema narrativo (a **epopeia**), em que eram contados fatos protagonizados por **heróis**. Uma característica da epopeia greco-romana era a presença de ações no plano mitológico (deuses) e no plano humano. Entre as epopeias mais conhecidas desse período estão a *Ilíada* e a *Odisseia*, atribuídas ao poeta grego Homero, e a *Eneida*, do poeta romano Virgílio. Especialmente essa última serviu de modelo para o poeta português Camões escrever seu conhecido poema épico, *Os Lusíadas*, no século XVI.

**Canto I**

As armas e os barões assinalados
Que, da Ocidental praia Lusitana,
Por mares nunca dantes navegados
Passaram ainda além da Taprobana,
Em perigos e guerras esforçados,
Mais do que prometia a força humana,
E entre gente remota edificaram
Novo Reino, que tanto sublimaram;

E também as memórias gloriosas
Daqueles Reis que foram dilatando
A Fé, o Império, e as terras viciosas
De África e de Ásia andaram devastando,
E aqueles que por obras valerosas
Se vão da lei da Morte libertando,
Cantando espalharei por toda parte,
Se a tanto me ajudar o engenho e arte.
[...]

CAMÕES, Luís de. *Os Lusíadas*. Porto Alegre: L&PM, 2008. p. 17.

### Gênero lírico

O nome desse gênero literário vem de um instrumento musical – a lira. Isso porque, na Grécia Antiga, a poesia em que se manifestavam aspectos da **subjetividade** de um "eu", tais como seus comportamentos, pensamentos, sentimentos e vivências interiores, era acompanhada em geral da música. Portanto, caracteriza o gênero lírico o tratamento temático da perspectiva de um **"eu"**, levando com frequência à **"fusão"** entre **mundo subjetivo** e **objetivo**.

Preso à minha classe e a algumas roupas,
vou de branco pela rua cinzenta.
Melancolias, mercadorias espreitam-me.
Devo seguir até o enjoo?
Posso, sem armas, revoltar-me?
Olhos sujos no relógio da torre:

Não, o tempo não chegou de completa justiça.
O tempo é ainda de fezes, maus poemas, alucinações e espera.
O tempo pobre, o poeta pobre
fundem-se no mesmo impasse.
[...]

ANDRADE, Carlos Drummond. A flor e a náusea. In: *A rosa do povo*. Rio de Janeiro: Record, 1987. p. 15.

## Gênero dramático

Os textos que são **encenados** em um palco pertencem ao gênero dramático. Tradicionalmente, esse gênero literário comporta dois tipos: a tragédia e a comédia.

### Tragédia

Nascida na Grécia Antiga, relacionada às festas religiosas para celebrar Dionísio, o deus do vinho, em geral a tragédia desenrola-se em torno da **luta de um herói contra o seu destino**. Nesse sentido, a visão de mundo que a tragédia veicula é pessimista, uma vez que os gregos antigos acreditavam que o destino humano era governado pelos deuses e era, assim, imutável. A tragédia provocaria no espectador os sentimentos de **terror** e **piedade**, segundo Aristóteles. O primeiro sentimento seria causado pelo destino infeliz do herói; o segundo, pelo reconhecimento do valor humano de suas ações.

Uma das mais célebres tragédias é *Édipo rei*, de Sófocles, em que o herói Édipo não escapa à profecia de matar o próprio pai e casar-se com a mãe. Cumprida a profecia, ele fura os olhos e atribui ao deus Apolo a causa de seu sofrimento. Veja no trecho a seguir:

ÉDIPO – Foi Apolo! Sim, foi Apolo, meus amigos, o autor de meus atrozes sofrimentos! Mas ninguém mais me arrancou os olhos; fui eu mesmo! Desgraçado de mim! Para que ver, se já não poderia ver mais nada que fosse agradável a meus olhos?

CORIFEU – Realmente! É como dizes!

ÉDIPO – Que mais posso eu contemplar, ou amar na vida? Que palavra poderei ouvir com prazer? Oh! Levai-me para longe daqui, levai-me depressa para bem longe. Eu sou um réprobo, um maldito, a criatura mais odiada pelos deuses, entre os mortais!

SÓFOCLES. *Édipo rei*. Disponível em: <http://www.dominiopublico.gov.br/download/texto/cv000024.pdf>. Acesso em: 23 mar. 2015.

### Comédia

Segundo Aristóteles, a comédia representaria ações de "homens inferiores", ao passo que a tragédia imitaria ações "elevadas", de "homens nobres". O **imprevisto** e o **ridículo** das ações provocariam o **riso** e, por meio dele, a comédia tornaria os homens conscientes de suas **falhas**, assumindo, assim, uma **função pedagógica**.

Leia o trecho abaixo, extraído da peça *O santo e a porca*, de Ariano Suassuna, e observe as ações nada elevadas de indivíduos comuns.

*O pano abre na casa de Eurico Árabe, mais conhecido como Euricão Engole-Cobra.*

CAROBA – E foi então que o patrão dele disse: "Pinhão, você sele o cavalo e vá na minha frente procurar Euricão..."

EURICÃO – Euricão, não. Meu nome é Eurico.

CAROBA – Sim, é isso mesmo. Seu Eudoro Vicente disse: "Pinhão, você sele o cavalo e vá na minha frente procurar Euriques..."

EURICÃO – Eurico!

CAROBA – "Vá procurar Euríquio..."

EURICÃO – Chame Euricão mesmo.

CAROBA – "Vá procurar Euricão Engole-Cobra..."

EURICÃO – Engole-Cobra é a mãe! Não lhe dei licença de me chamar de Engole-Cobra, não! Só de Euricão!

SUASSUNA, Ariano. *O santo e a porca; o casamento suspeitoso*. 10. ed. Rio de Janeiro: José Olympio, 1994. p. 10.

## Herói e anti-herói

Ao longo da história, outros gêneros literários foram criados, com destaque para o **romance** e o **conto**. Embora o caráter narrativo desses gêneros permita uma aproximação com a épica clássica, algumas de suas características apontam para o envelhecimento da teoria clássica dos gêneros, principalmente no que se refere à figura do herói.

Na mitologia clássica, o herói era um homem de valor que vencia os obstáculos. Nas epopeias, era sinônimo de força, grandeza física e moral. Em meados do século XIX, ele cede lugar à figura do **anti-herói**, homem comum, por vezes fraco e inseguro.

De acordo com os críticos, a origem do anti-herói está em *D. Quixote de La Mancha*, de Miguel de Cervantes. Essa obra precursora do romance moderno traz como personagem principal um velho fidalgo de juízo abalado, que combatia moinhos de vento na crença de serem gigantes enormes.

> Nisso, descobriram trinta ou quarenta moinhos de vento que há naquele campo, e, assim que D. Quixote os viu, disse a seu escudeiro:
>
> – A aventura está guiando nossas coisas melhor do que pudéramos desejar; porque, como podes ver, amigo Sancho Pança, ali se descobrem trinta ou poucos mais descomunais gigantes, com os quais penso travar batalha para tirar a vida de todos, com cujo despojo começaremos a enriquecer, porque esta é a borá guerra, e é grão serviço a Deus tirar tão má semente da face da terra.
>
> [...]
>
> Cervantes, Miguel de. *O engenhoso fidalgo Dom Quixote de la Mancha*. Nougué, Carlos; Sánchez, José Luis. São Paulo: Abril, 2010. v. I. p. 114.

Na literatura brasileira, o maior exemplo de anti-herói possivelmente é *Macunaíma* (1928), protagonista do romance homônimo escrito por Mário de Andrade. Basta lembrar do intertítulo da obra: "O herói sem nenhum caráter". A indolência da personagem é perceptível já nas primeiras linhas do romance:

> No fundo do mato-virgem nasceu Macunaíma, herói da nossa gente. Era preto retinto e filho do medo da noite. Houve um momento em que o silêncio foi tão grande escutando o murmurejo do Uraricoera, que a índia tapanhumas pariu uma criança feia. Essa criança é que chamaram de Macunaíma.
>
> Já na meninice fez coisas de sarapantar. De primeiro: passou mais de seis anos não falando. Si o incitavam a falar exclamava:
>
> – Ai! que preguiça!...
>
> [...]
>
> Andrade, Mário de. *Macunaíma, o herói sem nenhum caráter.* Rio de Janeiro: Agir, 2008. p. 13.

Desse modo, é possível organizar os gêneros literários com base no seguinte diagrama:

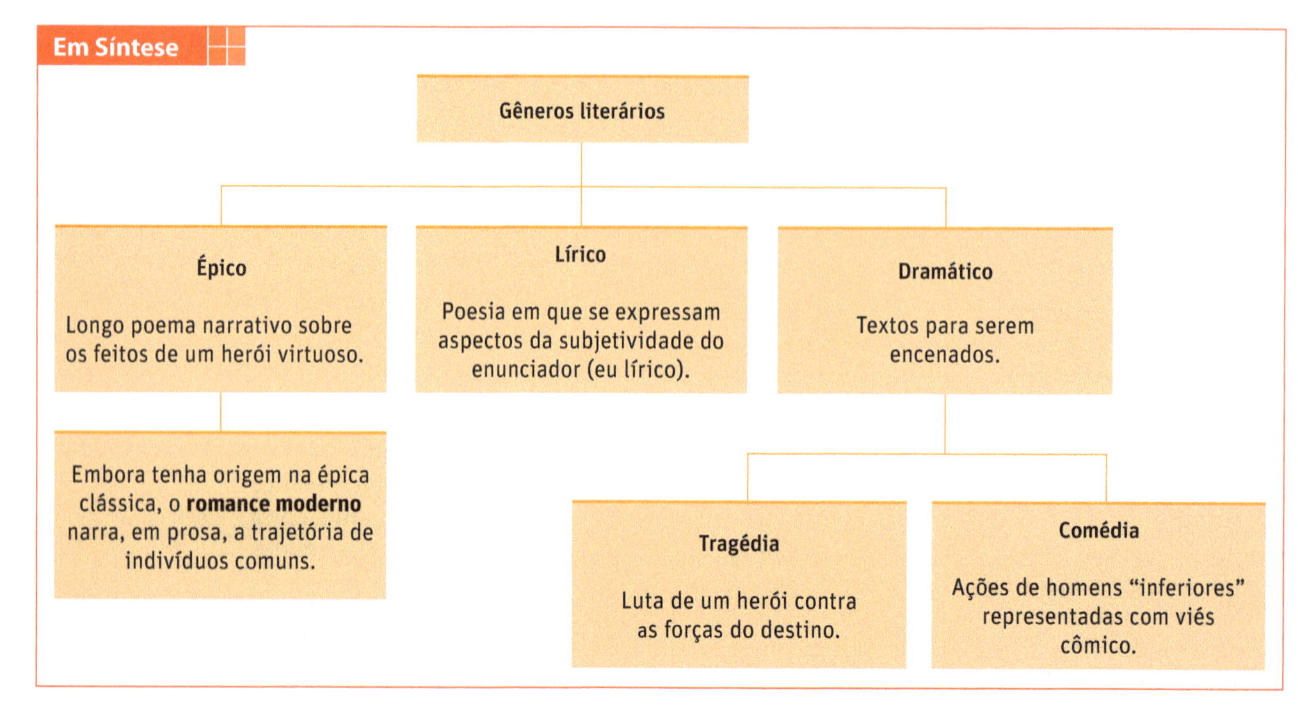

## Modos de leitura: historiografia

Há diversas formas de se estudar o texto literário, umas das mais conhecidas é a **historiografia literária**. Como sugere o nome, essa abordagem organiza obras e autores segundo o critério cronológico.

Seu propósito é investigar de que maneira as obras dialogam com o tempo em que foram produzidas. Pode-se, por exemplo, estudar o impacto do catolicismo na literatura medieval e os efeitos das teorias científicas do século XIX nos romances realistas daquele período.

Sobre essa última relação, basta lembrar do romance *O cortiço*, de 1890, escrito por Aluísio Azevedo, comumente interpretado com base no **determinismo** – doutrina segundo a qual o comportamento humano está predeterminado pela natureza. Suas personagens representam indivíduos cujos destinos estariam **condicionados** pelo ambiente social em que estão inseridas. Com base nessa interpretação, o ambiente degradante do cortiço é o que faz as personagens se comportarem feito animais:

> Daí a pouco, em volta das bicas era um zunzum crescente; uma aglomeração tumultuosa de machos e fêmeas. Uns, após outros, lavavam a cara, incomodamente, debaixo do fio de água que escorria da altura de uns cinco palmos. O chão inundava-se. As mulheres precisavam já prender as saias entre as coxas para não as molhar; via-se-lhes a tostada nudez dos braços e do pescoço, que elas despiam, suspendendo o cabelo todo para o alto do casco; os homens, esses não se preocupavam em não molhar o pelo, ao contrário metiam a cabeça bem debaixo da água e esfregavam com força as ventas e as barbas, fossando e fungando contra as palmas da mão.
>
> [...]
>
> Azevedo, Aluísio. O cortiço. In: Levin, Orna Messer (Org.). *Ficção completa.* Rio de Janeiro: Nova Aguilar, 2005. v. 2. p. 461.

No entanto, a historiografia literária e outras abordagens do estudo da literatura exigem alguns cuidados, como:

- Não se pode reduzir a literatura a mero instrumento de investigação sobre a sociedade, considerando as obras apenas como documento de uma época ou da vida do autor.
- Não se pode reduzir a literatura a mero exemplo de um modo de se fazer literatura em determinada época. Cada obra deve ser estudada em sua singularidade.
- Não se pode ignorar a experiência particular do leitor, ou seja, para além do significado que a obra assume em relação à sua época, cada leitor tem um modo de compreensão próprio.

## Diálogo com a tradição

Toda obra literária estabelece uma relação, premeditada ou não, com obras anteriores, seja para afirmá-las, negá-las ou até mesmo superá-las na tentativa de criar algo novo. Essa relação é intrínseca à arte. A consagrada prosa realista de Machado de Assis, por exemplo, deve-se muito à contraposição feita pelo autor em relação aos ideais românticos, como revela o fragmento abaixo, extraído de *Memórias póstumas de Brás Cubas*.

> Naquele tempo contava apenas uns quinze ou dezesseis anos; era talvez a mais atrevida criatura da nossa raça, e, com certeza, a mais voluntariosa. Não digo que já lhe coubesse a primazia da beleza, entre as mocinhas do tempo, porque isto não é romance, em que o autor sobredoura a realidade e fecha os olhos às sardas e espinhas; mas também não digo que lhe maculasse o rosto nenhuma sarda ou espinha, não. Era bonita, fresca, saía das mãos da natureza, cheia daquele feitiço, precário e eterno, que o indivíduo passa a outro indivíduo, para os fins secretos da criação.
>
> [...]
>
> Assis, Machado de. *Memórias Póstumas de Brás Cubas.* Rio de Janeiro: Jackson, 1957.

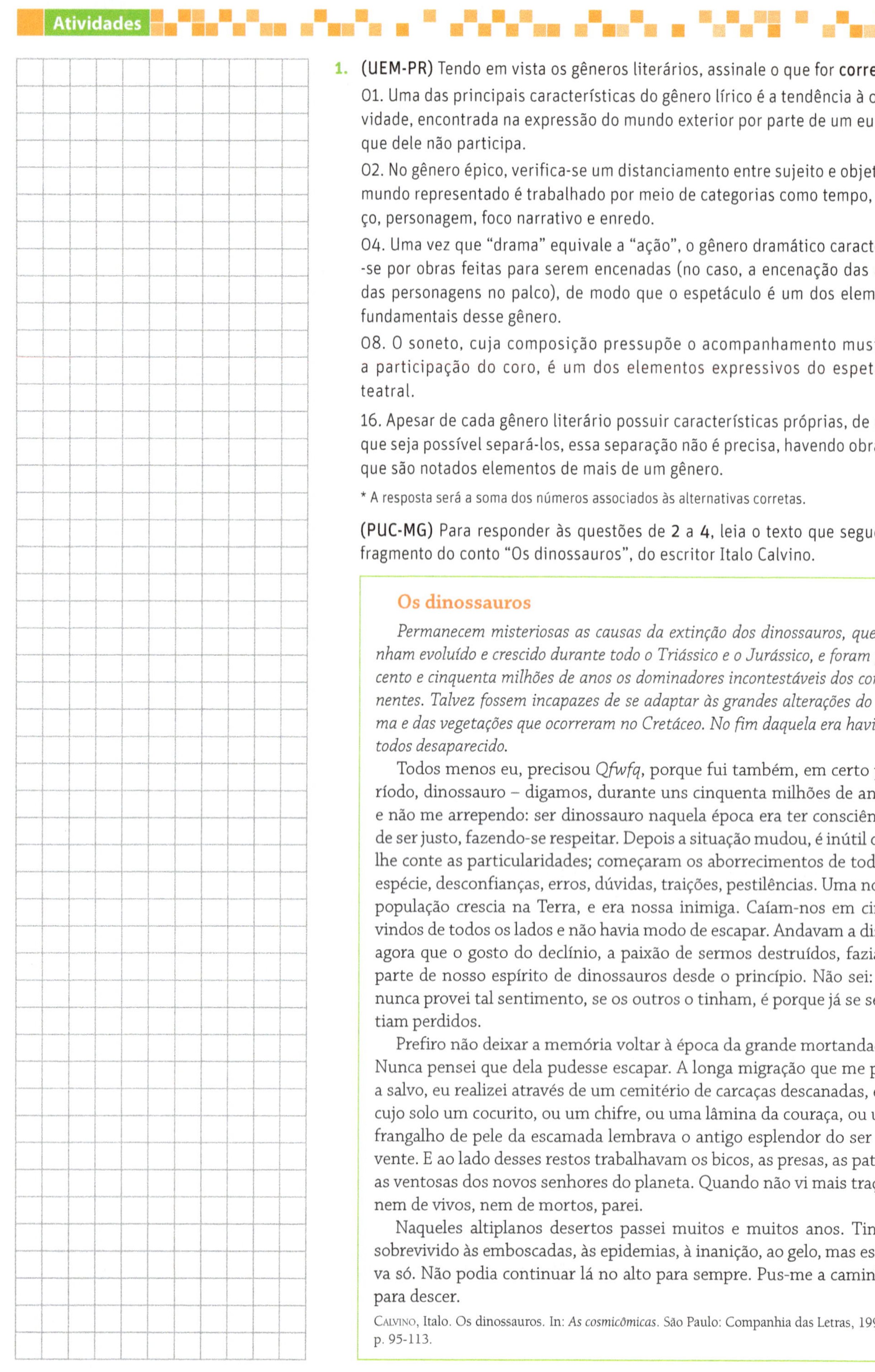

1. **(UEM-PR)** Tendo em vista os gêneros literários, assinale o que for **correto***.

01. Uma das principais características do gênero lírico é a tendência à objetividade, encontrada na expressão do mundo exterior por parte de um eu lírico que dele não participa.

02. No gênero épico, verifica-se um distanciamento entre sujeito e objeto, e o mundo representado é trabalhado por meio de categorias como tempo, espaço, personagem, foco narrativo e enredo.

04. Uma vez que "drama" equivale a "ação", o gênero dramático caracteriza-se por obras feitas para serem encenadas (no caso, a encenação das ações das personagens no palco), de modo que o espetáculo é um dos elementos fundamentais desse gênero.

08. O soneto, cuja composição pressupõe o acompanhamento musical e a participação do coro, é um dos elementos expressivos do espetáculo teatral.

16. Apesar de cada gênero literário possuir características próprias, de modo que seja possível separá-los, essa separação não é precisa, havendo obras em que são notados elementos de mais de um gênero.

* A resposta será a soma dos números associados às alternativas corretas.

**(PUC-MG)** Para responder às questões de **2** a **4**, leia o texto que segue, um fragmento do conto "Os dinossauros", do escritor Italo Calvino.

### Os dinossauros

*Permanecem misteriosas as causas da extinção dos dinossauros, que tinham evoluído e crescido durante todo o Triássico e o Jurássico, e foram por cento e cinquenta milhões de anos os dominadores incontestáveis dos continentes. Talvez fossem incapazes de se adaptar às grandes alterações do clima e das vegetações que ocorreram no Cretáceo. No fim daquela era haviam todos desaparecido.*

Todos menos eu, precisou *Qfwfq*, porque fui também, em certo período, dinossauro – digamos, durante uns cinquenta milhões de anos; e não me arrependo: ser dinossauro naquela época era ter consciência de ser justo, fazendo-se respeitar. Depois a situação mudou, é inútil que lhe conte as particularidades; começaram os aborrecimentos de toda a espécie, desconfianças, erros, dúvidas, traições, pestilências. Uma nova população crescia na Terra, e era nossa inimiga. Caíam-nos em cima vindos de todos os lados e não havia modo de escapar. Andavam a dizer agora que o gosto do declínio, a paixão de sermos destruídos, faziam parte de nosso espírito de dinossauros desde o princípio. Não sei: eu nunca provei tal sentimento, se os outros o tinham, é porque já se sentiam perdidos.

Prefiro não deixar a memória voltar à época da grande mortandade. Nunca pensei que dela pudesse escapar. A longa migração que me pôs a salvo, eu realizei através de um cemitério de carcaças descanadas, em cujo solo um cocurito, ou um chifre, ou uma lâmina da couraça, ou um frangalho de pele da escamada lembrava o antigo esplendor do ser vivente. E ao lado desses restos trabalhavam os bicos, as presas, as patas, as ventosas dos novos senhores do planeta. Quando não vi mais traços nem de vivos, nem de mortos, parei.

Naqueles altiplanos desertos passei muitos e muitos anos. Tinha sobrevivido às emboscadas, às epidemias, à inanição, ao gelo, mas estava só. Não podia continuar lá no alto para sempre. Pus-me a caminho para descer.

CALVINO, Italo. Os dinossauros. In: *As cosmicômicas*. São Paulo: Companhia das Letras, 1992. p. 95-113.

2. Todas as considerações sobre o conto podem ser interpretadas como corretas, **exceto**:
   a) O conto é introduzido por uma epígrafe de teor científico, que aborda o que virá a ser a narrativa, mas esta acaba por ignorar a sua explicação objetiva para dar uma abordagem mágica e fantástica ao fenômeno narrado.
   b) O conto tem como pano de fundo a origem do universo e o desenvolvimento dos primeiros seres terrestres. O narrador personagem é um ser cósmico, pois viveu no universo, antes mesmo da criação de qualquer planeta ou galáxia.
   c) O herói *Qfwfq* é um dinossauro, que se apresenta na pele de um único membro dos primeiros vertebrados terrestres.
   d) *Qfwfq*, como narrador, se desenha como uma testemunha ocular das teorias científicas e antropomórficas do surgimento de tudo.

3. Para o trecho em destaque, é **incorreto** afirmar que:

   > E ao lado desses restos trabalhavam os bicos, as presas, as patas, as ventosas dos novos senhores do planeta.

   a) *restos* remete a um conjunto de expressões, presentes no enunciado anterior, tomadas para descrever a saga do dinossauro.
   b) por meio de processo metonímico, sugerem-se as novas espécies que passaram a habitar o planeta.
   c) em *dos novos senhores do planeta* subentende-se que os dinossauros perderam esse *status*.
   d) a forma verbal *trabalhavam* concorda com o termo *restos*.

4. Há no texto uma série de pistas que o caracteriza como uma narrativa de memória, **exceto**:
   a) "Andavam a dizer agora [...]"
   b) "[...] eu nunca provei tal sentimento [...]"
   c) "[...] ser dinossauro naquela época era [...]"
   d) "[...] é inútil que lhe conte as particularidades; começaram os aborrecimentos [...]"

5. **(Uern)**

   > Tendo nascido para trabalhar, seria uma contradição abusarem do descanso. A melhor máquina é sempre a mais capaz de trabalho contínuo, lubrificada que baste para não emperrar, alimentada sem excesso, e se possível no limite econômico da simples manutenção, mas sobretudo de substituição fácil, se avariada está, velha outra, os depósitos desta sucata chamam-se cemitérios, ou então senta-se a máquina nos portais, toda ela ferrujosa e gemente, a ver passar coisa nenhuma, olhando apenas as mãos tristíssimas, quem me viu e quem me vê.
   >
   > SARAMAGO, José. *Levantado do chão.* 18. ed. Lisboa: Caminho. p. 327.

   A respeito do fragmento acima, é possível inferir que, ao utilizar a metáfora da máquina, o autor:
   a) pretende exclusivamente utilizar os recursos poéticos que são comuns ao texto literário, provocando maior efeito de subjetividade e expressividade em seu discurso.
   b) critica o sistema de trabalho atual que prevê muitas horas de descanso para o trabalhador do qual poderia ser exigido um pouco mais de esforço, posto que esse é comparado a uma máquina.
   c) intenciona primordialmente descrever a vida do trabalhador que, sendo máquina, muitas vezes é necessariamente substituído por outro, completando, assim, o ciclo de sua vida útil.
   d) visa refletir acerca da dura vida do homem trabalhador, de extenuante dedicação ao labor, com poucos recursos, sem a valorização compatível com seu empenho.

6. **(UFJF-MG)** Leia, com atenção, o fragmento abaixo, retirado da obra *O conto da ilha desconhecida*, de José Saramago.

> Um homem foi bater à porta do rei e disse-lhe, Dá-me um barco. A casa do rei tinha muitas mais portas, mas aquela era a das petições. Como o rei passava todo o tempo sentado à porta dos obséquios (entenda-se, os obséquios que lhe faziam a ele), de cada vez que ouvia alguém a chamar à porta das petições fingia-se desentendido, e só quando o ressoar contínuo da aldraba de bronze se tornava, mais do que notório, escandaloso, tirando o sossego à vizinhança (as pessoas começavam a murmurar, Que rei temos nós, que não atende), é que [...]
>
> SARAMAGO, José. *O conto da ilha desconhecida.* São Paulo: Companhia das Letras, 1988. p. 5.

Pode-se afirmar que há, nesse fragmento:

a) uma metáfora, que valoriza a democracia como a melhor forma de se manter o poder.
b) uma ironia, que mostra uma tendência de se usar o poder político em benefício próprio.
c) uma contradição, que revela os principais traços do sistema monárquico.
d) uma fábula, que mostra o rei como mendigo que sempre queria receber favores.
e) uma analogia, que coloca a casa do rei como um palácio sempre aberto, acessível.

7. **(Fuvest-SP)** Leia o poema de Manuel Bandeira para responder ao teste.

> **Não sei dançar**
>
> Uns tomam éter, outros cocaína.
> Eu já tomei tristeza, hoje tomo alegria.
> Tenho todos os motivos menos um de ser triste.
> Mas o cálculo das probabilidades é uma pilhéria...
> Abaixo Amiel!
> E nunca lerei o diário de Maria Bashkirtseff.
>
> Sim, já perdi pai, mãe, irmãos.
> Perdi a saúde também.
> É por isso que sinto como ninguém o ritmo do jazz-band.
>
> Uns tomam éter, outros cocaína.
> Eu tomo alegria!
> Eis aí por que vim assistir a este baile de terça-feira gorda.
> [...]
>
> BANDEIRA, Manuel. *Antologia poética.* Rio de Janeiro: Nova Fronteira, 1993. p. 125.

Sobre os versos transcritos, assinale a alternativa **incorreta**:

a) A melancolia do eu-lírico é apenas aparente: interiormente ele se identifica com a atmosfera festiva do carnaval, como se percebe no tom exclamativo de "Eu tomo alegria!"
b) A perda dos familiares e da saúde são aspectos autobiográficos do autor presentes no texto.
c) A alegria do carnaval é meio de evasão para o eu lírico, que procura alienar-se de seu sofrimento.
d) O último verso transcrito associa-se ao título do poema, pois o eu lírico não participa, de fato, do baile de carnaval.
e) O eu lírico revela, em tom bem-humorado e descompromissado, ser uma pessoa exageradamente sensível.

8. **(Faenquil/Vunesp)** Leia o fragmento do romance *Menino de engenho*, de José Lins do Rego, e responda à questão.

> Meu avô me levava sempre em suas visitas de corregedor às terras de seu engenho. Ia ver de perto os seus moradores, dar uma visita de senhor nos seus campos. O velho José Paulino gostava de percorrer a sua propriedade, de andá-la canto por canto, entrar pelas suas matas, olhar as suas nascentes, saber das precisões de seu povo, dar os seus gritos de chefe, ouvir queixas e implantar a ordem. Andávamos muito nessas suas visitas de patriarca.
>
> REGO, José Lins. *Menino de engenho.* Rio de Janeiro: José Olympio, 1995. p. 25.

A repetição do pronome possessivo – seu(s), sua(s) – ao longo do texto serve ao intuito de:

a) chamar atenção para o tamanho do engenho.
b) aproximar José Paulino dos habitantes do engenho.
c) revelar o amor de José Paulino por sua terra.
d) ressaltar a soberania do senhor de Engenho.
e) mostrar o orgulho do narrador, por ser dono de tudo.

**(Unifesp)** Para responder às questões de números **9** e **10**, leia os trechos.

> **Trecho 1**
>
> No dia seguinte, encontrei Madalena escrevendo. Avizinhei-me nas pontas dos pés e li o endereço de Azevedo Gondim.
> – Faz favor de mostrar isso?
> Madalena agarrou uma folha que ainda não havia sido dobrada.
> [...]
> – Vá para o inferno, trate da sua vida.
> Aquela resistência enfureceu-me:
> – Deixa ver a carta, galinha.
> Madalena desprendeu-se e entrou a correr pelo quarto, gritando:
> – Canalha!
> D. Glória chegou à porta, assustada:
> – Pelo amor de Deus! Estão ouvindo lá fora.
> Perdi a cabeça:
> – Vá amolar a p.q.p. Está mouca, aí com a sua carinha de santa? É isto: p.q.p. E se achar ruim, rua. A senhora e a boa de sua sobrinha, compreende? P.q.p. as duas.
>
> RAMOS, Graciliano. *São Bernardo.* Rio de Janeiro: Record, 1996. p. 140-141; 188.

> **Trecho 2**
>
> Penso em Madalena com insistência. Se fosse possível recomeçarmos... Para que enganar-me? Se fosse possível recomeçarmos, aconteceria exatamente o que aconteceu. Não consigo modificar-me, é o que mais me aflige.
>
> RAMOS, Graciliano. *São Bernardo.* Rio de Janeiro: Record, 1996. p. 140-141; 188.

**9.** No trecho 1, o narrador pediu a Madalena que lhe mostrasse o que estava escrevendo. Frente à recusa, sua reação revela:

a) incômodo, por não identificar o destinatário.
b) ciúme, expresso nos insultos a ela lançados.
c) descaso, ocasionado pela má conduta da mulher.
d) medo, na forma contida de se expressar.
e) resignação, por pressupor-se traído.

**10.** No trecho 2, o narrador:

a) almeja viver de outra forma para deixar de enganar a si próprio.
b) atribui a Madalena a impossibilidade de viver plenamente sua vida.
c) sabe que tudo aconteceria da mesma forma por conta de Madalena.
d) reconhece, incomodado, a impossibilidade de mudar e viver de outro jeito.
e) acredita que não pode mudar pelo fato de não ter Madalena.

# Trovadorismo

## Contexto histórico

O Trovadorismo floresceu na Idade Média (séculos V-XV), época que engloba diversos eventos: a ascensão da igreja católica, o feudalismo e o ressurgimento do modo de produção mercantil.

O marco inicial desse período é a **queda do Império Romano** em 476 d.C, motivada pela invasão dos chamados povos **bárbaros** (aqueles que não falavam o latim), que paulatinamente se misturaram às populações sob influência romana. Com o tempo, essa mistura contribuiu para o surgimento das chamadas línguas modernas (português, espanhol, francês, inglês, entre outras), nascidas da fusão do latim com outras línguas, como aquelas faladas pelos invasores do Império.

Entre os séculos IX e X nasce o **feudalismo**, sistema econômico-social formado basicamente pelo senhor feudal (dono das terras produtivas) e os servos (trabalhadores rurais). A relação entre esses dois estratos sociais era marcada pela **vassalagem**, isto é, os servos ofereciam trabalho e obediência ao senhor feudal enquanto este lhes oferecia abrigo e proteção militar.

Outro marco desse período são as **Cruzadas**, guerras entre cristãos europeus e muçulmanos travadas ao longo dos séculos XI e XIII. Inicialmente com o propósito de reconquistar Jerusalém, a Terra Santa, os cristãos acabaram por tomar o controle de rotas de comércio até então sob domínio dos muçulmanos.

## Contexto cultural

As principais manifestações literárias do período medieval podem ser divididas em dois grandes grupos: as **novelas de cavalaria** e a **poesia trovadoresca**.

As novelas de cavalaria foram influenciadas pelas Cruzadas. Ao retratarem o **cavaleiro** como a personificação dos valores da nobreza, contribuíram para a fixação dessa figura no imaginário medieval.

Já a poesia trovadoresca recebeu influências da literatura provençal (de Provença, região do sul da França), caracterizada por ser cantada (daí o termo *cantiga*) e por ter como tema predominante o sentimento amoroso. Era apresentada na corte ou em espaços públicos, muitas vezes acompanhada de danças.

Tematicamente, a poesia trovadoresca apresentava duas vertentes: a **poesia lírica** e **poesia satírica**. Na primeira, prevalece o "amor cortês", ou seja, a submissão incondicional do eu lírico ("servo amoroso") à sua amada, tratada nos versos como "Senhora", como evidenciam os versos do rei e poeta português D. Dinis:

Preguntar-vos quero por Deus,
Senhor fremosa, que vos fez
mesurada e de bon prez,
que pecados foron os meus
que nunca teveste por ben
de nunca mi fazerdes ben
[...]

D. Dinis. In: Spina, Segismundo. *A lírica trovadoresca*. 3. ed. São Paulo: Edusp, 1991. p. 308 (Coleção Texto & Arte).

**Glossário**

**de bon prez**: prendada
**mesurada**: educada
**senhor**: senhora

Já na poesia satírica, o eu lírico debocha dos comportamentos sociais e concentra suas críticas a uma pessoa específica, devidamente identificada no poema. Os versos abaixo, de autoria do trovador português João Garcia de Guilhade, são endereçados a uma mulher de nome Elvira López que, ingênua, foi seduzida e assaltada por um soldado.

Elvira López, aqui noutro dia,
se Deus mi valha, prendeu um cajom:
deitou na casa sigo um peom,
[...]

Guilhade, Dom Joan Garcia de. Disponível em: <http://cantigas.fcsh.unl.pt/cantiga.asp?cdcant=1523&pv=sim>. Acesso em: 19 mar. 2015.

**Glossário**

**prendeu un cajom**: teve azar
**sigo**: consigo
**peom**: peão, soldado ou criado vilão

# Trovadorismo em Portugal

As primeiras manifestações literárias em Portugal são os textos escritos durante o período trovadoresco. A *cantiga da Ribeirinha*, de Paio Soares de Taveirós, do final do século XII, é considerada o marco inicial da literatura portuguesa.

**Cantiga da Ribeirinha**

No mundo non me sei parelha,
mentre me for como me vai,
ca já moiro por vós – e ai!
mia senhor branca e vermelha,
queredes que vos retraia
quando vos eu vi en saia!
Mau dia me levantei,
que vos enton non vi fea!
[...]

**[tradução]**

Não conheço ninguém no mundo igual a mim
enquanto me acontecer o que me acontece
pois eu morro por vós – ai!
Minha senhora alva e rosada,
quereis que vos lembre
que já vos vi na intimidade?
mau dia aquele (que vos vi sem o manto),
pois vi que não sois feia.

Taveirós, Paio Soares de. Apud Moisés, Massaud. *A literatura portuguesa através dos textos*. 17. ed. São Paulo: Cultrix, 1988. p. 16-17.

Como se pode observar no trecho acima, essas cantigas não eram escritas no português tal como o conhecemos hoje, mas sim em **galego-português**, língua falada durante a Idade Média nas regiões da Galiza (Espanha) e Portugal.

## Tipos de cantiga trovadoresca

Convencionou-se dividir a poesia medieval portuguesa em dois grandes grupos: as **cantigas lírico-amorosas** e as **cantigas satíricas**.

### As cantigas lírico-amorosas

- **Cantigas de amor**: o eu lírico masculino canta em geral o fato de não ser correspondido pela mulher amada, ou seja, canta o seu sofrimento amoroso. A figura feminina, referida nessas cantigas como "senhor" (equivalente à "senhora" no português contemporâneo), tem um papel de superioridade diante daquele que a ama e é, com frequência, idealizada.

A relação entre o eu lírico e sua senhora no plano literário lembra as relações sociais no contexto histórico da Idade Média, marcadas pela obediência e fidelidade do vassalo ao senhor feudal. Por isso, costuma-se dizer que o eu lírico presta vassalagem amorosa em relação a sua senhora. A submissão do eu lírico aos desejos de sua amada é conhecida como **amor cortês**.

Eu vi mulheres, senhora, no palácio real,
formosas e que pareciam belas
e por onde andei vi também muitas donzelas
e, minha senhora, vou dizer a você uma coisa:
de todas a mais formosa
estava longe de parecer com você.

Santiago, Joan Airas de. In: Spina, Segismundo. *A lírica trovadoresca*. 3. ed. São Paulo: Edusp, 1991. p. 297 (Coleção Texto & Arte). Tradução feita para esta edição.

- **Cantigas de amigo**: o trovador é um homem que assume um eu lírico feminino para apresentar as queixas da mulher sobre a ausência de seu amante. Se nas cantigas de amor há vassalagem amorosa, nas cantigas de amigo estão presentes imagens e situações da vida no campo. Uma das características dessas cantigas é o diálogo da donzela com um interlocutor (outras moças, sua mãe ou a própria natureza) sobre seu sentimento.

Do ponto de vista formal, as composições são marcadas pela presença do refrão no final das estrofes, de paralelismo e de repetições, que garantem o ritmo das cantigas.

Dentre os trovadores desse tipo de cantiga, destaca-se Martin Codax, autor de sete cantigas de amigo que chegaram até os nossos tempos. Sua produção está no Cancioneiro da Vaticana, no Cancioneiro da Biblioteca Nacional e no pergaminho Videl. Outro importante trovador de cantigas de amigo foi dom Dinis (1261-1325), rei de Portugal de 1279 até 1325.

– Ai flores, ai, flores do verde pino,
se sabedes novas do meu amigo?
ai, Deus, e u é?

Ai flores, ai flores do verde ramo,
se sabedes novas do meu amado?
ai, Deus, e u é?

Se sabedes novas do meu amigo,
aquel que mentiu do que pôs comigo?
ai, Deus, e u é?

Se sabedes novas do meu amado,
aquel que mentiu do que mi á jurado?
ai, Deus, e u é?

D. Dinis. In: Moisés, Massaud. *A literatura portuguesa através dos textos.* 17. ed. São Paulo: Cultrix, 1988. p. 25.

**Glossário**

**aquel que mentiu do que pôs comigo?**: aquele que mentiu sobre o que tinha combinado comigo?
**e u é**: onde ele está
**novas**: notícias
**se sabedes**: você sabe

## As cantigas satíricas

- **Cantigas de escárnio**: **ridicularizavam** de **maneira sutil** ou **indireta** pessoas que participavam da vida palaciana ou das comunidades rurais. Essas cantigas contribuíam para a fixação de **tipos sociais** e frequentemente faziam uso de situações cômicas, como o envolvimento de mulheres em situações que depunham contra sua reputação. Por exemplo, no trecho da cantiga a seguir, do século XIII, de Pero Garcia Burgalês, o eu poético desmascara o “fingimento” que está na base do amor cortês, ao ironizar a morte do trovador Rui Queimado:

Rui Queimado morreu con amor
en seus cantares, par Sancta Maria,
por ũa dona que gran ben queria,
e, por se meter por mais trobador,
porque lh'ela non quis [o] ben fazer,
fez-s'el en seus cantares morrer,
mas ressurgiu depois ao tercer dia!

Esto fez el por ũa sa senhor
que quer gran ben, e mais vos en diria:
porque cuida que faz i mestria,
e nos cantares que fez a sabor
de morrer i e desi d'ar viver;
esto faz el que x'o pode fazer,
mas outr'omen per ren non [n] o faria.
[...]

**[tradução]**
Rui Queimado morreu de amor
em suas canções, por Santa Maria,
por uma senhora a quem tão bem queria,
e para mostrar seu talento de trovador,
porque ela não o quis bem,
ele fez-se, em suas canções, morrer,
mas ressuscitou depois no terceiro dia!

Isso ele fez por uma Senhora
a quem quer tão bem, e digo mais:
por julgar ter talento nisso,
e nas canções que faz, por gosto
de morrer e depois renascer;
isso faz ele, que pode fazê-lo,
mas outro homem não o faria.
[...]

Burgalês, Pero Garcia. In: Moisés, Massaud. *A literatura portuguesa através dos textos.* 17. ed. São Paulo: Cultrix, 1988. p. 28.

- **Cantigas de maldizer**: muitas vezes com um vocabulário obsceno, o trovador faz **críticas diretas** e **contundentes** a membros do clero, da nobreza, da comunidade ou, às vezes, até mesmo a um outro trovador. No trecho da cantiga de maldizer a seguir, o trovador exagera os defeitos de uma mulher e produz, por assim dizer, uma cantiga de amor às avessas:

Dona fea, nunca vos eu loei
en meu trobar, pero muito trobei;
mais ora já un bon cantar farei
en que vos loarei toda via;
e direi-vos como vos loarei:
dona fea, velha e sandia!
[...]

**[tradução]**
Dona feia, eu nunca vos louvei
em minhas canções, porém muito cantei;
mas, agora farei uma bela canção
em que vos louvarei completamente:
e digo como vos louvarei:
dona feia, velha e louca!
[...]

Guilharde, Dom Joan Garcia de. In: Moisés, Massaud. *A literatura portuguesa através dos textos.* 17. ed. São Paulo: Cultrix, 1988. p. 29-30.

## As novelas de cavalaria

Na produção literária em prosa, destacam-se as **novelas de cavalaria**, também conhecidas como **romances**. Tais narrativas retomavam antigas lendas de povos germânicos, que se misturavam com elementos da vida social das cortes.

Eram centradas nas aventuras vividas por cavaleiros, que seguiam um rígido **código de honra** centrado na retidão de caráter, piedade com os doentes, justiça e valentia na guerra e lealdade na paz.

Ao representarem cavaleiros que se lançam nas batalhas em defesa das donzelas e em nome de ideais cristãos, as novelas de cavalaria adquiriram caráter simbólico e místico. Entre as obras mais conhecidas, estão a *Demanda do Santo Graal* e *José de Arimateia*.

Esse gênero literário está dividido em três grandes ciclos:

- **Ciclo clássico**: sobre temas da Antiguidade Clássica, tais como a Guerra de Troia;
- **Ciclo bretão** ou **arturiano**: sobre as aventuras do rei Arthur e seus cavaleiros;
- **Ciclo carolíngio**: sobre os feitos do rei francês Carlos Magno e dos chamados "doze pares de França", ou seja, os doze cavaleiros fiéis a este rei.

## Cronicões e hagiografias

Embora tenham maior relevância, as novelas de cavalaria não foram o único tipo de prosa produzida durante a Idade Média. Entre as outras formas de texto utilizadas para registrar a vida e os valores daquela época, destacam-se:

- **Cronicões** ou **nobliários**: registros da vida cotidiana e dos feitos de reis e nobres com o intuito de torná-los reconhecidos na posteridade;
- **Hagiografias**: escritos sobre a vida dos santos, o que contribuiu para a difusão do cristianismo.

Podemos, então, sintetizar a literatura trovadoresca da seguinte forma:

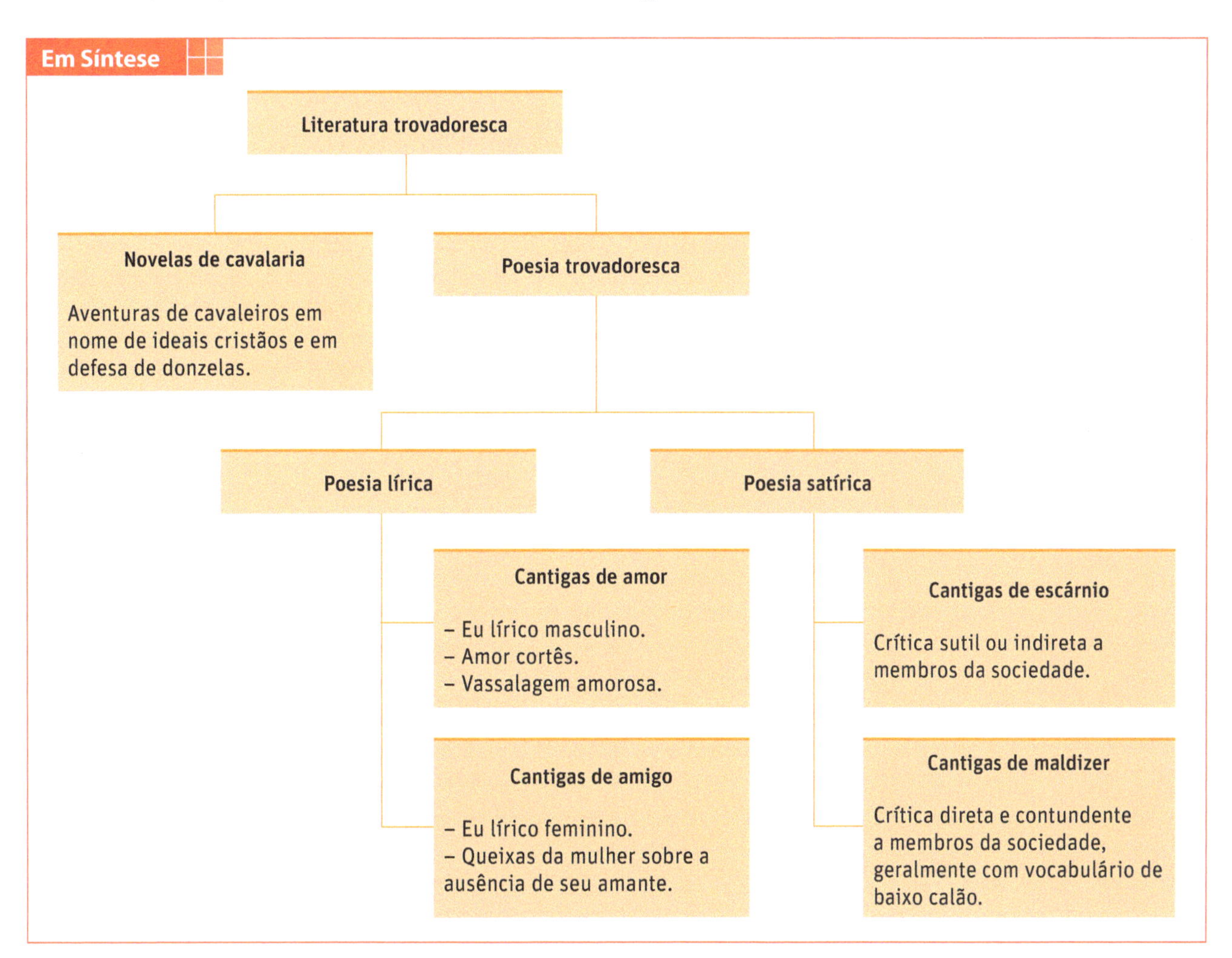

**(IFSP)** Leia a cantiga para responder às questões de números **1** e **2**.

### Cantiga de Amor

Afonso Fernandes

Senhora minha, desde que vos vi,
lutei para ocultar esta paixão
que me tomou inteiro o coração;
mas não o posso mais e decidi
que saibam todos o meu grande amor,
a tristeza que tenho, a imensa dor
que sofro desde o dia em que vos vi.

Já que assim é, eu venho-vos rogar
que queirais pelo menos consentir
que passe a minha vida a vos servir [...]

<www.caestamosnos.org/efemerides/118>. Adaptado.

**1.** Observando-se a última estrofe, é possível afirmar que o apaixonado:

a) se sente inseguro quanto aos próprios sentimentos.
b) se sente confiante em conquistar a mulher amada.
c) se declara surpreso com o amor que lhe dedica a mulher amada.
d) possui o claro objetivo de servir sua amada.
e) conclui que a mulher amada não é tão poderosa quanto parecia a princípio.

**2.** Uma característica desse fragmento, também presente em outras cantigas de amor do Trovadorismo, é:

a) a certeza de concretização da relação amorosa.
b) a situação de sofrimento do eu lírico.
c) a coita de amor sentida pela senhora amada.
d) a situação de felicidade expressa pelo eu lírico.
e) o bem-sucedido intercâmbio amoroso entre pessoas de camadas distintas da sociedade

**3.** **(Mackenzie-SP)** Assinale a afirmativa **correta** com relação ao Trovadorismo:

a) Um dos temas mais explorados por esse estilo de época é a exaltação do amor sensual entre nobres e mulheres camponesas.
b) Desenvolveu-se especialmente no século XV e refletiu a transição da cultura teocêntrica para a cultura antropocêntrica.
c) Devido ao grande prestígio que teve durante toda a Idade Média, foi recuperado pelos poetas da Renascença, época em que alcançou níveis estéticos insuperáveis.
d) Valorizou recursos formais que tiveram não apenas a função de produzir efeito musical, como também a função de facilitar a memorização, já que as composições eram transmitidas oralmente.
e) Tanto no plano temático como no plano expressivo, esse estilo de época absorveu a influência dos padrões estéticos greco-romanos.

**4.** **(UFRS)** Assinale a alternativa **incorreta** com respeito ao Trovadorismo em Portugal:

a) nas cantigas de amigo, o trovador escreve o poema do ponto de vista feminino.
b) nas cantigas de amor, há o reflexo do relacionamento entre senhor e vassalo na sociedade feudal: distância e extrema submissão.
c) a influência dos trovadores provençais é nítida nas cantigas de amor galego-portuguesas.
d) durante o trovadorismo, ocorre a separação entre poesia e música.
e) muitas cantigas trovadorescas foram reunidas em livros ou coletâneas que receberam o nome de cancioneiros.

**5.** **(Mackenzie-SP)** Sobre a poesia trovadoresca em Portugal, é **incorreto** afirmar que:

a) refletiu o pensamento da época, marcada pelo teocentrismo, o feudalismo e valores altamente moralistas.

b) representou um claro apelo popular à arte, que passou a ser representada por setores mais baixos da sociedade.

c) pode ser dividida em lírica e satírica.

d) em boa parte de sua realização, teve influência provençal.

e) as cantigas de amigo, apesar de escritas por trovadores, expressam o eu lírico feminino.

**6.** **(UFMG)** Nas mais importantes novelas de cavalaria que circularam na Europa medieval, principalmente como propaganda das Cruzadas, sobressaem-se:

a) as namoradas sofredoras, que fazem bailar para atrair o namorado ausente.

b) os cavaleiros medievais, concebidos segundo os padrões da Igreja Católica (por que lutam)

c) as namoradas castas, fiéis, dedicadas, dispostas a qualquer sacrifício para ir ao encontro do amado.

d) os namorados castos, fiéis, dedicados que, entretanto, são traídos pelas namoradas sedutoras.

e) os cavaleiros sarracenos, eslavos e infiéis, inimigos da fé cristã.

**(Mackenzie-SP)** Leia a cantiga para responder às questões **7** e **8**.

> Ondas do mar de Vigo,
> se vistes meu amigo!
> E ai Deus, se verrá cedo!
>
> Ondas do mar levado,
> se vistes meu amado!
> E ai Deus, se verrá cedo!
>
> Martim Codax

**Glossário**

**levado**: agitado
**verrá**: virá

**7.** Assinale a afirmativa **correta** sobre o texto.

a) Nessa cantiga de amigo, o eu lírico masculino manifesta a Deus seu sofrimento amoroso.

b) Nessa cantiga de amor, o eu lírico feminino dirige-se a Deus para lamentar a morte do ser amado.

c) Nessa cantiga de amigo, o eu lírico masculino manifesta às ondas do mar sua angústia pela perda do amigo em trágico naufrágio.

d) Nessa cantiga de amor, o eu lírico masculino dirige-se às ondas do mar para expressar sua solidão.

e) Nessa cantiga de amigo, o eu lírico feminino dirige-se às ondas do mar para expressar sua ansiedade com relação à volta do amado.

**8.** Assinale a afirmativa **correta** sobre o texto.

a) A estrutura paralelística é, neste poema, particularmente expressiva, pois reflete, no plano formal, o movimento de vai e vem das ondas.

b) Nesse texto, os versos livres e brancos são indispensáveis para assegurar o efeito musical da canção.

c) As repetições que marcam o desenvolvimento do texto opõem-se ao tom emotivo do poema.

d) No refrão, a voz das ondas do mar faz-se presente como contraponto irônico ao desejo do eu lírico.

e) É um típico vilancete de tradição popular, com versos em redondilha maior e estrofação irregular.

# Humanismo

## Contexto histórico

O Humanismo situa-se ao longo do século XV até o início do XVI. Esse **período de transição** entre o pensamento religioso medieval e a revalorização da cultura da Antiguidade Clássica é marcado pela formação das cidades, pelo surgimento de uma nova classe (a burguesia) e pelo questionamento do poder da Igreja sobre o Estado. As principais diferenças entre a concepção medieval e a concepção moderna de mundo são as seguintes:

- O teocentrismo começa a ceder espaço ao **antropocentrismo**, o que explica a origem do nome dado a esse contexto (o radical grego "antropo" significa "homem"). A existência de Deus deixa de ser a explicação para a verdade, e a autonomia da razão se torna o princípio fundamental.
- A observação da natureza substitui explicações baseadas em elementos sobrenaturais.
- A **inteligência humana** se sobrepõe aos ensinamentos religiosos e à dependência da revelação divina.

## Contexto cultural e formas literárias

Diante dessas mudanças ocasionadas pela **retomada de valores da cultura greco-latina**, a produção cultural deixa de ser exclusividade da Igreja e se aproxima da **população** em geral, difusão impulsionada pela invenção da imprensa por Gutenberg, em 1456.

Consequentemente, houve uma mistura de elementos sagrados e profanos, como revelam as formas literárias mais significativas do Humanismo. São elas: a **prosa historiográfica**, a **poesia palaciana** e o **teatro laico popular**.

Até então restrita ao registro dos feitos dos reis, a **prosa historiográfica** passou a considerar também as camadas populares e a burguesia como agentes da história das sociedades. Outra mudança significativa diz respeito ao registro dos acontecimentos: os historiadores passaram a valorizar o uso de documentos e testemunhos com o intuito de serem mais fiéis à realidade, contrapondo-se ao tom fantasioso da historiografia anterior.

Quanto à **poesia palaciana**, trata-se de uma forma de poesia produzida por aristocratas que frequentavam os palácios da corte e cultivavam o gosto por clássicos da Antiguidade. Ela ainda apresenta algumas semelhanças com as cantigas trovadorescas, mas a principal diferença em relação a elas é a **separação entre texto e música**. Predominavam três formas de poesia palaciana:

- **esparsa**: poema de uma única estrofe com 8 a 16 versos;
- **cantiga**: poema com duas estrofes, a primeira estrofe introduz o tema (mote) e na segunda há o desenvolvimento (glosa);
- **vilancete**: parecido com a cantiga, mas com um número menor de versos.

Por fim, destacou-se o **teatro laico popular**, forma nascida no Humanismo que se valia da sátira para criticar os costumes e valores da época e cujo maior expoente (não apenas em seu país natal, Portugal, mas em toda a Europa) foi Gil Vicente.

Quanto ao **sistema literário** do período humanista, os **escritores** (produtores) eram frequentadores da corte. Geralmente, pertenciam à aristocracia letrada e intelectualizada e também tinham um apreço pela leitura dos clássicos greco-latinos. O **público** (receptores) da literatura é formado predominantemente pelas mesmas classes que a produziram: nobres e burgueses. A **publicação** das obras (meio de transmissão) também ficava concentrada nas mãos de uma corte rica e interessada nas artes.

## Humanismo em Portugal

O Humanismo em Portugal eclodiu durante a dinastia de Avis (1385-1580), período de grande desenvolvimento. Entre as principais mudanças promovidas pela dinastia, estão a restrição ao poder da Igreja e o incentivo à educação laica e ao conhecimento científico, principalmente nas áreas náutica e cartográfica. Esse estímulo ao conhecimento, aliado ao apoio da burguesia ascendente, propiciou a expansão ultramarina portuguesa.

O Humanismo, iniciado na Itália, renovou a arte portuguesa. Essa inovação na literatura portuguesa ocorreu em três gêneros: o lírico, o historiográfico e o dramático.

## Cancioneiro

Com relação ao gênero **lírico**, destaca-se a **poesia palaciana**, cujas produções foram reunidas no *Cancioneiro geral*, publicado pelo poeta Garcia de Resende em 1516. Entre os mais de duzentos poetas representados no Cancioneiro, está Jorge de Resende, autor da cantiga citada abaixo.

Cantiga sua partindo-se
Senhora, partem tão tristes
meus olhos por vós, meu bem,
que nunca tão tristes vistes
outros nenhuns por ninguém.

Tão tristes, tão saudosos,
tão doentes da partida,
tão cansados, tão chorosos,
da morte mais desejosos
cem mil vezes que da vida.

Partem tão tristes os tristes,
tão fora d'esperar bem,
que nunca tão tristes vistes
outros nenhuns por ninguém.

Castelo Branco, João Roiz de. In: Moisés, Massaud.

Nessa cantiga, é possível notar a presença de elementos da cantiga trovadoresca (o sofrimento do eu lírico pela amada, a quem se dirige por meio do vocativo "Senhora"), e inovações formais (assonâncias e aliterações produzem uma musicalidade interna ao próprio texto, apontando para a independência de um acompanhamento musical).

## Fernão Lopes, o cronista-mor

Na **historiografia**, o grande nome foi **Fernão Lopes**. Nomeado cronista-mor, em 1434, ele ficou responsável pelo registro da história de Portugal, relatando a vida dos reis. Em suas mãos, o gênero ganhou excelência devido aos seguintes aspectos:

- coleta criteriosa de provas e documentos;
- entrevistas com diversas testemunhas;
- inclusão da participação popular na história dos reinados portugueses;
- registro dos acontecimentos em um relato com estilo claro e coeso.

Da sua obra, as crônicas mais importantes são:

- *Crônica de El-Rei dom Pedro.*
- *Crônica de El-Rei dom Fernando.*
- *Crônica de El-Rei dom João I.*

Além de ser um relevante documento histórico de uma era portuguesa movimentada, a obra de Fernão Lopes contribuiu com a definição da identidade nacional e também com a construção de Portugal como nação.

Leia um trecho da *Crônica de El-Rei dom João I*, na qual o cronista destaca a relação entre os habitantes do Porto e dom João I no período da invasão do rei de Castela a Portugal.

Deveis saber que assim que o Mestre ocupou cargo de regedor e defensor dos reinos e soube que el-rei de Castela vinha com seu poder para entrar neles, logo escreveu cartas a algumas vilas e cidades, como também a certas pessoas, notificando-lhes nelas a maneira pela qual estes reinos estavam em ponto de se perder; e como el-rei de Castela vinha para tomá-los e submeter os povos deles, agindo contra os tratados que existiam; que deviam julgar tal coisa como algo muito grave e muito estranha, e que todos deveriam acreditar que seria preferível morrer a cair na servidão tão odiosa. E que ele [o Mestre], por honra e defesa do reino e dos nativos deles, se dispusera a tomar encargo de regê-lo e defendê-lo [...].

Lopes, Fernão. Crônica de El-Rei d. João I. In: *História e antologia da literatura portuguesa*: séculos XIII-XV. Lisboa: Fundação Calouste Gulbenkian, 2007. v. 1. p. 399-400. Texto adaptado para o português contemporâneo.

## Gil Vicente, o pai do teatro português

Gil Vicente é considerado o primeiro dramaturgo de Portugal. Antes dele, não se podia falar propriamente em dramaturgia portuguesa, uma vez que existiam apenas pequenas encenações de viés religioso.

Ao longo de mais de três décadas de trabalho na corte portuguesa, Gil Vicente escreveu mais de 40 peças, entre **autos** e **farsas**. Os autos são peças com temática e moral cristãs, enquanto as farsas caracterizam-se por ter um único ato e pela crítica mordaz e direta a costumes sociais.

Mas a religiosidade medieval em sua obra não está a serviço do teocentrismo e de eventos sobrenaturais, mas sim da **sátira à sociedade e aos tipos humanos**. Não há densidade psicológica em seus personagens; eles são, antes de tudo, representações de tipos sociais: plebeus, comerciantes, agiotas, fidalgos, velhas alcoviteiras, mães de família, criados ignorantes, padres, bispos, entre outros tantos.

O uso da moral cristã como instrumento de crítica social está claro no trecho a seguir, extraído de uma de suas obras-primas, o *Auto da barca do inferno*, peça em que o Diabo e um Anjo são representados como dois barqueiros à espera das almas que levarão para o inferno ou para o céu. Neste trecho, eles recebem um "frade mundano", cujo comportamento destoa daquele esperado de um membro da Igreja.

*Chega um Frade com uma moça pela mão, e um broquel e uma espada na outra; vem cantando e dançando.*

[...]

DIABO – Que é isso, Padre? Que vai lá?
FRADE – *Deo gratias!* Sou cortesão.
DIABO – Sabeis também o tordião?
FRADE – Por que não? Como ora sei!
DIABO – Pois entrai! Eu tangerei
e faremos um serão.
E essa dama, ela é vossa?
FRADE – Por minha a tenho eu,
e sempre a tive de meu.
DIABO – Fizestes bem, que é formosa!
E não vos punham lá grosa
no vosso convento santo?
FRADE – E eles fazem outro tanto!
Assim fui bem açoutado.

VICENTE, Gil. *O Auto da barca do inferno*. Disponível em: <http://www.dominiopublico.gov.br/download/texto/bv000107.pdf>. Acesso em: 18 jul. 2012.

**Glossário**

**broquel**: escudo
***Deo gratias***: graças a Deus
**grosa**: censura
**tordião**: dança típica renascentista

Podemos, então, sintetizar a produção literária do humanismo português da seguinte forma:

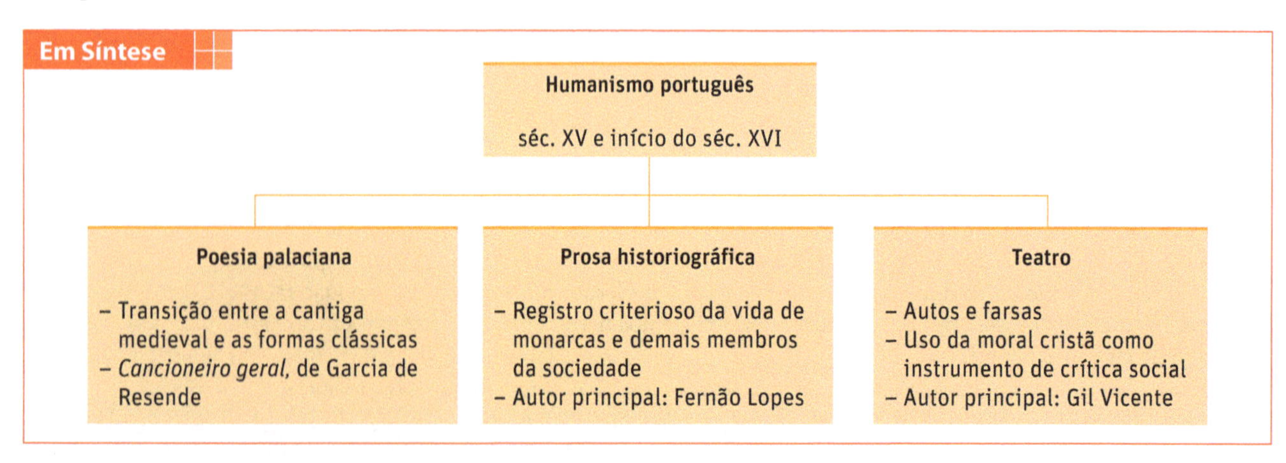

## Atividades

1. **(Unifesp)** Leia o texto de Gil Vicente.

> DIABO: – Essa dama, é ela vossa?
> FRADE: – Por minha a tenho eu
> e sempre a tive de meu.
> DIABO: – Fizeste bem, que é fermosa!
> E não vos punham lá grosa
> nesse convento santo?
> FRADE: – E eles fazem outro tanto!
> DIABO: – Que cousa tão preciosa!

No trecho da peça de Gil Vicente, fica evidente uma:

a) visão bastante crítica dos hábitos da sociedade da época. Está clara a censura à hipocrisia do religioso, que se aparta daquilo que prega.

b) concepção de sociedade decadente, mas que ainda guarda alguns valores essenciais, como é o caso da relação entre o frade e o catolicismo.

c) postura de repúdio à imoralidade da mulher que se põe a tentar o frade, que a ridiculariza em função de sua fé católica inabalável.

d) visão moralista da sociedade. Para ele, os valores deveriam ser resgatados e a presença do frade é um indicativo de apego à fé cristã.

e) crítica ao frade religioso que optou em vida por ter uma mulher, contrariando a fé cristã, o que, como ele afirma, não acontecia com os outros frades do convento.

2. **(UEL-PR)** Em *Farsa de Inês Pereira* (1523), Gil Vicente apresenta uma donzela casadoura que se lamenta das canseiras do trabalho doméstico e imagina casar-se com um homem discreto e elegante. O trecho a seguir é a fala de Latão, um dos judeus que foi em busca do marido ideal para Inês, dirigindo-se a ela.

> Foi a coisa de maneira,
> tal friúra e tal canseira,
> que trago as tripas maçadas;
> assim me fadem boas fadas
> que me soltou caganeira...
> para vossa mercê ver
> o que nos encomendou.
>
> VICENTE, Gil. *Farsa de Inês Pereira*. 22. ed. São Paulo: Brasiliense, 1989. p. 95.

**Glossário**

**fadem**: predizem
**friúra**: frieza, estado de quem está frio
**maçadas**: surradas

Sobre o trecho, é **correto** afirmar:

a) Privilegia a visão racionalista da realidade por Gil Vicente, empregada pelo autor para atender as necessidades do homem do Classicismo.

b) É escrito com perfeição formal e clareza de raciocínio, pelas quais Gil Vicente é considerado um mestre renascentista.

c) Retrata uma cena grotesca em que se notam traços da cultura popular, o que não invalida a inclusão de Gil Vicente entre os autores do Humanismo.

d) Sua linguagem é característica de um período já marcado pelo Renascimento, o que se evidencia pela referência de Gil Vicente a figuras mitológicas clássicas, como as "boas fadas".

e) Revela em Gil Vicente uma visão positiva do homem de fé que se liberta da doença pelo recurso à divindade.

3. **(UFSC)** Marque a alternativa **incorreta** a respeito do Humanismo:

a) época de transição entre a Idade Média e o Renascimento.

b) o teocentrismo cede lugar ao antropocentrismo.

c) Fernão Lopes é o grande cronista da época.

d) Garcia de Resende coletou as poesias da época, publicadas em 1516 com o nome de Cancioneiro Geral.

e) a *Farsa de Inês Pereira* é a obra de Gil Vicente cujo assunto é religioso, desprovido de crítica social.

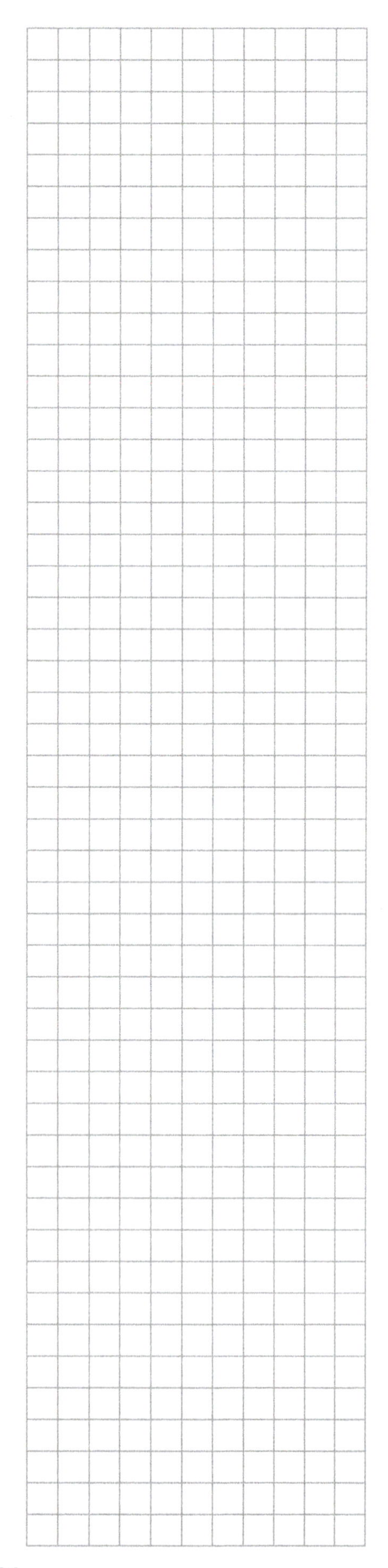

**(Mackenzie-SP)** Texto para a questão **4**.

> Chicó – Por que essa raiva dela?
>
> João Grilo – Ó homem sem vergonha! Você inda pergunta? Está esquecido de que ela o deixou? Está esquecido da exploração que eles fazem conosco naquela padaria do inferno? Pensam que são o cão só porque enriqueceram, mas um dia hão de pagar. E a raiva que eu tenho é porque quando estava doente, me acabando em cima de uma cama, via passar o prato de comida que ela mandava para o cachorro. Até carne passada na manteiga tinha. Para mim nada, João Grilo que se danasse. Um dia eu me vingo.
>
> Chicó – João, deixe de ser vingativo que você se desgraça. Qualquer dia você inda se mete numa embrulhada séria.
>
> SUASSUNA, Ariano. *Auto da compadecida.*

**4.** Considere as seguintes afirmações:

I. O texto de Ariano Suassuna recupera aspectos da tradição dramática medieval, afastando-se, portanto, da estética clássica de origem greco-romana.

II. A palavra Auto, no título do texto, por si só sugere que se trata de peça teatral de tradição popular, aspecto confirmado pela caracterização das personagens.

III. O teor crítico da fala da personagem, entre outros aspectos, remete ao teatro humanista de Gil Vicente, autor de vários autos, como, por exemplo, o Auto da barca do inferno.

Assinale:

a) se todas estiverem corretas.
b) se apenas I e II estiverem corretas.
c) se apenas II estiver correta.
d) se apenas II e III estiverem corretas.
e) se todas estiverem incorretas.

**5.** **(UFRGS-RS)** Considere as afirmações abaixo sobre o *Auto da Barca do Inferno*, de Gil de Vicente.

I. O Fidalgo e o Sapateiro levam consigo objetos característicos de seu *status* social em vida.

II. Apenas o Parvo e os quatro Cavaleiros cruzados serão conduzidos pela Barca da Glória.

III. Ao contrário do Anjo vicentino, que é persuasivo e alegre, o Diabo vicentino é um personagem sisudo, de poucas e irônicas falas.

Quais estão corretas?

a) Apenas I.
b) Apenas III.
c) Apenas I e II.
d) Apenas II e III.
e) Todas as alternativas

**6.** **(Fuvest-SP)** Indique a afirmação **correta** sobre o *Auto da barca do inferno*, de Gil Vicente:

a) É intricada a estruturação de suas cenas, que surpreendem o público com o inesperado de cada situação.
b) O moralismo vicentino localiza os vícios, não nas instituições, mas nos indivíduos que as fazem viciosas.
c) É complexa a crítica aos costumes da época, já que o autor é o primeiro a relativizar a distinção entre Bem e o Mal.
d) A ênfase desta sátira recai sobre as personagens populares mais ridicularizadas e as mais severamente punidas.
e) A sátira é aqui demolidora e indiscriminada, não fazendo referência a qualquer exemplo de valor positivo.

**7.** **(Unifesp)** Para responder à questão, leia os versos seguintes, da famosa *Farsa de Inês Pereira*, escrita por Gil Vicente:

> Andar! Pero Marques seja!
> Quero tomar por esposo
> quem se tenha por ditoso
> de cada vez que me veja.
> Meu desejo eu retempero:
> asno que me leve quero,
> não cavalo valentão:
> antes lebre que leão,
> antes lavrador que Nero.
>
> VICENTE, Gil. *Farsa de Inês Pereira*.

Sobre a *Farsa de Inês Pereira*, é **correto** afirmar que é um texto de natureza:

a) satírica, pertencente ao Humanismo português, em que se ridiculariza a ascensão social de Inês Pereira por meio de um casamento de conveniências.

b) didático-moralizante, do Barroco português, no qual as contradições humanas entre a vida terrena e a espiritual são apresentadas a partir dos casamentos complicados de Inês Pereira.

c) religiosa, pertencente ao Renascimento português, no qual se delineia o papel moralizante, com vistas à transformação do homem, a partir das situações embaraçosas vividas por Inês Pereira.

d) reformadora, do Renascimento português, com forte apelo religioso, pois se apresenta a religião como forma de orientar e salvar as pessoas pecadoras.

e) cômica, pertencente ao Humanismo português, no qual Gil Vicente, de forma sutil e irônica, critica a sociedade mercantil emergente, que prioriza os valores essencialmente materialistas.

**8.** **(Mackenzie-SP)** O Humanismo foi um movimento que **não** pode ser definido por:

a) ser um movimento diretamente ligado ao Renascimento, por suas características antropocentristas e individuais.

b) ter uma visão do mundo que recupera a herança greco-romana, utilizando-a como tema de inspiração.

c) ter valorizado o misticismo, o geocentrismo e as realizações culturais medievais.

d) centrar-se no homem, em oposição ao teocentrismo, encarando-o como "medida comum de todas as coisas".

e) romper os limites religiosos impostos pela Igreja às manifestações culturais.

**9.** **(PUC-SP)** *O Auto da barca do inferno* pertence ao movimento literário do Humanismo, em Portugal, porque Gil Vicente:

a) critica a igreja pela venda indiscriminada de indulgências e pela vida desregrada dos padres.

b) preocupa-se somente com a salvação do homem após a morte, sem se voltar para os problemas sociais da época.

c) equilibra a concepção cristã da salvação após a morte com a visão crítica do homem e da sociedade do seu tempo.

d) tem como única preocupação criticar o homem e as mazelas sociais do momento histórico em que está inserido.

e) critica a Igreja, ao defender com entusiasmo os princípios reformistas disseminados pela Reforma protestante.

# Classicismo

## Contexto histórico

O Classicismo é a produção literária do **Renascimento**, movimento cultural que acentuou a revalorização da cultura da Antiguidade Clássica e do antropocentrismo iniciada no Humanismo.

O crescimento das cidades e a ascensão econômica da burguesia mercantil promoveram **trocas mercantis** em larga escala, o que consequentemente demandou a busca por novos produtos com o intuito de atender aos interesses desse mercado em forte expansão.

Isso favoreceu as **Grandes Navegações**, que, por sua vez, impulsionaram o desenvolvimento de ciências como a astronomia e a física, sem as quais teria sido inviável a busca por novos produtos longe da Europa.

## Contexto cultural

O Renascimento foi um amplo movimento cultural que consolidou a retomada dos ideais clássicos greco-latinos. Nascido na Itália, o movimento espalhou-se por outros países europeus difundindo valores como equilíbrio e culto à razão. Sua importância é perceptível em diversas manifestações artístico-culturais, como pintura, escultura, arquitetura e literatura.

No campo da pintura, o Renascimento trouxe inovações como a **perspectiva** (representação tridimensional em superfícies planas) e o cuidado com o **espaço de composição** (disposição dos elementos na tela). Entre os principais pintores renascentistas, estão Rafael Sanzio, Michelângelo Buonarroti e Leonardo Da Vinci, autor da célebre *Mona Lisa*.

Cabe ressaltar que grande parte da produção artística daquele período só foi possível graças ao chamado **mecenato**, isto é, o estímulo financeiro vindo de famílias abastadas. Financiar artistas (escultores, arquitetos, pintores e escritores) era sinônimo de elegância e contribuía para que uma família fosse mais bem vista na sociedade.

## A literatura renascentista

As formas que mais se destacaram na literatura renascentista foram a **poesia épica** e a **poesia lírica**. No campo da **poesia épica**, houve o diálogo intenso com as principais epopeias clássicas, como a *Ilíada* e a *Odisseia*, do grego Homero, e a *Eneida*, do poeta latino Virgílio, como evidencia a estrofe abaixo, retirada de *Os Lusíadas*, obra-prima do português Luís de Camões. Nela, há referências a Ulisses ("sábio Grego") e Eneias ("Troiano"), respectivamente, os heróis da *Odisseia* e da *Eneida*.

Cessem do sábio Grego e do Troiano
As navegações grandes que fizeram;
Cale-se de Alexandro e de Trajano
A fama das vitórias que tiveram;
Que eu canto o peito ilustre Lusitano,
A quem Neptuno e Marte obedeceram.
Cesse tudo o que a Musa antiga canta,
Que outro valor mais alto se alevanta.
[...]

CAMÕES, Luís de. In: *História e antologia da literatura portuguesa*: século XVI. Lisboa: Fundação Calouste Gulbenkian, 2007. v. 2. t. 1. p. 497.

Mas além de recuperar gêneros clássicos, a literatura daquele período também inovou. Na **poesia lírica**, por exemplo, o *dolce stil nuovo* (doce estilo novo), criado pelo poeta italiano Dante Alighieri, promoveu uma ruptura com a poesia lírica medieval ao apresentar uma nova concepção de amor. Este sentimento é visto como um privilégio restrito a corações nobres e puros. Dessa forma, a amada é vista como aquela que desperta no eu lírico sentimentos como equilíbrio, nobreza, gentileza, bondade e elevação espiritual, ou seja, a amada não é mais aquela que desencadeia o sofrimento. Essa mudança pode ser observada no poema a seguir:

**[É tão gentil e tão honesto o ar]**

É tão gentil e tão honesto o ar
de minha Dama, quando alguém saúda,
que toda boca vai ficando muda
e os olhos não se afoitam de a fitar.

Ela assim vai sentindo-se louvar
na piedosa humildade em que se escuda,
qual fosse um anjo que dos céus se muda
para uma prova dos milagres dar.

Tão afável se mostra a quem a mira
que o olhar infunde ao coração dulçores
que só não sente quem jamais olhou-a.

E quando fala, dos seus lábios voa
Uma aura suave, trescalando amores,
que dentro d'alma vai dizer: "Suspira!"

ALIGHIERI, Dante. É tão gentil e honesto o ar. Trad. Augusto de Campos. In: CAMPOS, Augusto de. *Invenção:* de Arnaut e Raimbaut a Dante e Cavalcanti. São Paulo: Arx, 2003.

Outro importante poeta lírico do Renascimento foi o italiano Francesco Petrarca. Ele não apenas consolidou as mudanças feitas por Dante, mas também incorporou o tema da turbulência emocional do eu lírico dividido e angustiado diante do sentimento amoroso. Não se trata do sentimentalismo exacerbado das cantigas amorosas medievais, mas sim de um **conflito existencial**: ao refletir sobre o amor, o eu lírico percebe contradições próprias desse sentimento. Leia.

**Soneto XXII**

Se amor não é qual é este sentimento?
Mas se é amor, por Deus, que coisa é a tal?
Se boa por que tem ação mortal?
Se má por que é tão doce o seu tormento?

Se eu ardo por querer por que o lamento
Se sem querer o lamentar que val?
Ó viva morte, ó deleitoso mal,
Tanto podes sem meu consentimento.

E se eu consinto sem razão pranteio.
A tão contrário vento em frágil barca,
Eu vou para o alto mar e sem governo.

É tão grave de error, de ciência é parca
Que eu mesmo não sei bem o que anseio
E tremo em pleno estio e ardo no inverno.

PETRARCA, Francesco. *Poemas de amor de Petrarca.* Trad. Jamir Almansur Haddad. Rio de Janeiro: Ediouro, 1998. p. 63.

# Classicismo em Portugal

O início do Classicismo em Portugal se deu sob a influência de poetas italianos, sobretudo Petrarca. Isso porque, em 1526, o poeta português Sá de Miranda retorna da Itália divulgando novas formas poéticas, como o **soneto** (poema de 14 versos, com dois quartetos e dois tercetos, conforme o exemplo acima) e a **medida nova** (poemas com versos de 10, 11 ou 12 sílabas poéticas).

## Contexto histórico

Portugal vive um período de grande desenvolvimento entre os séculos XV e XVI em razão da riqueza e do prestígio alcançados com as **Grandes Navegações**. A exploração de colônias africanas e a descoberta de um caminho marítimo para as Índias e outras regiões asiáticas impulsionaram a economia portuguesa e deram ao país o *status* de protagonista no cenário europeu. Isso favoreceu a absorção da cultura do Renascimento que se difundia pela Europa.

## Gêneros literários

As formas literárias que mais se destacaram no renascimento português foram a **poesia épica** e a **poesia lírica**.

A primeira está intimamente ligada à expansão ultramarina. Diante das muitas conquistas mar afora, os navegantes foram considerados verdadeiros heróis nacionais. Esse fato influenciou poetas para a produção da poesia épica. O grande exemplo é, sem dúvida, *Os Lusíadas*, poema em que Luís de Camões, ao narrar a viagem de Vasco da Gama às Índias, enaltece a história e as conquistas do povo português.

Na poesia lírica, o maior expoente também foi Luís de Camões, embora não se possa desconsiderar a importância de Sá de Miranda. A incorporação de formas e temas do "doce estilo novo" italiano não significou o fim da lírica medieval portuguesa, mas sim a coexistência de estilos. Característicos das cantigas medievais, o sentimentalismo e a **medida velha** (redondilha menor e redondilha maior, respectivamente com 5 e 7 sílabas poéticas) passaram a coexistir com o racionalismo e a **medida nova** (versos de 10, 11 ou 12 sílabas poéticas), típicos do classicismo.

## Sá de Miranda

Além de pioneiro do Classicismo português, o poeta Francisco de Sá de Miranda é autor de uma lírica amorosa relevante. Embora tenha se entusiasmado com as novas formas de composição italianas, como o soneto e o verso decassílabo, Sá de Miranda não abandonou as redondilhas medievais.

Seus poemas expressam conflitos existenciais. Sóbrio e reflexivo, ou seja, tipicamente renascentista, o eu lírico de sua poesia medita sobre os destinos humanos e a impossibilidade de realização amorosa, como revela o soneto abaixo, notadamente influenciado pela lírica de Francesco Petrarca.

Amor que não fará? Fez-me enjeitar
tam levemente a mim por quem me enjeita;
castelos de esperanças e suspeita
faz, e não sei que faz, tudo no ar.

Fez-me pedras colher, fez-mas lançar;
aperta-se a alma triste, em si encolheita;
à força que fará, e lei estreita?
queira ou não queira, em fim, há-de passar.

Tam cego e tanto era eu, que da vontade
tudo fiei, que tudo a través guia,
tam grande imiga minha e da verdade!

Que al se podia esperar de ũa tal guia?
Caí onde ora jaço, oh! crueldade!
Não sei quando é de noite, ou quando é dia.

MIRANDA, Francisco de Sá de. In: *História e antologia da literatura portuguesa:* século XVI. Lisboa: Fundação Calouste Gulbenkian, 2007. v. 2. t. 1. p. 189.

**Glossário**

**a través**: ao contrário
**al**: outra coisa
**encolheita**: encolhida
**enjeitar**: rejeitar
**fiar**: acreditar, confiar
**imiga**: inimiga
**jaço**: jazo, do verbo jazer (estar em posição estendida e imóvel)
**tam**: tão
**ũa**: uma

## Luís de Camões

Camões foi a figura mais relevante do Classicismo português. Sua poesia está dividida entre **lírica** e **épica**. Em sua lírica, há dois repertórios. Um deles, ainda ligado à **herança medieval**, traz poemas escritos na **medida velha** (redondilhas); o outro, mais próximo da arte clássico-renascentista, apresenta **sonetos** escritos na **medida nova** (decassílabos).

Mais do que coexistirem, temas medievais e humanistas convivem em sua poesia. O sentimento amoroso tratado de forma mais concreta e a incorporação de elementos da realidade sensível em sua poesia são heranças medievais, ao passo que a busca pela formulação dos conceitos é um tema nitidamente renascentista.

Um bom exemplo dessa fusão está no poema abaixo. A forma (redondilha maior) é medieval, mas o tratamento racional dado ao tema é renascentista. Há, contudo, uma diferença considerável no papel desempenhado pela razão. Se, para os renascentistas, ela levava ao esclarecimento das coisas, destituindo-as de qualquer mistério, no poema de Camões ela leva à perplexidade diante do **desconcerto do mundo**, um dos temas centrais de sua poesia.

**Esparsa**

sua ao desconcerto do mundo

Os bons vi sempre passar
no mundo graves tormentos;
e, para mais m'espantar,
os maus vi sempre nadar
em mar de contentamentos.
Cuidando alcançar assim
o bem tão mal ordenado,
fui mau, mas fui castigado:
Assi que, só para mim
anda o mundo concertado.

CAMÕES, Luís de. *Poesia lírica*. Seleção e introdução de Isabel Pascoal. 3. ed. Lisboa: Ulisseia, s. d. (Coleção Biblioteca Ulisseia de Autores Portugueses).

Como se vê, Camões promove uma tensão na medida em que a compreensão racional não é capaz de desfazer os conflitos e as inconstâncias que cercam o ser humano. Essa tensão também se aplica à sua poesia amorosa. Em muitos de seus sonetos amorosos, o eu lírico está às voltas com contradições, dividido entre o plano carnal e a lógica e buscando formular conceitos, muitas vezes com base na filosofia neoplatônica e aristotélica.

Amor é um fogo que arde sem se ver,
é ferida que dói, e não se sente;
é um contentamento descontente,
é dor que desatina sem doer.

É um não querer mais que bem querer;
é um andar solitário entre a gente;
é nunca contentar-se de contente;
é um cuidar que ganha em se perder.

É querer estar preso por vontade;
é servir a quem vence o vencedor;
é ter, com quem nos mata, lealdade.

Mas como causar pode seu favor
nos corações humanos amizade,
se tão contrário a si é o mesmo Amor?

CAMÕES, Luís de. *Sonetos de Camões*. São Paulo: Ateliê, 1998. p. 49.

Na **épica**, Camões compôs sua obra-prima, *Os Lusíadas*, longo poema cujo eixo narrativo central é a **viagem de Vasco da Gama às Índias**. A obra apresenta dez cantos, com estrofes em **oitava-rima** e versos decassílabos, cujo esquema de rimas é ABABABCC.

Os dez cantos distribuem-se em cinco partes:

- **Proposição:** introdução do assunto;
- **Invocação:** pedido para que as ninfas do rio Tejo inspirem a composição do poema;
- **Dedicatória:** o poema é dedicado ao rei português dom Sebastião;
- **Narração:** desenvolvimento da narrativa;
- **Epílogo:** encerramento do poema.

Uma novidade dessa epopeia em relação aos modelos da Antiguidade Clássica é que ela traz como herói não só um indivíduo, mas a coletividade – o **povo português**. O poema adquire, assim, um **caráter nacional**.

Mas a exaltação à pátria (ufanismo) não está presente em toda a obra. Camões não deixa de criticar a expansão ultramarina e personagens importantes da história de Portugal. No episódio de Inês de Castro, por exemplo, Camões expõe a crueldade do rei dom Afonso IV e fidalgos portugueses ao mandarem assassinar Inês de Castro por motivações políticas.

Leia um trecho do episódio de **Inês de Castro**:

Tirar Inês ao mundo determina,
Por lhe tirar o filho que tem preso,
Crendo co sangue só da morte indina
Matar do firme amor o fogo aceso.
Que furor consentiu que a espada fina,
Que pôde sustentar o grande peso
Do furor Mauro, fosse alevantada
Contra hũa fraca dama delicada?

Traziam-na os horríficos algozes
Ante o Rei, já movido a piedade;
Mas o povo, com falsas e ferozes
Razões, à morte crua o persuade.
Ela, com tristes e piedosas vozes,
Saídas só da mágoa e saudade
Do seu Príncipe e filhos, que deixava,
Que mais que a própria morte a magoava,
Pera o céu cristalino alevantando,
Com lágrimas, os olhos piedosos
(Os olhos, porque as mãos lhe estava atando
Um dos duros ministros rigurosos);

Camões, Luís Vaz de. In: *História e antologia da literatura portuguesa: século XVI*. Lisboa: Fundação Calouste Gulbenkian, 2007. v. 2. t. 1. p. 505-507.

**Glossário**

**algoz**: carrasco, executor de pena de morte ou castigo
**hũa**: uma
**Mauro**: árabe

Já em outro episódio célebre, o do **Velho do Restelo** (canto IV), um velho alerta Vasco da Gama sobre as consequências negativas da expansão ultramarina.

## Canto IV

[...]
Oh! Maldito o primeiro que, no mundo,
Nas ondas vela pôs em seco lenho!
Dino da eterna pena do Profundo,
Se é justa a justa Lei que sigo e tenho!
Nunca juízo algum, alto e profundo,
Nem cítara sonora ou vivo engenho
Te dê por isso fama nem memória,
Mas contigo se acabe o nome e glória!

Camões, Luís Vaz de. In: História e antologia da literatura portuguesa: século XVI. Lisboa: Fundação Calouste Gulbenkian, 2007. v. II. t. I. p. 511-512.

Podemos, então, sintetizar a produção literária do Classicismo português da seguinte forma:

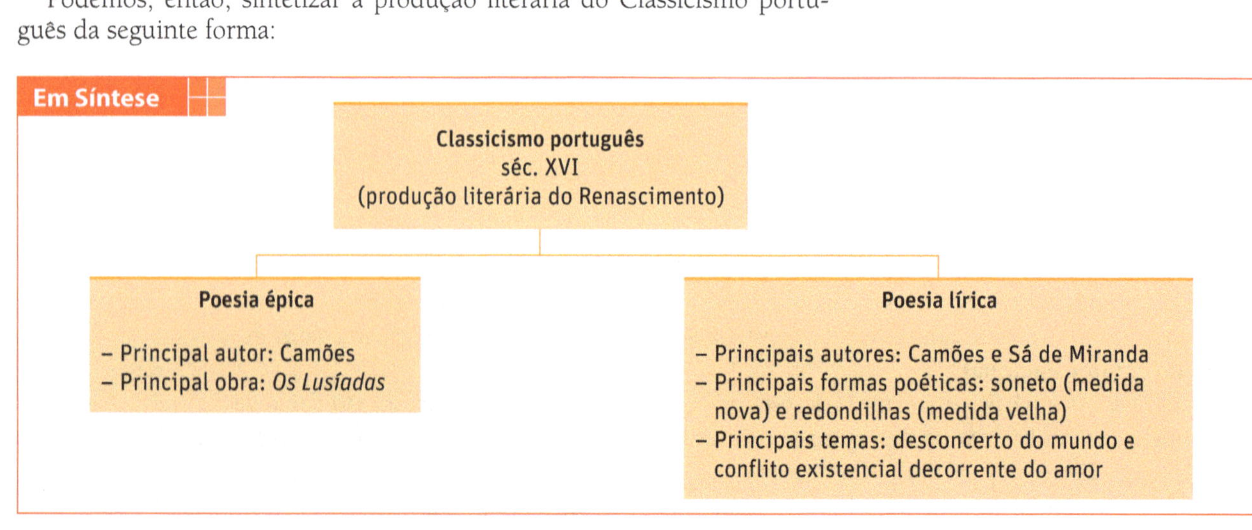
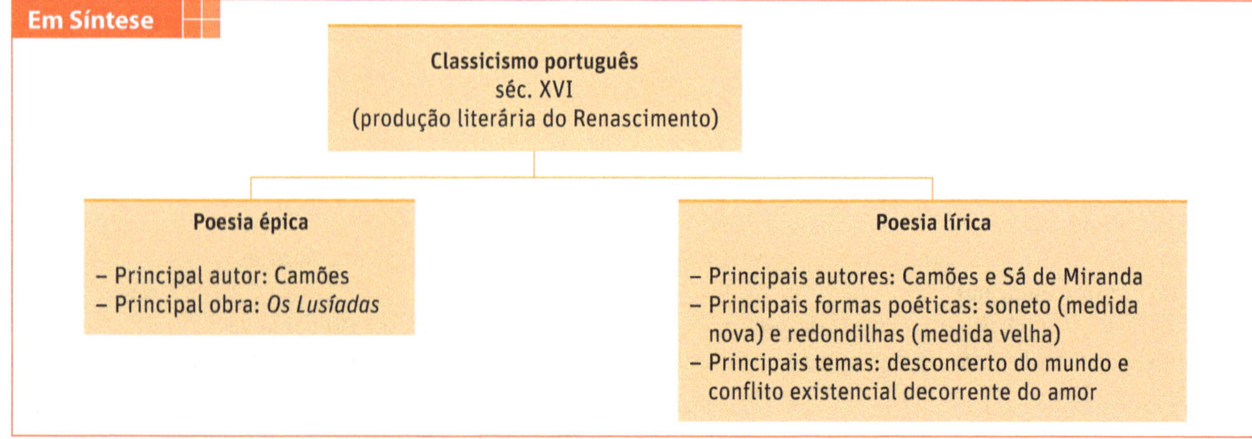

(Mackenzie-SP) Texto para a questão **1** a **3**.

**Texto I**

Cessem do sábio Grego e do Troiano
As navegações grandes que fizeram,
[...]
Cesse tudo o que a Musa antiga canta,
Que outro valor mais alto se alevanta.

CAMÕES, Luís Vaz de. *Os Lusíadas.*

**Texto II**

Cesse de uma vez meu vão desejo
de que o poema sirva a todas as fomes.
[...]
letras eu quero é pra pedir emprego,
agradecer favores,
escrever meu nome completo.
O mais são as mal-traçadas linhas.

PRADO, Adélia. *O que a musa eterna canta.*

**1.** Considerado o contexto da obra *Os Lusíadas*, é **correto** dizer que, no texto I, o poeta:

a) expressa, com seu canto, o desejo de negar a tradição épica, já que considera ultrapassado "o que a Musa antiga canta" (verso 3).

b) faz alusão à grandeza heroica do povo português, quando se refere ao "valor mais alto" (verso 4).

c) opõe-se às representações mitológicas greco-romanas (verso 3), deixando implícita sua adesão ao cristianismo.

d) incita os portugueses a rejeitarem todo o conhecimento universal (verso 1), para inscreverem seu nome na história.

e) explicita sua crítica aos antigos navegadores, ao utilizar ironicamente o adjetivo "grandes" (verso 2).

**2.** Considere as seguintes afirmações sobre ***Os Lusíadas***:

I. É um poema épico que tem como núcleo narrativo as origens históricas de Portugal, relatadas pela voz do próprio poeta.

II. Embora pertença à Épica, incorpora à sua linguagem traços estilísticos do gênero lírico, em episódios antológicos como o da "Inês de Castro" e o da "Ilha dos Amores", por exemplo.

III. Obedece a uma regularidade formal, valendo-se de versos decassílabos, traço valorizado no Renascimento.

Assinale:

a) se apenas as afirmações I e II estiverem corretas.

b) se apenas as afirmações II e III estiverem corretas.

c) se apenas as afirmações I e III estiverem corretas.

d) se apenas a afirmação III estiver correta.

e) se todas as afirmações estiverem corretas.

**3.** No texto II, o eu lírico:

a) reaproveita ironicamente a linguagem camoniana, para relativizar a necessidade e a importância do canto poético.

b) retoma o discurso grandiloquente de ***Os Lusíadas***, adequado para expressar o heroísmo presente no cotidiano das pessoas humildes.

c) incorpora ao poema a dicção clássica, não só parafraseando o verso camoniano, mas também imitando o padrão formal do século XVI.

d) recusa a forte influência que a tradição lírica quinhentista exerceu sobre a literatura brasileira.

e) manifesta, sarcasticamente, sua compreensão de que os poetas, desde a Antiguidade, sempre consideraram o poema algo supérfluo.

4. (PUC-PR) Leia os textos que se seguem e responda à questão:

### Fala do Velho do Restelo ao Astronauta

Aqui na terra a fome continua
A miséria e o luto
A miséria e o luto e outra vez a fome
Acendemos cigarros em fogos de napalm
E dizemos amor sem saber o que seja.
Mas fizemos de ti a prova da riqueza,
Ou talvez da pobreza, e da fome outra vez,
E pusemos em ti nem eu sei que desejos
De mais alto que nós, de melhor e mais puro,
No jornal soletramos de olhos tensos
Maravilhas de espaço e de vertigem.
Salgados oceanos que circundam
Ilhas mortas de sede onde não chove.
Mas a terra, astronauta, é boa mesa
(E as bombas de napalm são brinquedos)
Onde come brincando só a fome
Só a fome, astronauta, só a fome.

José Saramago

### Mar Português

Ó mar salgado, quanto do teu sal
São lágrimas de Portugal!
Por te cruzarmos, quantas mães choraram,
Quantos filhos em vão rezaram!
Quantas noivas ficaram por casar
Para que fosses nosso, ó mar!

Valeu a pena? Tudo vale a pena
Se a alma não é pequena.
Quem quer passar além do Bojador
Tem que passar além da dor.
Deus ao mar o perigo e o abismo deu,
Mas nele é que espelhou o céu.

Fernando Pessoa

### Os Lusíadas

[...]
Ó glória de mandar, ó vã cobiça
Desta vaidade a quem chamamos Fama!
Ó fraudulento gosto, que se atiça
C'uma aura popular que honra se chama!
Que castigo tamanho e que justiça
Fazes no peito vão que muito te ama!
Que mortes, que perigos, que tormentas,
Que crueldades neles experimentas!
[...]

Camões

Os textos de Fernando Pessoa e de José Saramago são intertextuais em relação ao episódio do Velho do Restelo. Refletindo sobre a visão destes dois autores lusos, assinale a **correta**:

a) Saramago não faz referências críticas aos valores éticos ou existenciais, detendo-se na questão da guerra e do progresso.

b) Fernando Pessoa estabelece uma relação irônica com o texto camoniano, pois parodia o tom grandiloquente da fala do Velho do Restelo, valendo-se de apóstrofes.
c) Os versos de Fernando Pessoa se assemelham aos do episódio do Velho de Restelo pela ausência de personificação.
d) Saramago e Fernando Pessoa não se valeram da perfeição formal camoniana, o que invalida o teor intertextual, que compreende apenas estrutura e conteúdo.
e) Saramago apresenta uma crítica universalizante que retoma o alerta feito pelo Velho do Restelo, atualizando-o.

5. **(UFSCar-SP)** Leia os textos I e II.

**Texto I**

Mudam-se os tempos, mudam-se as vontades,
Muda-se o ser, muda-se a confiança;
Todo o mundo é composto de mudança,
Tomando sempre novas qualidades.

Continuamente vemos novidades,
Diferentes em tudo da esperança;
Do mal ficam as mágoas na lembrança,
E do bem, se algum houve, as saudades.
[...]

CAMÕES

**Texto II**

O senhor... Mire veja: o mais importante e bonito, do mundo, é isto: que as pessoas não estão sempre iguais, ainda não foram terminadas – mas que elas vão sempre mudando. Afinam ou desafinam. Verdade maior. É o que a vida me ensinou. Isso que me alegra, montão. E, outra coisa: o diabo, é às brutas; mas Deus é traiçoeiro! Ah, uma beleza de traiçoeiro – dá gosto! A força dele, quando quer – moço! – me dá o medo pavor! Deus vem vindo: ninguém não vê. Ele faz é na lei do mansinho – assim é o milagre. E Deus ataca bonito, se divertindo, se economiza.

GUIMARÃES ROSA. *Grande sertão*: veredas.

a) Comparando os textos I e II, identifique a ideia comum a ambos e transcreva uma informação de cada um deles para justificar a sua resposta.
b) No texto II, explique como se fazem presentes o diabo e Deus, explicitando a relação de sentido estabelecida.

6. **(Mackenzie-SP)** Assinale a alternativa **correta** sobre Camões.
a) Além de usar metros mais populares, utilizou-se da medida nova, especialmente nas redondilhas que recriam, poeticamente, um quadro harmônico da vida e do mundo.
b) O tema do desconcerto do mundo é um dos aspectos característicos de sua poesia, presente, por exemplo, nos sonetos de inspiração petrarquiana.
c) Introduziu o estilo cultista em Portugal, em 1580, explorando antíteses e paradoxos nos poemas de temática religiosa.
d) Autor mais representativo da poesia medieval portuguesa, produziu, além de sonetos satíricos, a obra épica *Os Lusíadas*.
e) Influenciado pelo Humanismo português, aderiu ao cânone clássico de composição poética, afastando-se, porém, das inovações métricas e dos modelos greco-romanos.

# As manifestações literárias no Brasil quinhentista

## Contexto histórico e cultural

A literatura produzida no Brasil durante o século XVI, período conhecido como **Quinhentismo**, está diretamente relacionada ao contexto sociocultural dos primórdios da colonização. O contato com a terra recém-descoberta e seus nativos, os indígenas, bem como o desejo de catequizá-los resultaram em duas vertentes literárias: a **literatura de informação** e a **literatura de formação**.

Na primeira, escrita em prosa, o objetivo é levar ao conhecimento dos leitores as características do chamado Novo Mundo. É composta de crônicas históricas, roteiros de navegação, diários de bordo e cartas à Coroa. Embora o viés desses textos fosse documental, houve casos em que a expressividade era notadamente literária, como é o caso da Carta de Pero Vaz de Caminha.

A segunda, constituída por prosa moralista, poesia e peças teatrais, era escrita predominantemente por missionários da Companhia de Jesus que vieram para o Brasil catequizar os povos indígenas.

Importante lembrar que esses textos eram escritos por portugueses e destinados a leitores portugueses, portanto, não seria correto falar propriamente em literatura brasileira.

### Pero Vaz de Caminha

O principal representante da chamada literatura de informação foi Pero Vaz de Caminha. Embora outros membros da esquadra de Pedro Álvares Cabral também tenham escrito relatos de viagem, é de Caminha o trabalho mais relevante. Trata-se da famosa *Carta a El-Rei d. Manuel sobre o achamento do Brasil*, primeiro texto escrito em terras brasileiras.

Ainda que o próprio título indique o gênero adotado, a **carta**, o texto de Caminha mescla outros gêneros comuns no Quinhentismo. Organizado com base em informações diárias, característica fundamental dos **diários de bordo**, o texto excede o simples caráter informativo, chegando inclusive a narrar, com alguma carga dramática, o desaparecimento da embarcação de Vasco de Ataíde, que se perdera da esquadra, o que remete aos **relatos de naufrágio**. Por fim, o esmero com a linguagem lembra as **crônicas históricas medievais**. O trecho a seguir exemplifica tais características.

> A partida de Belém foi – como Vossa Alteza sabe, segunda-feira 9 de março. E sábado, 14 do dito mês, entre as 8 e 9 horas, nos achamos entre as Canárias, mais perto da Grande Canária. E ali andamos todo aquele dia em calma, à vista delas, obra de três a quatro léguas. E domingo, 22 do dito mês, às dez horas mais ou menos, houvemos vista das ilhas de Cabo Verde, a saber da ilha de São Nicolau, segundo o dito de Pero Escolar, piloto.
>
> Na noite seguinte à segunda-feira amanheceu, se perdeu da frota Vasco de Ataíde com a sua nau, sem haver tempo forte ou contrário para poder ser!
>
> Fez o capitão suas diligências para o achar, em umas e outras partes. Mas... não apareceu mais! [...]
>
> *Carta a El-Rei d. Manuel*. Disponível em: <http://www.dominiopublico.gov.br/download/texto/bv000292.pdf>. Acesso em: 24 jun. 2015.

No relato, chama atenção a perplexidade de Caminha diante da natureza exuberante e, principalmente, da cultura indígena, cujos costumes muito opostos aos da cultura europeia o impressionam bastante, como evidencia o trecho a seguir em que descreve os indígenas:

> A feição deles é serem pardos, um tanto avermelhados, de bons rostos e bons narizes, bem feitos. Andam nus, sem cobertura alguma. Nem fazem mais caso de encobrir ou deixar de encobrir suas vergonhas do que de mostrar a cara. Acerca disso são de grande inocência. Ambos traziam o beiço de baixo furado e metido nele um osso verdadeiro, de comprimento de uma mão travessa, e da grossura de um fuso de algodão, agudo na ponta como um furador. Metem-nos pela parte de dentro do beiço; e a parte que lhes fica entre o beiço e os dentes é feita a modo de roque de xadrez. E trazem-no ali encaixado de sorte que não os magoa, nem lhes põe estorvo no falar, nem no comer e beber. [...]
>
> *Carta a El-Rei d. Manuel*. Disponível em: <http://www.dominiopublico.gov.br/download/texto/bv000292.pdf>. Acesso em: 24 jun. 2015.

## Padre José de Anchieta

Já na vertente da literatura de formação, o autor mais importante foi Padre José de Anchieta. Membro da Companhia de Jesus, Anchieta chegou ao Brasil em 1533 com a missão de catequizar os índios.

Além de escritor, desempenhou papel importante na história do país, tendo participado da formação de vilas que mais tarde se tornaram cidades, como São Paulo e Rio de Janeiro. Foi ainda um dos primeiros missionários a aprender o tupi-guarani, o que lhe serviu para atuar como intérprete dos índios e escrever obras também nesse idioma.

Sua produção literária divide-se em três gêneros: **prosa**, **teatro** e **poesia**. A função catequizadora está presente sobretudo no teatro, usado como instrumento de doutrinação da fé católica junto aos indígenas. Mas foi na poesia que mais se destacou. Em seus versos, majoritariamente escritos em linguagem simples e metrificados em redondilhas, os temas religiosos ultrapassam o propósito doutrinador, e caracterizam-se por trazerem carga literária extremamente refinada, o que contribui para a riqueza e a complexidade do texto, como revela o poema a seguir.

### Em Deus, meu criador

Não há cousa segura.
Tudo quanto se vê
se vai passando.
A vida não tem dura.
O bem se vai gastando.
Toda criatura
passa voando.

Em Deus, meu criador,
está todo meu bem
e esperança,
meu gosto e meu amor
e bem-aventurança.
Quem serve a tal Senhor
não faz mudança.

Contente assim, minha alma,
do doce amor de Deus
toda ferida,
o mundo deixa em calma,
buscando a outra vida,
na qual deseja ser
toda absorvida.

Do pé do sacro monte
meus olhos levantando
ao alto cume,
vi estar aberta a fonte
do verdadeiro lume,
que as trevas do meu peito
todas consume.

Correm doces licores
das grandes aberturas
do penedo.
Levantam-se os errores,
levanta-se o degredo
e tira-se a amargura.

ANCHIETA, José de. *Poesia*. 2. ed. Rio de Janeiro: Agir, 1966. p. 24-26.

**Glossário**

**bem-aventurança**: felicidade
**consumar**: extinguir
**cume**: topo
**degredo**: desterro; pena de exílio por uma falta grave
**dura**: duração
**lume**: luz
**penedo**: rochedo
**sacro**: sagrado

Podemos, então, sintetizar as manifestações literárias no Brasil quinhentista da seguinte forma:

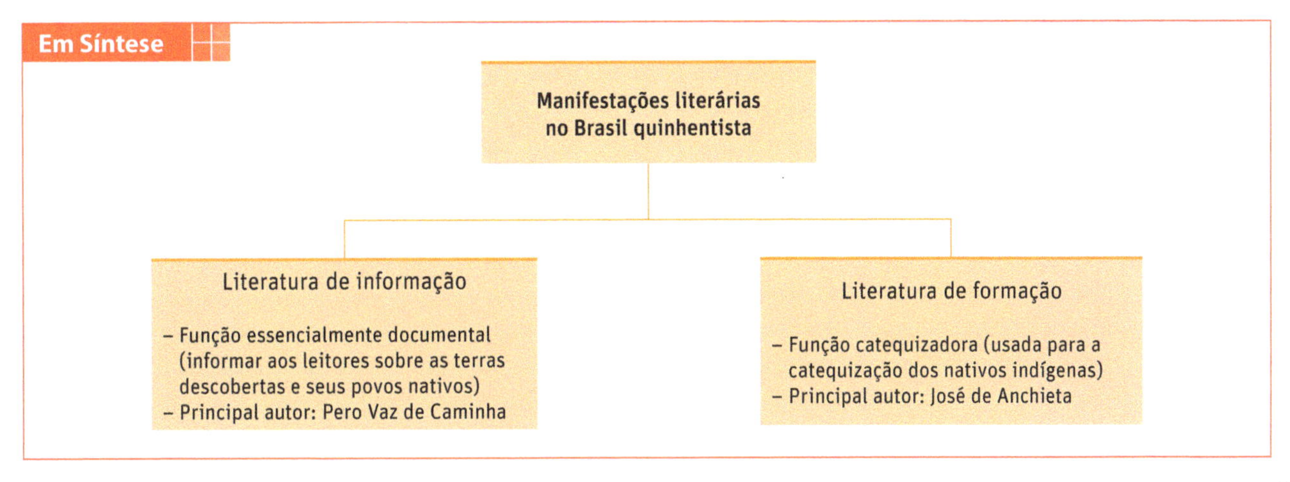

## Atividades



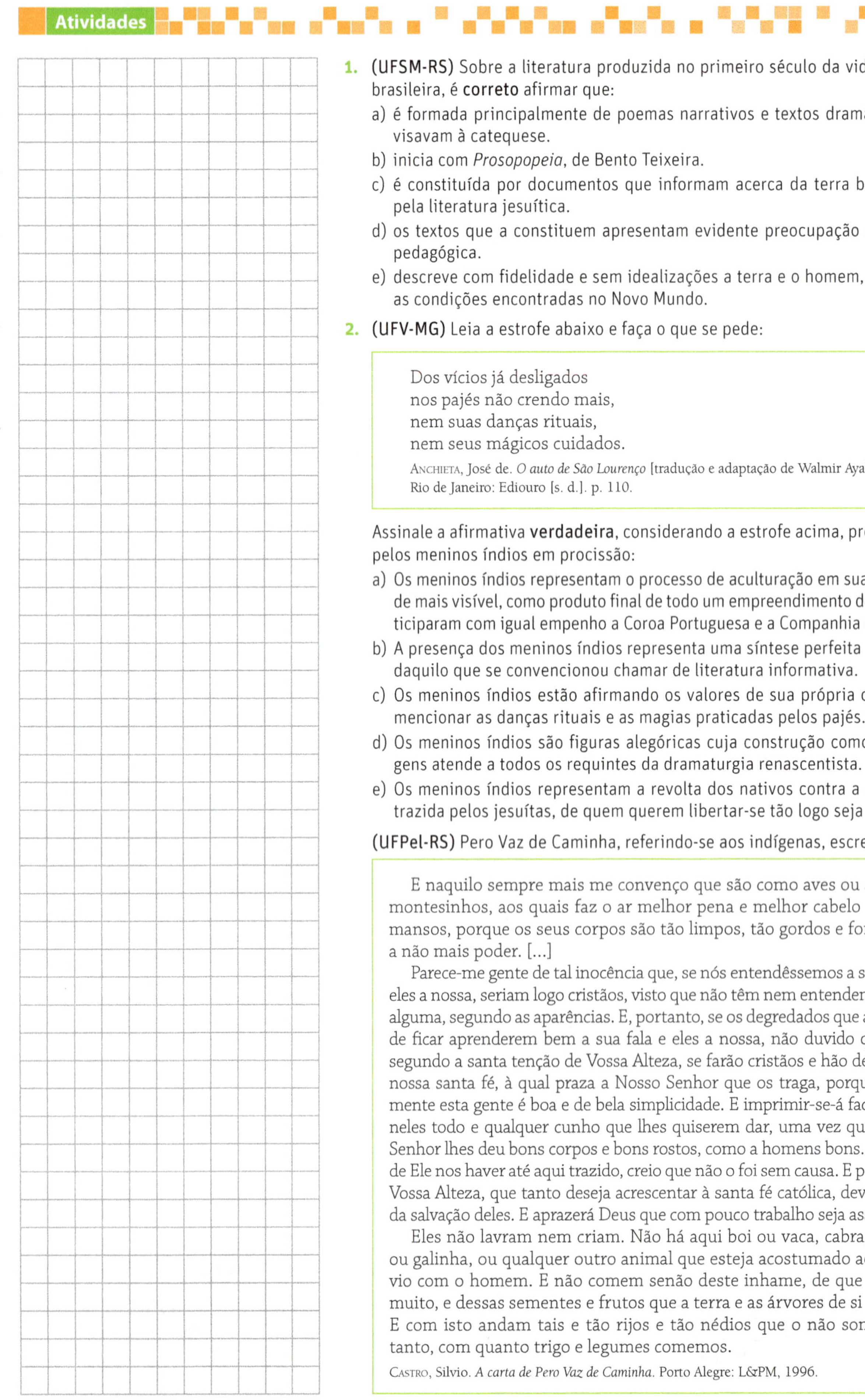

**1.** **(UFSM-RS)** Sobre a literatura produzida no primeiro século da vida colonial brasileira, é **correto** afirmar que:

a) é formada principalmente de poemas narrativos e textos dramáticos que visavam à catequese.
b) inicia com *Prosopopeia*, de Bento Teixeira.
c) é constituída por documentos que informam acerca da terra brasileira e pela literatura jesuítica.
d) os textos que a constituem apresentam evidente preocupação artística e pedagógica.
e) descreve com fidelidade e sem idealizações a terra e o homem, ao relatar as condições encontradas no Novo Mundo.

**2.** **(UFV-MG)** Leia a estrofe abaixo e faça o que se pede:

> Dos vícios já desligados
> nos pajés não crendo mais,
> nem suas danças rituais,
> nem seus mágicos cuidados.
>
> Anchieta, José de. *O auto de São Lourenço* [tradução e adaptação de Walmir Ayala]. Rio de Janeiro: Ediouro [s. d.]. p. 110.

Assinale a afirmativa **verdadeira**, considerando a estrofe acima, pronunciada pelos meninos índios em procissão:

a) Os meninos índios representam o processo de aculturação em sua concretude mais visível, como produto final de todo um empreendimento do qual participaram com igual empenho a Coroa Portuguesa e a Companhia de Jesus.
b) A presença dos meninos índios representa uma síntese perfeita e acabada daquilo que se convencionou chamar de literatura informativa.
c) Os meninos índios estão afirmando os valores de sua própria cultura, ao mencionar as danças rituais e as magias praticadas pelos pajés.
d) Os meninos índios são figuras alegóricas cuja construção como personagens atende a todos os requintes da dramaturgia renascentista.
e) Os meninos índios representam a revolta dos nativos contra a catequese trazida pelos jesuítas, de quem querem libertar-se tão logo seja possível.

**(UFPel-RS)** Pero Vaz de Caminha, referindo-se aos indígenas, escreveu:

> E naquilo sempre mais me convenço que são como aves ou animais montesinhos, aos quais faz o ar melhor pena e melhor cabelo que aos mansos, porque os seus corpos são tão limpos, tão gordos e formosos, a não mais poder. [...]
>
> Parece-me gente de tal inocência que, se nós entendêssemos a sua fala e eles a nossa, seriam logo cristãos, visto que não têm nem entendem crença alguma, segundo as aparências. E, portanto, se os degredados que aqui hão de ficar aprenderem bem a sua fala e eles a nossa, não duvido que eles, segundo a santa tenção de Vossa Alteza, se farão cristãos e hão de crer na nossa santa fé, à qual praza a Nosso Senhor que os traga, porque certamente esta gente é boa e de bela simplicidade. E imprimir-se-á facilmente neles todo e qualquer cunho que lhes quiserem dar, uma vez que Nosso Senhor lhes deu bons corpos e bons rostos, como a homens bons. E o fato de Ele nos haver até aqui trazido, creio que não o foi sem causa. E portanto, Vossa Alteza, que tanto deseja acrescentar à santa fé católica, deve cuidar da salvação deles. E aprazerá Deus que com pouco trabalho seja assim. [...]
>
> Eles não lavram nem criam. Não há aqui boi ou vaca, cabra, ovelha ou galinha, ou qualquer outro animal que esteja acostumado ao convívio com o homem. E não comem senão deste inhame, de que aqui há muito, e dessas sementes e frutos que a terra e as árvores de si deitam. E com isto andam tais e tão rijos e tão nédios que o não somos nós tanto, com quanto trigo e legumes comemos.
>
> Castro, Silvio. *A carta de Pero Vaz de Caminha*. Porto Alegre: L&PM, 1996.

3. De acordo com o texto e seus conhecimentos, marque a alternativa **correta**:

a) Caminha, numa visão eurocentrista, exalta a cultura do "descobridor", menosprezando todos os aspectos referentes ao modo de vida dos nativos, por exemplo, a não exploração daqueles mamíferos placentários exóticos, citados na carta, introduzidos no Brasil quando da colonização.

b) Caminha realiza, através de farta adjetivação, descrições botânicas minuciosas acerca da flora da nova terra, destacando o tipo de alimentação do europeu – rica em vitaminas e sais minerais – em contraposição à indígena, que é rica em lipídios.

c) A religiosidade está presente ao longo do texto, quando se constata que o emissor, tendo em mente a conversão dos índios à "santa fé católica" – pretensão dos europeus conquistadores –, ressalta positivamente a existência de crenças animistas entre os nativos.

d) Na carta de Pero Vaz de Caminha, que apresenta linguagem formal, por ser o rei português o destinatário, há forte preocupação com aspectos da necessária conversão dos índios ao catolicismo, no contexto de crise religiosa na Europa.

e) Ao realizar concomitantemente a narração e a descrição dos hábitos dos nativos, o remetente destaca informações não só do hábitat como dos usos e costumes indígenas, exaltando o cultivo das plantas de lavouras e dos pomares.

4. Com base no texto e em seus conhecimentos, é **correto** afirmar que

a) a Carta de Caminha – que mostra o indígena brasileiro alternadamente como selvagem e como inocente – evidencia a preocupação do Estado Português em manter a crença dos indígenas, interlocutores do escrivão, valorizando a ingenuidade original dos autóctones.

b) a Carta de Caminha expõe a atitude compreensiva dos portugueses diante dos índios, pois, no Brasil, ao contrário do que houve com a conquista espanhola, marcada pela violência, a Igreja catequizou os indígenas pacificamente, respeitando suas ideologias e mantendo suas crenças religiosas.

c) no Brasil, por respeito à cultura indígena e à sua característica de indolência, já constatada pelo emissor da Carta – a qual levou os índios a se recusarem a trabalhar –, foi utilizada a mão de obra africana, que era dócil e se adaptava facilmente à escravidão.

d) ao contrário do tratamento dispensado a outros povos da América, como incas, maias e astecas, os índios, no Brasil, tiveram suas estruturas política e social pouco alteradas, conforme ficou evidente na Carta, e puderam preservar seus sistemas linguísticos, aprendidos à época pelos jesuítas.

e) a Carta de Pero Vaz de Caminha – um documento literário basicamente descritivo – evidencia a preocupação do autor com a catequização dos índios, a qual se explica pela estreita ligação da Igreja com o Estado Português, uma vez que as duas instituições defendiam interesses expansionistas.

5. **(UCS-RS)** Com base na Carta do Achamento, de Pero Vaz de Caminha, considere as seguintes afirmações.

I. Na Carta, o escrivão Caminha descreve o descobrimento de uma nova terra, chamando a atenção para a beleza natural, a fertilidade, a cordialidade dos índios e as riquezas.

II. No texto, é possível perceber um dos objetivos da expansão marítima de Portugal: catequização dos gentios para a ampliação do mundo cristão.

III. A Carta, um dos relatos que fazem parte da literatura informativa sobre o Brasil, é considerada mais um documento histórico do que uma obra literária.

Das afirmativas acima, pode-se dizer que

a) apenas I está correta.

b) apenas III está correta.

c) apenas I e II estão corretas.

d) apenas II e III estão corretas.

e) I, II e III estão corretas.

# Barroco

## Contexto histórico e cultural

O Barroco, que vigorou no século XVII, expressou uma época de tensões principalmente religiosas. No século anterior, em 1517, a Igreja católica havia sofrido um duro golpe com a chamada **Reforma Protestante**, que dividiu os cristãos entre católicos e protestantes. Décadas mais tarde, em 1563, veio a reação por meio da **Contrarreforma**. Na tentativa de recuperar prestígio e influência, a Igreja católica adotou uma série de medidas, entre elas o incentivo a manifestações artísticas de temática religiosa.

O teocentrismo e o dogmatismo reafirmados na Contrarreforma chocaram-se diretamente com a herança Renascentista, marcada pelo antropocentrismo e o culto à razão. Mergulhados nesse conflito, os artistas reconsideraram o papel da religiosidade sem, contudo, abrir mão das conquistas racionais do século anterior, o que resultou em manifestações artísticas igualmente tensionadas. Na pintura, são contrastados o claro e o escuro; na escultura, figuras da mitologia clássica são representadas com inédita dramaticidade; na literatura, a moral católica convive com o racionalismo, o que resulta no uso abundante de duas figuras de linguagem: a **antítese** e o **paradoxo**.

## A literatura barroca

Na condição de artistas barrocos, os escritores daquele período viviam sob a sombra da crise. De um lado, retomaram o **moralismo** e a **religiosidade** da literatura medieval; de outro, continuaram a valorizar tanto modelos da **Antiguidade Clássica** quanto formas de composição criadas no **Renascimento**, tais como o soneto.

A literatura barroca apresenta duas vertentes:

- **cultismo**: tendência baseada na crença de que o conhecimento do mundo pode ser construído por meio de sua **descrição plástica**. Dessa maneira, são comuns os jogos de imagens, de palavras e de construções sintáticas.
- **conceptismo**: tendência baseada no racionalismo, valorizando a exploração dos **jogos de ideias** ou conceitos, empregando o raciocínio, a lógica, a concisão. Sua presença é mais notada na prosa religiosa e moralista.

Como muito da produção literária barroca era difundida **oralmente** ou por meio de **textos manuscritos** que corriam de mão em mão, uma mesma obra podia ter várias versões, o que problematiza a questão da autoria dos textos dessa corrente literária.

## Barroco em Portugal: contexto histórico e cultural

Considera-se o **marco inicial** do Barroco em Portugal o ano de **1580**, quando ocorre a unificação ibérica. Diante da crise na sucessão do trono lusitano provocada pela morte prematura do rei dom Sebastião, o rei espanhol Felipe II, herdeiro indireto mais próximo, assume a Coroa portuguesa.

O período de unificação provocou grandes mudanças em Portugal. Em oposição ao esplendor político e econômico alcançado com a expansão marítima no século anterior, o país vive agora um período de dificuldades e submissão à Espanha. Isso contribuiu para o surgimento do mito do **sebastianismo**, pois se acreditava que, a qualquer instante, dom Sebastião reapareceria para salvar os portugueses do domínio espanhol. A libertação, porém, ocorreu somente em 1640 e sem a ajuda do rei, pondo fim ao que ficou conhecido como União Ibérica.

Os anos de domínio espanhol impactaram também a produção artística portuguesa. No século XVII, a Espanha vivia um período artístico áureo, representado, entre outros, por Velázquez (pintor), Cervantes (romancista) e Góngora (poeta). Este último, considerado o principal poeta barroco espanhol, exerceu grande influência em poetas lusitanos, como **dom Francisco Manuel de Melo**. Prova dessa presença marcante é o fato de a vertente **cultista** da poesia lírica portuguesa ser também chamada de **gongorismo**.

A poesia de Góngora apresenta linguagem rebuscada, jogos de palavras, abundância de inversões sintáticas e antíteses, em suma, é marcada por **excessos formais**, como evidencia o soneto a seguir.

### A d. Sancho D'Ávila, bispo de Jaén

Sacro pastor de povos, que em florida
idade, pastor, guias teu gado,
mais com o assobio que com o cajado,
e mais que com o assobio com tua vida;

Cantem outros tua casa esclarecida,
mas teu palácio, com razão sagrado,
cante Apolo de raios coroado,
não Musa humilde de laurel cingida.

Tenda é gloriosa, onde em leitos de ouro
vitoriosos dormem os soldados
que já despertarão a triunfo e palmas;

milagroso sepulcro, mudo coro
de mortos vivos, de anjos tão calados,
é um céu de corpos, é um vestuário de almas.

ARGOTE, Luis de Góngora y. *Poemas de Góngora*. Trad. Péricles Eugênio da Silva Ramos. São Paulo: Art Editora, 1988. p. 65.

**Glossário**

**Apolo**: deus da luz e do sol, do pastoreio e da beleza

**cajado**: vara com a extremidade superior em forma de gancho ou semicírculo, que possibilitava guiar os animais

**cingir**: envolver, rodear, vestir (algo que circunda o corpo ou parte dele, como uma coroa)

**laurel**: coroa de louros

**Musa**: na mitologia grega, divindade inspiradora da poesia e da música

**sepulcro**: túmulo, monumento em que está enterrado o corpo de uma pessoa ou de um grupo de pessoas

Além dos elementos formais do poema acima, vale destacar o tratamento do tema. Embora o poema seja dedicado a um representante da Igreja católica (o bispo de Jaén), há referências à mitologia grega, o que evidencia um sincretismo tipicamente barroco: **catolicismo** e **herança renascentista** em uma mesma obra. Ao longo do poema, esse sincretismo aparece em passagens como: "Cantem outros tua casa esclarecida, / mas teu palácio, com razão sagrado, / cante Apolo de raios coroado, / não Musa humilde de laurel cingida."; ou seja, quem canta (exalta) o palácio do interlocutor do poema (o bispo de Jaén) é Apolo, o principal deus da mitologia grega, e não o Deus do catolicismo.

Outra tendência na literatura portuguesa daquele período foi o **conceptismo**. Sua presença é mais forte na prosa religiosa e moralista. Isso se deve à principal característica conceptista, o jogo de ideias, ferramenta importante da arte de discursar, ou seja, da oratória. O principal autor não apenas dessa vertente, mas de todo o Barroco português, é o Padre Antônio Vieira.

## Antônio Vieira

A obra do religioso Antônio Vieira compreende uma grande quantidade de **sermões** e **cartas**, além de um volume inacabado de **profecias**. A importância de sua produção não se restringe ao seu país natal. Por ter vivido entre Portugal e Brasil e produzido obras intimamente ligadas à cultura dos dois países, Vieira pertence ao patrimônio literário de ambos. Os *Sermões* (compilados em 16 volumes) são sua obra mais importante. Embora pertencentes ao gênero da **oratória sacra**, eles fazem de Vieira um verdadeiro **formador de opinião** e ultrapassam a esfera religiosa ao tratar de assuntos diversos, como:

- questões **metalinguísticas** – tomando como tema o próprio ato de discursar, como no "Sermão da Sexagésima";
- questões **jurídicas** e **humanistas** – defesa de leis contra a escravização de indígenas, como no "Sermão da primeira dominga da Quaresma";
- questões **políticas** – opinião contrária à presença holandesa no Brasil, em "Sermão pelo bom sucesso das armas de Portugal contra as de Holanda".

Exemplo do jogo de ideias, ou seja, o **conceptismo**, no "Sermão de Santo Antônio aos peixes", proferido em São Luís do do Maranhão, Vieira critica os seres humanos usando figuras de linguagem. No trecho a seguir, os hipócritas e traidores são comparados a polvos.

> [...] O polvo com aquele seu capelo na cabeça, parece um monge; com aqueles seus raios estendidos, parece uma estrela; com aquele não ter osso nem espinha, parece a mesma brandura, a mesma mansidão. E debaixo desta aparência tão modesta, ou desta hipocrisia tão santa, testemunham constantemente os dois grandes Doutores da Igreja latina e grega, que o dito polvo é o maior traidor do mar. Consiste esta traição do polvo primeiramente em se vestir ou pintar das mesmas cores de todas aquelas cores a que está pegado. As cores, que no camaleão são gala, no polvo são malícia; as figuras, que em Proteu são fábula, no polvo são verdade e artifício.
>
> VIEIRA, Antônio. Sermão de Santo Amaro. Disponível em: <http://www.biblio.com.br/defaultz.asp?link=http://www.biblio.com.br/conteudo/padreantoniovieira/stoantonio.htm>. Acesso em: 6 abr. 2015.

Mas, apesar da crítica, o próprio Vieira expressou os jogos de ideias com grande refinamento estilístico e, muitas vezes, com base na antítese e nos jogos de palavras, o que faz dele também um habilidoso **cultista**, como evidencia o trecho abaixo, do "Sermão pelo bom sucesso das armas de Portugal contra as de Holanda".

> Tirais [...] o Brasil aos portugueses, que assim estas terras vastíssimas, como as remotíssimas do Oriente, as conquistaram à custa de tantas vidas e tanto sangue, mais por dilatar vosso nome e vossa Fé (que esse era o zelo daqueles cristianíssimos reis) que por amplificar e estender seu império. Assim fostes servido que entrássemos nestes novos mundos, tão honrada e tão gloriosamente, e assim permitis que saiamos agora (quem tal imaginaria de vossa bondade!), com tanta afronta e ignomínia.
>
> VIEIRA, Antônio. *Sermões*. Rio de Janeiro: Agir, 1980. p. 28.

No trecho, o **conceptismo** se manifesta na ideia de que o principal objetivo da colonização portuguesa era de ordem religiosa e não econômica ("mais por dilatar vosso nome e vossa Fé [...] que por amplificar e estender seu império"). Tendo em vista esse caráter divino da colonização, seria então injusto perder o Brasil para os holandeses. Para dar maior expressividade a essa conclusão, o autor lança mão de uma antítese, assim como a vertente **cultista**: "entrássemos [...] tão gloriosamente" *versus* "saiamos [...] tanta afronta e ignomínia".

# Barroco no Brasil

A sociedade do Brasil Colônia do século XVII era composta de estratos sociais: uma pequena nobreza; um clero poderoso; negros e indígenas escravizados; e o povo – formado, sobretudo, de lavradores, comerciantes, artesãos e, em centros urbanos como Salvador e Rio de Janeiro, de burocratas (homens letrados, em sua maioria bacharéis em Direito, como foi o caso do poeta Gregório de Matos, expoente do Barroco brasileiro).

A relação entre Brasil e Portugal se baseava na **exploração de riquezas** da Colônia pela Metrópole. A economia se pautava na agricultura e na **exportação de cana-de-açúcar** e de tabaco.

No cenário cultural, as principais manifestações artísticas do Barroco brasileiro foram nas áreas da literatura e das artes plásticas, ainda que em períodos distintos. O período a que se convencionou chamar de literatura barroca no Brasil dura pouco mais de um século, de 1601 a 1705. Já nas artes plásticas, a produção se estendeu ao longo do século XVIII chegando até o início do XIX.

## Gregório de Matos

O poeta baiano Gregório de Matos Guerra é o principal representante da literatura barroca brasileira. Ainda que outros nomes sejam lembrados, como é o caso de Bento Teixeira (autor de *Prosopopeia*, marco inicial do Barroco brasileiro), nenhum deles teve a relevância artística de Gregório de Matos.

Ele não publicou livros em vida. Naquele tempo, seus textos circulavam oralmente e em cópias manuscritas, por isso é **contestada** a **autoria** de alguns poemas comumente atribuídos a ele. Sua obra é volumosa, abrangendo a poesia **lírica**, **satírica**, **religiosa** e **encomiástica** (gênero poético em que o eu lírico elogia pessoas poderosas, em geral, com a intenção de obter favores).

### Poesia lírica

A lírica de Gregório de Matos revela a influência de poetas como Petrarca e Camões (expoentes do Classicismo) e Góngora (expoente do Barroco), o que favoreceu a realização de uma obra de grande valor artístico e em diálogo com a tradição.

Seus poemas líricos são divididos em duas vertentes, ambas marcadas pela exploração de **contrastes**: as de **temática amorosa** e as de **natureza reflexiva e filosófica**. Na primeira vertente, predominam temas relativos ao paradoxo da experiência amorosa e à **beleza da mulher** em contraste com a **passagem do tempo**, ou do **desejo pela amada** em contraste com o **sentimento de ser pecador** por sentir tal desejo, como revelam os seguintes versos:

**À mesma dona Ângela**

Anjo no nome, Angélica na cara!
Isso é ser flor, e Anjo juntamente:
Ser Angélica flor, e Anjo florente,
Em quem, senão em vós, se uniformara:

Quem vira uma tal flor, que a não cortara,
De verde pé, da rama fluorescente;
E quem um Anjo vira tão luzente,
Que por seu Deus o não idolatrara?

Se pois como Anjo sois dos meus altares,
Fôreis o meu Custódio, e a minha guarda,
Livrara eu de diabólicos azares.

Mas vejo, que por bela, e por galharda,
Posto que os Anjos nunca dão pesares,
Sois Anjo, que me tenta, e não me guarda.

MATOS, Gregório de. In: WISNIK, José Miguel (Org.). *Poemas escolhidos*. São Paulo: Cultrix, 1997.

Já na segunda vertente, aparecem principalmente o **desconcerto do mundo** e a **inconstância das coisas**, expressos em poemas repletos de figuras de linguagem, como a **antítese** e o **paradoxo**, como revelam os tercetos abaixo, extraídos de um de seus mais conhecidos sonetos.

**Inconstância dos bens do mundo**

Nasce o Sol, e não dura mais que um dia,
Depois da Luz se segue a noite escura,
Em tristes sombras morre a formosura,
Em contínuas tristezas a alegria.

Porém se acaba o Sol, por que nascia?
Se formosa a Luz é, por que não dura?
Como a beleza assim se transfigura?
Como o gosto da pena assim se fia?

Mas no Sol, e na Lua falte a firmeza,
Na formosura não se dê constância,
E na alegria sinta-se tristeza.

Começa o mundo enfim pela ignorância,
E tem qualquer dos bens por natureza
A firmeza somente na inconstância.

MATOS, Gregório de. In: WISNIK, José Miguel (Org.). *Poemas escolhidos*. São Paulo: Cultrix, 1997. p. 317.

## Poesia satírica: o "Boca do Inferno"

A faceta **satírica** de Gregório de Matos é decerto a mais popular. As suas **críticas** ferinas aos governantes da Colônia, e da Bahia em especial, valeram-lhe o apelido de "**Boca do Inferno**".

No conhecido **soneto** "À cidade da Bahia", o eu lírico critica a exploração da Bahia pelos comerciantes estrangeiros, cidade que, "abelhuda", troca o "açúcar excelente" por "drogas inúteis".

Além de sonetos, Gregório usou outras formas poéticas, como o **epílogo**, em que o poeta "**espalha**" palavras nos versos e depois as "**recolhe**" em um verso síntese.

Leia o fragmento a seguir.

Que falta nesta cidade?... Verdade.
Que mais por sua desonra?... Honra.
Falta mais que se lhe ponha?... Vergonha.

O demo a viver se exponha,
Por mais que a fama exalta,
Numa cidade, onde falta
Verdade, honra, vergonha.
[...]

MATOS, Gregório de. Juízo anatômico dos achaques que padecia o corpo da República, em todos os membros, e inteira definição do que em todos os tempos é a Bahia. *Poemas escolhidos*. São Paulo: Cultrix, 1997. p. 37.

## Poesia religiosa

A temática religiosa é muito presente na lírica de Gregório de Matos. Em seus poemas religiosos, o eu lírico vive um **conflito entre fé e razão**. Um exemplo é o soneto "A Cristo S. N. crucificado estando o poeta na última hora de sua vida", citado abaixo, no qual o autor argumenta que o amor de Deus é "mui grande" e "infinito" e que, por maior que tenham sido seus pecados, essa "razão" o obriga a confiar em sua salvação. É como se desafiasse a fé por meio da lógica da razão.

### A Cristo S. N. crucificado estando o poeta na última hora de sua vida

Meu Deus, que estais pendente de um madeiro,
Em cuja lei protesto de viver,
Em cuja santa lei hei de morrer
Animoso, constante, firme e inteiro:

Neste lance, por ser o derradeiro,
Pois vejo a minha vida anoitecer,
É, meu Jesus, a hora de se ver
A brandura de um Pai, manso cordeiro.

Mui grande é vosso amor e o meu delito;
Porém pode ter fim todo o pecar,
E não o vosso amor, que é infinito

Esta razão me obriga a confiar,
Que, por mais que pequei, neste conflito
Espero em vosso amor de me salvar.

MATOS, Gregório de. In: WISNIK, José Miguel (Org.). *Poemas escolhidos*. São Paulo: Cultrix, 1997.

Podemos, então, organizar a literatura barroca portuguesa e brasileira da seguinte forma:

**Em Síntese**

**Barroco (séc. XVII)**
- Arte que expressa o conflito entre os ideais religiosos e a herança renascentista
- Vertentes literárias: *cultismo* (esmero formal, jogo de palavras) e *conceptismo* (exploração da lógica, jogo de ideias)

**Barroco em Portugal**
- Principal autor: Padre Antônio Vieira, prosador cujas obras mais relevantes são os *Sermões* (de tendência conceptista)

**Barroco no Brasil**
- Principal autor: Gregório de Matos, poeta cuja produção está dividida em lírica, satírica, religiosa e encomiástica. Forma poética mais utilizada por ele: soneto

**(UFRGS-RS)** Leia o trecho do *Sermão pelo bom sucesso das armas de Portugal contra as de Holanda*, do Padre Antônio Vieira, e o soneto de Gregório de Matos Guerra a seguir.

### Sermão pelo bom sucesso das armas de Portugal contra as de Holanda

Pede razão Jó a Deus, e tem muita razão de a pedir – responde por ele o mesmo santo que o arguiu – porque se é condição de Deus usar de misericórdia, e é grande e não vulgar a glória que adquire em perdoar pecados, que razão tem, ou pode dar bastante, de os não perdoar? O mesmo Jó tinha já declarado a força deste seu argumento nas palavras antecedentes, com energia para Deus muito forte: Peccavi, quid faciam tibi? Como se dissera: Se eu fiz, Senhor, como homem em pecar, que razão tendes vós para não fazer como Deus em me perdoar? Ainda disse e quis dizer mais: Peccavi, quid fa ciam tibi? Pequei, que mais vos posso fazer? E que fizestes vós, Jó, a Deus em pecar? Não lhe fiz pouco, porque lhe dei ocasião a me perdoar, e, perdoando-me, ganhar muita glória. Eu dever-lhe-ei a ele, como a causa, a graça que me fizer, e ele dever-me-á a mim, como a ocasião, a glória que alcançar.

Vieira, Padre Antônio.

### A Jesus Cristo Nosso Senhor

Pequei, Senhor, mas não porque hei pecado,
Da vossa piedade me despido;
Porque, quanto mais tenho delinquido,
Vos tenho a perdoar mais empenhado.

Se basta a vos irar tanto um pecado,
A abrandar-vos sobeja um só gemido:
Que a mesma culpa, que vos há ofendido,
Vos tem para o perdão lisonjeado.

Se uma ovelha perdida e já cobrada
Glória tal e prazer tão repentino
Vos deu, como afirmais na sacra história,

Eu sou, Senhor, a ovelha desgarrada:
Cobrai-a, e não queirais, pastor divino,
Perder na vossa ovelha a vossa glória.

**1.** Considere as seguintes afirmações sobre os dois textos.

I. Tanto Padre Vieira quanto Gregório de Matos dirigem-se a Deus mediante a segunda pessoa do plural (vós, vos): Gregório argumenta que o Senhor está empenhado em perdoá-lo, enquanto Vieira dirige-se a Deus (E que fizestes vós...) para impedir que Jó seja perdoado.

II. Padre Vieira vale-se das palavras e do exemplo de Jó, figura do Velho Testamento, para argumentar que o homem abusa da misericórdia divina ao pecar, e que Deus, de acordo com a ocasião e os argumentos fornecidos por Jó, inclina-se para o castigo no lugar do perdão.

III. Tanto Padre Vieira como Gregório de Matos argumentam sobre a misericórdia e a glória divinas: assim como Jó, citado por Vieira, declara que Deus lhe deverá a glória por tê-lo perdoado; Gregório compara-se à ovelha desgarrada que, se não for recuperada, pode pôr a perder a glória de Deus.

Quais estão **corretas**?

a) Apenas I.
b) Apenas III.
c) Apenas I e II.
d) Apenas II e III.
e) I, II e III.

2. Assinale a alternativa **correta** a respeito dos textos.
   a) Os autores, ao remeterem aos exemplos bíblicos de Jó e da ovelha perdida, elogiam a autoridade divina capaz de perdoar os pecados, mesmo que à custa de sua glória e de seu discernimento.
   b) Jó, de acordo com Vieira, argumenta que há tanta glória em perdoar como em não perdoar, enquanto, para Gregório, o perdão concedido ao pecador renitente é a prova da glória de Deus.
   c) Os autores, ao remeterem aos exemplos bíblicos de Jó e da ovelha perdida, inibem a autoridade divina que se vê constrangida a aceitar os argumentos de dois pecadores.
   d) Jó, de acordo com Vieira, considera que a ocasião e a sorte impediram que a graça divina se manifestasse, enquanto para Gregório a graça divina não sofre restrições.
   e) Os autores, ao remeterem aos exemplos bíblicos de Jó e da ovelha perdida, reforçam seus argumentos a favor do perdão como garantia da glória divina.

3. **(UFSCar-SP)**

> O pregar há-de ser como quem semeia, e não como quem ladrilha ou azuleja. Ordenado, mas como as estrelas. [...] Todas as estrelas estão por sua ordem; mas é ordem que faz influência, não é ordem que faça lavor. Não fez Deus o céu em xadrez de estrelas, como os pregadores fazem o sermão em xadrez de palavras. Se de uma parte há-de estar branco, da outra há-de estar negro; se de uma parte está dia, da outra há-de estar noite; se de uma parte dizem luz, da outra hão-de dizer sombra; se de uma parte dizem desceu, da outra hão-de dizer subiu. Basta que não havemos de ver num sermão duas palavras em paz? Todas hão-de estar sempre em fronteira com o seu contrário? Aprendamos do céu o estilo da disposição, e também o das palavras.
>
> VIEIRA, Padre Antônio, *Sermão da Sexagésima*.

No texto, Vieira critica um certo estilo de fazer sermão, que era comum na arte de pregar dos padres dominicanos da época. O uso da palavra xadrez tem o objetivo de

a) defender a ordenação das ideias em um sermão.
b) fazer alusão metafórica a um certo tipo de tecido.
c) comparar o sermão de certos pregadores a uma verdadeira prisão.
d) mostrar que o xadrez se assemelha ao semear.
e) criticar a preocupação com a simetria do sermão.

4. **(UFPA)** Sobre o Barroco, é **correto** afirmar que foi:
   a) a primeira manifestação literária da língua portuguesa, surgida no século XII, na fase inicial da história de Portugal.
   b) a mais importante das escolas artísticas brasileiras desenvolvidas durante a segunda metade do século XVIII.
   c) uma corrente da literatura que apresentou como traços principais o gosto da clareza, da simplicidade e do equilíbrio.
   d) uma escola literária que coincidiu com o Renascimento e inspirou-se nos ideais artísticos da civilização greco-romana.
   e) um movimento literário que, no Brasil, se desenvolveu na fase colonial e do qual Gregório de Matos Guerra foi um dos principais representantes.

**(Mackenzie-SP)** Texto para as questões de 5 a 7.

> É a vaidade, Fábio, nesta vida,
> Rosa, que da manhã lisonjeada,
> Púrpuras mil, com ambição dourada,
> Airosa rompe, arrasta presumida.

**Glossário**

**lisonjeada**: envaidecida
**airosa**: elegante
**presumida**: convencida

5. Na estrofe, o poeta

a) dirige-se a seu interlocutor com o objetivo de caracterizar um sentimento muito comum entre os homens, concretizando-o expressivamente por meio de linguagem metafórica.

b) alerta Fábio acerca dos perigos da ambição humana, utilizando-se de processo metonímico: imagens de brilho e luz são usadas para representar a riqueza.

c) chama a atenção do leitor para os pecados mundanos mais comuns, como vaidade, ambição e luxúria, valendo-se de linguagem rica em analogias e requintes lexicais.

d) dirige-se ao amigo a fim de exaltar os prazeres da vida, representados em seu discurso por metáforas antitéticas e paradoxais.

e) descreve conotativamente o seu interlocutor, deixando implícito seu juízo de valor negativo com relação ao comportamento vaidoso de Fábio.

6. Todas as alternativas trazem aspectos temático-expressivos relevantes no texto, **exceto**:

a) discurso em estilo elevado, com foco no sentido da vida.

b) inversões sintáticas.

c) progressão textual apoiada em desdobramentos metafóricos.

d) identificação do poeta com um pastor.

e) linguagem culta, com marcas de preciosismo formal.

7. O tema da efemeridade da vida é um dos traços que caracterizam o estilo de época a que pertence Gregório de Matos. Recorrente não só no século XVII, mas de um modo geral em toda a história da literatura, esse tema está presente nos seguintes versos:

a) Senhor Deus dos desgraçados! / Dizei-me vós, Senhor Deus! / Se é loucura... se é verdade / Tanto horror perante os céus... (Castro Alves)

b) Sabeis, cristãos, por que não faz fruto a palavra de Deus? Por culpa dos pregadores. Sabeis, pregadores, por que não faz fruto a palavra de Deus? Por culpa nossa. (Pe. Antônio Vieira)

c) Já o verme – este operário das ruínas – [...] / Anda a espreitar meus olhos para roê-los, / E há de deixar-me apenas os cabelos, / Na frialdade inorgânica da terra! (Augusto dos Anjos)

d) Quero morrer! Este mundo / Com seu sarcasmo profundo / Manchou-me de lodo e fel! (Fagundes Varela)

e) Infinitos espíritos dispersos [...] fecundai o Mistério destes versos / com a chama ideal de todos os mistérios. (Cruz e Sousa)

8. **(UFRGS-RS)** Com relação ao Barroco brasileiro, assinale a alternativa **incorreta**.

a) Os *Sermões*, do padre Antônio Vieira, elaborados numa linguagem conceptista, refletiram as preocupações do autor com problemas brasileiros da época, por exemplo, a escravidão.

b) Os conflitos éticos vividos pelo homem do Barroco corresponderam, na forma literária, ao uso exagerado de paradoxos e inversões sintáticas.

c) A poesia barroca foi a confirmação, no plano estético, dos preceitos renascentistas de harmonia e equilíbrio, vigentes na Europa no século XVI, que chegaram ao Brasil no século XVII, adaptados, então, à realidade nacional.

d) Um dos temas principais do Barroco é a efemeridade da vida, questão que foi tratada no dilema de viver o momento presente e, ao mesmo tempo, preocupar-se com a vida eterna.

e) A escultura barroca teve no Brasil o nome de Antônio Francisco Lisboa, o Aleijadinho, que, no século XVII, elaborou uma arte de tema religioso com traços nacionais e populares, numa mescla representativa do Barroco.

**9.** **(Ufop-MG)** Leia o poema abaixo:

### Aos principais da Bahia, chamados Caramurus

Há coisa como ver um Paiaiá
Mui prezado de ser Caramuru,
Descendente do sangue de tatu
Cujo torpe idioma é Cobepá?

A linha feminina é Carimá
Muqueca, pititinga, caruru,
Mingau de puba, vinho de caju
Pisado num pilão de Pirajá.

A masculina é uma Aricobé
Cuja filha Cobé, c'um branco Paí
Dormiu no promontório de Passé.

O branco é um Marau que veio aqui:
Ela é uma índia de Maré;
Cobepá, Aricobé, Cobé, Paí.

Matos, Gregório de. *Poemas escolhidos*. São Paulo: Cultrix, 1976. p. 100.

**Glossário**

**aricobé**: tribo de índios
**caramuru**: europeu
**carimá**: bolo de mandioca
**cobé**: tupi
**cobepá**: dialeto da tribo cobé
**paiaiá**: pajé
**pititinga**: peixe pequeno

Leia os comentários abaixo sobre o poema e assinale a alternativa que enumera as afirmativas **corretas**.

1. No poema de Gregório, a mescla de português com vocabulário indígena é utilizada para produzir efeito cômico.
2. O poema é uma sátira aos descendentes de índios que ocupam posições de prestígio na administração da colônia.
3. O poema apresenta uma crítica aos desmandos e à corrupção do Brasil colônia, adotando o ponto de vista das minorias oprimidas.
4. O uso rigoroso da forma do soneto revela a familiaridade de Gregório de Matos com a tradição letrada de sua época.

a) 1, 2 e 4.
b) 2, 3 e 4.
c) 1, 2 e 3.
d) 2, 3 e 4.

**(UFRRJ)** Leia o texto e responda às questões **10** e **11**.

### Moraliza o Poeta nos Ocidentes do Sol as Inconstâncias dos Bens do Mundo

Nasce o Sol, e não dura mais que um dia,
Depois da Luz se segue a noite escura,
Em tristes sombras morre a formosura,
Em contínuas tristezas a alegria.

Porém, se acaba o Sol, por que nascia?
Se formosa a Luz é, por que não dura?
Como a beleza assim se transfigura?
Como o gosto da pena assim se fia?

Mas no Sol, e na Luz falte a firmeza,
Na formosura não se dê constância,
E na alegria sinta-se tristeza.

Começa o mundo enfim pela ignorância,
E tem qualquer dos bens por natureza
A firmeza somente na inconstância.

Guerra, Gregório de Matos. *Antologia poética*. Rio de Janeiro: Ediouro, 1991. p. 84.

**10.** Um dos aspectos da arquitetura do poema barroco é aquele em que conceitos e/ou palavras são inicialmente citados ao longo do poema, para, mais adiante, serem retomados conclusivamente. Este recurso, no soneto de Gregório de Matos, acontece respectivamente

a) nos dois quartetos e no 2º terceto.
b) no 1º quarteto e no 2º quarteto.
c) nos dois quartetos e nos dois tercetos.
d) no 2º quarteto e no 1º terceto.
e) no 1º terceto e no 2º terceto.

**11.** O texto de Gregório de Matos possui muitas antíteses, que são usadas nos textos barrocos para

a) traduzir o conflito humano.
b) rejeitar o vocabulário popular.
c) personificar seres inanimados.
d) marcar a presença do onírico.
e) detalhar a arte poética.

**12.** **(UFRGS-RS)** Leia o poema abaixo, de Gregório de Matos Guerra.

### Retrato / Dona Ângela

Anjo no nome, Angélica na cara
Isso é ser flor, e Anjo juntamente:
Ser Angélica flor e Anjo florente
Em quem, senão em vós se uniformara?

Quem veria uma flor, que a não cortara
De verde pé, de rama florescente?
E quem um Anjo vira tão luzente,
Que por seu Deus o não idolatrara?

Se como Anjo sois dos meus altares,
Fôreis o meu custódio, e minha guarda,
Livrara eu de diabólicos azares.

Mas vejo, que tão bela, e tão galharda
Posto que os anjos nunca dão pesares
Sois Anjo, que me tenta, e não me guarda.

Matos, Gregório de. Disponível em: <http://www.vestibular.ufrgs.br/cv2013/gregoriomatosguerra_seleta.doc>. Acesso em: 10 set. 2012.

Considere as seguintes afirmações sobre o poema.

I. O poeta explora o paralelo entre Anjo e Angélica e revela a condição perecível e doméstica da flor, permitindo que se perceba a uniformização pretendida pelo barroco, a qual estabelece regras poéticas rígidas.

II. A mulher Anjo Luzente, no poema, encarna tanto o anjo protetor que livra "de diabólicos azares" quanto a criatura feminina tentadora que provoca a imaginação e a sensualidade.

III. A associação e o contraste da flor, que seria cortada do verde pé, com o Anjo luzente a ser idolatrado, indica o diálogo do poeta (vós) com o anjo enviado dos céus para proteger os altares de sua esposa.

Quais estão **corretas**?

a) Apenas I.
b) Apenas II.
c) Apenas I e II.
d) Apenas I e III.
e) I, II e III.

# Arcadismo

## Contexto histórico e cultural

O Arcadismo, também conhecido como Neoclassicismo, foi um movimento artístico que se desenvolveu na passagem da Idade Moderna para a Idade Contemporânea (século XVIII e início do XIX). Esse período foi marcado pelas **revoluções burguesas**, com destaque para a Revolução Gloriosa e a Revolução Industrial, na Inglaterra, e a Revolução Francesa. Esses conflitos resultaram na ascensão política e econômica da burguesia e em seu maior acesso à cultura, antes restrita à nobreza e à realeza.

No plano das ideias, surgiu o **Iluminismo**, movimento de origem francesa e inglesa que defendia a difusão da "luz" do conhecimento humano. O saber deveria ser adquirido exclusivamente por meio da razão, o que explica a rejeição dos iluministas a formas medievais e ao hermetismo barroco. Devido a essa mentalidade, o século XVIII é também chamado de "Século das Luzes".

## A literatura árcade

O termo "Arcadismo" é uma referência à Arcádia, região mítica da Grécia Antiga em que pastores viviam em harmonia com a natureza. As agremiações de poetas no século XVIII também foram chamadas de arcádias, o que reforça o propósito de resgatar as origens clássicas da poesia.

Como se pode notar, a **poesia** foi o principal gênero literário no Arcadismo, escrita nas formas **lírica, épica** e **satírica**. As **formas líricas** compunham uma gama ampla: éclogas, odes, madrigais, rondós, sonetos, liras, etc. Todas essas formas compunham a chamada **poesia pastoril**, em que os poetas usavam pseudônimos de pastores. A produção **épica** em língua portuguesa deu continuidade à épica camoniana. E a **poesia satírica**, de grande relevância no período, apresentava um conteúdo pornográfico e ironizava as autoridades da época.

Os poetas árcades, em sua maioria filhos de burgueses que haviam ascendido socialmente, foram buscar na Antiguidade os temas para seus versos. Tamanha foi a frequência desses temas na literatura da época, que ficaram conhecidos como **lugares-comuns,** entre os quais destacam-se:

- *carpe diem* (aproveite o dia): exaltação dos prazeres imediatos, sem se preocupar com o amanhã;
- *fugere urbem* (fuga da cidade): valorização da vida no campo e a busca por uma vida mais simples próxima à natureza, resumidas no conceito bucolismo;
- *locus amoenus* (lugar agradável): valorização de espaços amenos de modo a realçar a harmonia e o equilíbrio;
- *aurea mediocritas* (mediocridade áurea): crença de que a razão está presente nas coisas simples.

A presença do *carpe diem*, por exemplo, bem como de referências explícitas à mitologia grega, pode ser encontrada nessa estrofe do poeta árcade brasileiro Tomás Antônio Gonzaga:

**Lira XIV**

Minha bela Marília, tudo passa;
A sorte deste mundo é mal segura;
Se vem depois dos males a ventura,
Vem depois dos prazeres a desgraça.
Estão os mesmos Deuses
Sujeitos ao poder ímpio Fado:
Apolo já fugiu do Céu brilhante,
Já foi Pastor de gado.
[...]

GONZAGA, Tomás Antônio. In: *A poesia dos inconfidentes*. Rio de Janeiro: Nova Aguilar, 1996. p. 597.

**Glossário**

**fado**: destino
**ímpio**: impiedoso
**ventura**: boa sorte, felicidade

# Arcadismo em Portugal: contexto histórico e cultural

O cenário político-econômico de Portugal no século XVIII era muito diferente daquele vivido durante as primeiras décadas do século anterior, ainda sob o domínio espanhol. O ouro das minas brasileiras alavancou o desenvolvimento do país, resultando em um grande plano de modernização que atingiu as esferas política, econômica e educacional.

As mudanças foram sentidas principalmente durante o governo do primeiro-ministro **Marquês de Pombal** (de 1750 a 1777), que empreendeu uma política de submissão do Estado ao Rei conhecida como **despotismo esclarecido**. Essa estreita ligação entre Estado e realeza resultou na diminuição do poder da Igreja católica, no controle do ensino por parte do Estado (até então exercido principalmente pelos jesuítas) e na centralização da economia, o que permitiu reforçar o controle sobre as colônias.

No âmbito da cultura, destaca-se o papel da **Arcádia Lusitana**, agremiação de poetas que introduziram e promoveram a literatura árcade em Portugal. Defensores da cultura clássica greco-romana e opositores dos exageros barrocos, os poetas da Arcádia Lusitana produziram obras de grande rigor formal. Destacam-se autores como Antonio Dinis da Cruz e Silva, Pedro Antônio Correia Garção e Domingos dos Reis Quita.

## Bocage

Mas é do poeta Manuel Maria Barbosa du Bocage a literatura mais expressiva do Arcadismo português. Utilizando o pseudônimo Elmano Sadino ("Elmano" é um anagrama de seu primeiro nome; e Sadino, uma referência ao rio Sado, em Setúbal, sua terra natal), Bocage produziu em diferentes formas poéticas. Dominou como poucos a arte do soneto, além de ter escrito odes, elegias e cantos. Sua obra é dividida entre lírica e satírica.

Chegou a frequentar a Arcádia Lusitana, mas sua língua ferina e a insubmissão às regras da academia renderam sua expulsão do grupo. Suas sátiras às instituições ficaram célebres, contribuindo para que seus versos extrapolassem a corte e caíssem no gosto popular. No soneto abaixo, por exemplo, Bocage não poupa críticas às reuniões da Arcádia:

Preside o neto da rainha Ginga
À corja vil, aduladora, insana:
Traz sujo moço amostras de chanfana,
Em copos desiguais se esgota a pinga:

Vem pão, manteiga, e chá, tudo à catinga;
Masca farinha a turba americana;
E o orangotango a corda à banza abana,
Com gesto e visagens de mandinga:

Um bando de comparsas logo acode
Do fofo Conde ao novo Talaveiras;
Improvisa berrando o rouco bode:

Aplaudem de contínuo as frioleiras
Belmiro em ditirambo, o ex-frade em ode;
Eis aqui de Lereno as quartas-feiras.

BOCAGE, Manuel M. B. du. Descreve uma sessão da Academia de Belas Letras de Lisboa, mais conhecida pela denominação de Nova Arcádia. In: *Poemas*. Rio de Janeiro: Nova Fronteira, 1987. p. 70.

**Glossário**

**banza**: aldeia africana
**catinga**: avarento, pouco generoso
**chanfana**: aguardente de má qualidade
**corja**: grupo de má índole
**ditirambo**: tipo de composição poética
**frioleira**: futilidade, gesto patético
**mandinga**: feitiçaria
**ode**: tipo de composição poética
**turba**: multidão em desordem
**vil**: desprezível visagem: careta

Em sua poesia lírica, há duas vertentes: a primeira, ligada aos ideais árcades, e a segunda, marcada pelas angústias do eu lírico e pela temática da morte, características que antecipam a **estética romântica**. As diferenças entre essas vertentes saltam aos olhos:

Já o Inverno, espremendo as cãs nervosas,
Geme, de horrendas nuvens carregado;
Luz o aéreo fuzil, e o mar inchado
Investe ao Polo em serras escumosas;

Oh benignas manhãs! tardes saudosas,
Em que folga o pastor, medrando o gado,
Em que brincam no ervoso e fértil prado
Ninfas e Amores, Zéfiros e Rosas!

Voltai, retrocedei, formosos dias:
Ou antes vem, vem tu, doce beleza
Que noutros campos mil prazeres crias;

E ao ver-te sentirá minh'alma acesa
Os perfumes, o encanto, as alegrias
Da estação, que remoça a Natureza.

BOCAGE, Manuel M. B. du. *Poemas*. Rio de Janeiro: Nova Fronteira, 1987. p. 32.

Ó retrato da morte, ó Noite amiga
Por cuja escuridão suspiro há tanto!
Calada testemunha de meu pranto,
De meus desgostos secretária antiga!

Pois manda Amor, que a ti somente os diga,
Dá-lhes pio agasalho no teu manto;
Ouve-os, como costumas, ouve, enquanto
Dorme a cruel, que a delirar me obriga:

E vós, ó cortesãos da escuridade,
Fantasmas vagos, mochos piadores,
Inimigos, como eu, da claridade!

Em bandos acudi aos meus clamores;
Quero a vossa medonha sociedade,
Quero fartar meu coração de horrores.

BOCAGE, Manuel M. B. du. In: MOISÉS, Massaud. *A literatura portuguesa através dos textos*. 17. ed. São Paulo: Cultrix, 1988. p. 213-214.

**Glossário**

**cãs**: cabelos brancos
**ervoso**: recoberto de ervas
**escumoso**: espumoso
**medrar**: ganhar corpo, desenvolver-se
**mocho**: mutilado
**Ninfa**: divindade mitológica que habitava rios e bosques
**pio:** piedoso
**prado**: campina
**Zéfiro**: personificação mitológica do vento que sopra do Ocidente

## Arcadismo no Brasil

A **extração de ouro** e as cidades de Vila Rica (atual Ouro Preto) e Mariana formavam o ambiente propício para o surgimento do Arcadismo no Brasil, apesar de o país permanecer predominantemente rural. Inspirados pelos ideais iluministas e pela independência dos Estados Unidos, mas, principalmente, por causa do aumento dos impostos cobrados por Portugal, começam a surgir projetos de independência política e econômica aqui no Brasil. O maior movimento nesse contexto foi a **Inconfidência Mineira** (1789), em que alguns poetas árcades tiveram grande participação.

A produção árcade no Brasil, além de apresentar as características típicas desse movimento, como o respeito às regras de composição e a presença de temas clássicos, expõe a **paisagem brasileira** e a situação de impasses entre a Metrópole e a Colônia, visto o início de vários movimentos pela independência.

A poesia desse período pode ser dividida em:

- **poesia lírico-amorosa**: trabalha o tema árcade do encontro entre o "eu lírico pastor" e sua amada;
- **poesia épica**: descreve partes da história do Brasil e a aproximação entre o europeu português e o indígena;
- **poesia satírica**: critica e denuncia a situação política da época.

Na poesia épica é importante destacar que pela primeira vez na literatura brasileira os indígenas são representados como personagens atuantes desde o início da colonização. Esta forma poética teve grande influência da obra camoniana e apresentava longas narrativas de aventuras de heróis em forma de poema. As principais obras desse período são *O Uraguai*, de **Basílio da Gama**, e *Caramuru*, de **Santa Rita Durão**.

## Cláudio Manuel da Costa

As *Obras poéticas* (1768), de Cláudio Manuel da Costa, são consideradas o marco inicial do Arcadismo brasileiro. Nelas, o poeta, figura importante da elite intelectual da época, retratou o encontro da **paisagem montanhosa** de Minas Gerais com imagens árcades, como **pastores** e referências **mitológicas**. Também é muito forte a **presença da mulher**, na maior parte das vezes na figura de pastoras. A mais famosa delas é Nise, citada no soneto abaixo:

Eu ponho esta sanfona, tu, Palemo,
Porás a ovelha branca, e o cajado;
E ambos ao som da flauta magoado
Podemos competir de extremo a extremo.

Principia, pastor; que eu te não temo;
Inda que sejas tão avantajado
No cântico amebeu: para louvado
Escolhamos embora o velho Alcemo.

Que esperas? Toma a flauta, principia;
Eu quero acompanhar-te; os horizontes
Já se enchem de prazer, e de alegria:

Parece, que estes prados, e estas fontes
Já sabem, que é o assunto da porfia
Nise, a melhor pastora destes montes.

COSTA, Cláudio Manuel da. In: VALADARES, Napoleão (Org.). *Poemas*. Brasília: Thesaurus Editora, 2006. p. 8.

## Tomás Antônio Gonzaga

Poeta representativo do período, cuja poesia lírica expressa anseios de **amor** e **liberdade**. Foi a lírica que o consagrou, embora tenha se destacado na vertente satírica com *Cartas chilenas*, obra em que, parecendo criticar o governador do Chile, censura o governo brasileiro.

O tema central de sua lírica é o sentimento de Dirceu (seu pseudônimo árcade) pela pastora Marília. Sua obra mais importante é *Marília de Dirceu*, que apresenta os lugares comuns do Arcadismo e traz elementos que prenunciam o Romantismo, como a solidão e a angústia amorosa.

No trecho a seguir, pode ser vista a estrutura que predomina em *Marília de Dirceu*: uma espécie de diálogo amoroso, constituído apenas pela fala do eu lírico.

### Parte I, Lira II

Pintam, Marília, os Poetas
A um menino vendado,
Com uma aljava de setas,
Arco empunhado na mão;
Ligeiras asas nos ombros,
O tenro corpo despido,
E de Amor ou de Cupido
São os nomes, que lhe dão.

Porém eu, Marília, nego,
Que assim seja Amor, pois ele
Nem é moço nem é cego,
Nem setas nem asas tem.
Ora pois, eu vou formar-lhe
Um retrato mais perfeito,
Que ele já feriu meu peito;
Por isso o conheço bem.

GONZAGA, Tomás Antônio. *Marília de Dirceu*. Disponível em: <http://www.dominiopublico.gov.br/download/texto/bn000036.pdf>. Acesso em: 23 jul. 2012.

**Glossário**

**aljava:** estojo sem tampa

Podemos, então, organizar as literaturas árcades portuguesa e brasileira da seguinte forma:

**Em Síntese**

**Arcadismo (séc. XVIII)**
- Retomada dos ideais clássicos; oposição aos excessos do Barroco
- Lugares comuns: *fugere urbem* (fugir da cidade), *carpe diem* (aproveitar o dia), *locus amoenus* (lugar ameno) e *aurea mediocritas* (razão nas coisas mais simples)

**Arcadismo em Portugal**
- Principal autor: *Bocage*, poeta cuja produção está dividida em lírica e satírica; sua lírica apresenta duas vertentes: *árcade* e *pré-romântica*

**Arcadismo no Brasil**
- Principais autores: *Cláudio Manuel da Costa*, sua poesia é lírica, tipicamente árcade; *Tomás Antônio Gonzaga*, em sua poesia lírica, apresenta clichês árcades e antecipa ideais românticos. Na satírica, critica o governo brasileiro

1. **(UEL-PR)** Assinale a letra correspondente à alternativa que preenche corretamente as lacunas do trecho apresentado.

Simplificando a linguagem lírica de Cláudio Manuel da Costa, mas evitando igualmente a diluição dos valores poéticos no sentimentalismo, as ...... mais densas, dedicadas a ......, fizeram de ...... uma figura central do nosso Arcadismo.

a) crônicas – Marília – Dirceu
b) crônicas – Gonzaga – Dirceu
c) sátiras – Dirceu – Gonzaga
d) liras – Gonzaga – Dirceu
e) liras – Marília – Gonzaga

2. **(UFPA)**

> O arcadismo, que vai suceder ao gongorismo, representa uma reação a este e procura um retorno à simplicidade clássica, à ingenuidade campesina, à pureza de ideias e costumes.
>
> SODRÉ, Nelson Werneck. *História da literatura brasileira*. Rio de Janeiro: Civilização Brasileira. p. 106-107.

Levando-se em conta essa afirmação, é **correto** afirmar que os versos que pertencem ao arcadismo são:

a) "Ondas do mar de Vigo,
Se vistes meu amigo?
E ai Deus, se verrá cedo!
Ondas do mar Levado
Se vistes meu amado?
E ai Deus, se verrá cedo!"

b) "Alma minha gentil, que te partiste
Tão cedo desta vida, descontente,
Repousa lá no Céu eternamente,
E viva eu cá na terra sempre triste."

c) "Sou pastor; não te nego; os meus montados
são esses, que aí vês; vivo contente
ao trazer entre a relva florescente
a doce companhia dos meus gados."

d) "Triste Bahia! Ó quão dessemelhante
Estás e estou do nosso antigo estado!
Pobre te vejo a ti, tu a mi empenhado,
Rica te vi eu já, tu a mi abundante."

e) "Se és fogo, como passas brandamente,
Se és neve, como queimas com porfia?
Mas ai, que andou Amor em ti prudente!"

3. **(Uepa)** Leia o texto para responder à questão.

> **LXII**
>
> Torno a ver-vos, ó montes; o destino
> Aqui me torna a pôr nestes oiteiros;
> Onde um tempo os gabões deixei grosseiros
> Pelo traje da Corte rico e fino.
>
> Aqui estou entre Almendro, entre Corino,
> Os meus fiéis, meus doces companheiros,
> Vendo correr os míseros vaqueiros
> Atrás de seu cansado desatino.

Se o bem desta choupana pode tanto,
Que chega a ter mais preço, e mais valia,
Que da cidade o lisonjeiro encanto;

Aqui descanse a louca fantasia;
E o que 'té agora se tornava em pranto,
Se converta em afetos de alegria.

O campo como *locus amoenus*, livre de mazelas sociais e morais, foi o grande tema literário à época neoclássica, quando a literatura também expressou uma resistência à cidade, considerada então violento símbolo do poder monárquico e da corrupção moral. Interprete as opções abaixo e assinale aquela em que se sintetiza o modo de resistência expresso nos versos de Cláudio Manuel da Costa acima transcritos:

a) apego à metrificação tradicional
b) bucolismo e paralelismo
c) *aurea mediocritas*
d) *inutilia truncat*
e) *fugere urbem*

4. **(Unifesp – adaptada)** Leia o poema de Bocage para responder à questão.

Olha, Marília, as flautas dos pastores
Que bem que soam, como estão cadentes!
Olha o Tejo a sorrir-se! Olha, não sentes
Os Zéfiros brincar por entre flores?

Vê como ali, beijando-se, os Amores
Incitam nossos ósculos ardentes!
Ei-las de planta em planta as inocentes,
As vagas borboletas de mil cores.

Naquele arbusto o rouxinol suspira,
Ora nas folhas a abelhinha para,
Ora nos ares, sussurrando, gira:

Que alegre campo! Que manhã tão clara!
Mas ah! Tudo o que vês, se eu te não vira,
Mais tristeza que a morte me causara.

O soneto de Bocage é uma obra do Arcadismo português, que apresenta, dentre suas características, o bucolismo e a valorização da cultura greco-romana, que estão exemplificados, respectivamente, em:

a) Tudo o que vês, se eu te não vira / Olha, Marília, as flautas dos pastores.
b) Ei-las de planta em planta as inocentes / Naquele arbusto o rouxinol suspira.
c) Que bem que soam, como estão cadentes! / Os Zéfiros brincar por entre flores?
d) Mais tristeza que a morte me causara. / Olha o Tejo a sorrir-se! Olha, não sentes.
e) Que alegre campo! Que manhã tão clara! / Vê como ali, beijando-se, os Amores.

5. **(Ufla-MG)** Considere os seguintes versos escritos na prisão da Ilha das Cobras, parte II das liras de *Marília de Dirceu* – de Tomás Antônio Gonzaga:

Eu tenho um coração maior que o mundo,
tu, formosa Marília, bem o sabes:
Um coração, e basta
onde tu mesma cabes.

GONZAGA, Tomás Antônio de.

Com relação ao seu caráter nitidamente pré-romântico, é **correto** afirmar que o escritor:

a) descreve Marília: mulher linda, formosa, sua "gentil Pastora", sua "Estrela".
b) idealiza, para abrandar o seu martírio, apenas uma realidade: a doce lembrança de Marília, nada mais.
c) expressa sua amargura pela incompreensão e injustiça dos homens, numa prisão brutal e injusta.
d) traduz o estado de espírito do tempo que passou na prisão, amargurado pela dura e única realidade.

**6. (Uepa)** Leia os versos abaixo.

> Leia a posteridade, ó pátrio Rio,
> Em meus versos teu nome celebrado;
> Por que vejas uma hora despertado
> O sono vil do esquecimento frio:
>
> Não vês nas tuas margens o sombrio,
> Fresco assento de um álamo copado;
> Não vês ninfa cantar, pastar o gado
> Na tarde clara do calmoso estio.
>
> Turvo banhando as pálidas areias,
> Nas porções do riquíssimo tesouro,
> O vasto campo da ambição recreias.
>
> Que de seus raios o planeta louro,
> Enriquecendo o influxo em tuas veias,
> Quanto em chamas fecunda, brota em ouro.

Sabe-se que o Arcadismo foi um dos estilos mais fiéis aos modelos e temas da literatura europeia, sobretudo ao Renascimento. Apesar da obediência ao gosto europeu, aspectos da experiência cultural na colônia também se imprimem nos textos desse estilo. Exemplo disso é o poema acima, de Cláudio Manoel da Costa, em que se observa:

a) a criação de imagens que sugerem a geografia colonial, como a do álamo copado em cujas margens vê-se uma ninfa cantar.
b) que o gosto formal pelo soneto, forma poética europeia, serve à expressão da paisagem colonial, afastando-se parcialmente das convenções bucólicas.
c) a valorização da vida serena, prudente e racional, livre de paixões desenfreadas e cuja representação perfeita é o pastor de ovelhas.
d) a fidelidade descritiva com que é tratada a paisagem portuguesa em suas semelhanças com a natureza bucólica e pastoril da colônia.
e) o tema da *aura mediocritas* expresso no desejo humano de abandonar qualquer excesso emotivo ou impulso irracional.

**(Unifesp – adaptada)** Leia o soneto de Cláudio Manuel da Costa para responder às questões de números **7** e **8**.

> Onde estou? Este sítio desconheço:
> Quem fez tão diferente aquele prado?
> Tudo outra natureza tem tomado;
> E em contemplá-lo tímido esmoreço.
>
> Uma fonte aqui houve; eu não me esqueço
> De estar a ela um dia reclinado;
> Ali em vale um monte está mudado:
> Quanto pode dos anos o progresso!

Árvores aqui vi tão florescentes,
Que faziam perpétua a primavera:
Nem troncos vejo agora decadentes.

Eu me engano: a região esta não era;
Mas que venho a estranhar, se estão presentes
Meus males, com que tudo degenera!

COSTA, Cláudio Manuel da. *Obras*, 1996.

7. São recursos expressivos e tema presentes no soneto, respectivamente,
   a) metáforas e a ideia da imutabilidade das pessoas e dos lugares.
   b) sinestesias e a superação pelo eu lírico de seus maiores problemas.
   c) paradoxos e a certeza de um presente melhor para o eu lírico que o passado.
   d) hipérboles e a força interior que faz o eu lírico superar seus males.
   e) antíteses e o abalo emocional vivido pelo eu lírico.

8. No soneto, o eu lírico expressa-se de forma
   a) eufórica, reconhecendo a necessidade de mudança.
   b) contida, descortinando as impressões auspiciosas do cenário.
   c) introspectiva, valendo-se da idealização da natureza.
   d) racional, mostrando-se indiferente às mudanças.
   e) reflexiva, explorando ambiguidades existenciais.

9. **(UEM-PR)** Leia o poema abaixo e assinale o que for correto sobre ele, sobre a obra em que se insere e sobre o seu autor.

**Lira XXX**

Junto a uma clara fonte
A mãe de Amor se sentou;
Encostou na mão o rosto,
No leve sono pegou.

Cupido, que a viu de longe,
Contente ao lugar correu;
Cuidando que era Marília,
Na face um beijo lhe deu.

Acorda Vênus irada:
Amor a conhece; e então,
Da ousadia que teve
Assim lhe pede o perdão:

– Foi fácil, ó mãe formosa,
Foi fácil o engano meu;
Que o semblante de Marília
É todo o semblante teu.

GONZAGA, Tomás Antônio. *Marília de Dirceu*. São Paulo: Martin Claret, 2007. p. 76.

01) Na lira reproduzida acima, a temática do engano configura-se como elemento fundamental dos jogos de raciocínio conceptistas, característica marcante do Arcadismo.

02) O espaço natural, representado pela fonte e ligado diretamente ao motivo da ira por parte de Vênus, corrobora uma das temáticas árcades mais recorrentes: a do *locus horrendus*, ou seja, da natureza "madrasta" e cruel.

04) A opção pelo decassílabo sáfico na Lira XXX aponta para uma exceção em Marília de Dirceu: o uso da métrica regular. A opção por formas livres e ousadas, tônica da produção de Gonzaga, rendeu-lhe o epíteto de "precursor do Romantismo brasileiro".

08) A retomada de valores ligados à Antiguidade greco-latina é uma característica do Arcadismo. Na Lira XXX, tal característica pode ser verificada na referência às divindades Cupido e Vênus, representantes do amor no poema.

16) Tomás Antônio Gonzaga esteve envolvido com o movimento da Inconfidência Mineira, o que o levou ao cárcere e a um posterior degredo. O período de cárcere, por sinal, influencia as composições da segunda parte de Marília de Dirceu.

# Romantismo

## Romantismo: estilo de época

Na Europa, no final do século XVIII, dois acontecimentos históricos assinalaram a ascensão da **burguesia** ao poder: a **Revolução Francesa**, que pôs fim ao chamado Antigo Regime e foi impulsionada por ideias liberais; e a **Revolução Industrial**, que proporcionou o enriquecimento dessa classe. Configurou-se assim uma sociedade nova, **industrial** e **urbana**, sob a liderança burguesa.

A incorporação dos **valores burgueses** levou a literatura romântica a se aproximar do **homem comum**. Forma-se um novo público, heterogêneo, que não possui formação erudita como os nobres. A estrutura mais livre do **romance**, gênero literário preferido pelo público leitor, permite liberdade ao artista, que adota uma **linguagem mais simples**, personagens com as quais o leitor **se identifica** e tramas baseadas em **intrigas amorosas** e em **aventuras**.

Também buscando se aproximar dos anseios do homem comum, os escritores preocupam-se em reconstituir a identidade nacional. Para isso, apoiam-se nos valores populares, considerados mais autênticos, e praticam o **medievalismo** – a busca das raízes no período de formação dos Estados Nacionais.

No entanto, muitas características típicas do Romantismo resultam da sua rejeição ao materialismo excessivo da sociedade que se formava, denunciando sua **hipocrisia**. Parte dessa rejeição se deve à influência das ideias do filósofo Jean-Jacques Rousseau, que propunha a valorização da natureza em detrimento da sofisticação racional. Para o filósofo francês, o homem é naturalmente dotado de inocência e pureza, porém a vida em sociedade corrompe esses valores. Com base nesse pensamento, alguns artistas românticos voltaram-se para temas como a **natureza**, a infância e os indígenas, na tentativa de resgatar o indivíduo em seu estado natural. Outros, porém, manifestaram o repúdio à civilização ora por meio da **denúncia social,** ora por meio do **culto à morte.** Leia os versos a seguir, do poeta inglês *Lord* Byron, sobre esse tema:

**A uma taça feita de um crânio humano**

Não recues! De mim não foi-se o espírito...
Em mim verás – pobre caveira fria –
Único crânio, que ao invés dos vivos,
Só derrama alegria.

Vivi! amei! bebi qual tu: Na morte
Arrancaram da terra os ossos meus.
Não me insultes! empina-me!... que a larva
Tem beijos mais sombrios do que os teus.

Lord Byron. In: Alves, Castro. *Espumas flutuantes*. Salvador: GRD, 1970. p. 9-10.

O movimento pretendeu realizar uma ruptura com a tradição literária e a expressão racional do Neoclassicismo. Não havia mais modelos rígidos a serem obedecidos, tampouco critérios de beleza que devessem nortear a arte. A criação literária devia ser fruto da intuição, impulsividade e inspiração do artista, o que culminou no **individualismo** e **sentimentalismo** característicos da estética romântica. Esse mergulho na individualidade, muitas vezes, levou os artistas românticos a um estado de espírito pessimista e melancólico, cristalizado no chamado **mal do século**, como evidenciam os versos abaixo, do poeta francês Alfred de Musset:

Amo e quero empalidecer; amo e quero sofrer;
amo e por um beijo eu daria meu gênio;
amo e quero sentir em minhas faces magras
correr uma fonte impossível de estancar.

Apud Macy, John. *História da literatura mundial*. Trad. Monteiro Lobato. 5. ed. São Paulo: Companhia Editora Nacional, 1967. p. 281.

# Romantismo em Portugal

Diferentemente do que aconteceu na França e na Inglaterra, o movimento romântico em Portugal não tinha se consolidado nas primeiras décadas do século XIX. A ascensão burguesa e a Revolução Industrial ainda não tinham se firmado em terras portuguesas. No início daquele século, o país atravessava um período de turbulência política, em muito explicada pela transferência da Corte Portuguesa para o Brasil em 1808. O cenário mudou consideravelmente apenas em 1838, quando forças liberais depuseram o rei dom Miguel (irmão de dom Pedro I). A partir de então, houve uma abertura que possibilitou um contato cultural mais intenso com outras nações europeias, impulsionando a estética romântica no país.

Dois gêneros se destacaram na literatura romântica portuguesa: a **poesia** e a **prosa**. Os principais autores daquele período foram o poeta **Almeida Garrett** e os prosadores **Alexandre Herculano** e **Camilo Castelo Branco**.

## Almeida Garrett

O marco fundador do Romantismo em Portugal é a publicação do **poema "Camões"**, de **Almeida Garrett,** em 1825. Nessa obra, o poeta trata da composição de *Os Lusíadas*, recriando a vida sentimental de Camões. Destaca-se no poema a intenção de romper com as convenções neoclássicas.

Esse objetivo, em grande medida, nasce do contato com o Romantismo inglês e francês proporcionado pelo período em que Garrett esteve no exílio durante o governo de dom Miguel (1828-1834). Tal aproximação resultou em uma obra marcada pela **confissão de experiências** e **angústias pessoais**, bem como pela presença de **temas populares** e **conteúdo histórico**. Nos versos abaixo, podemos notar a vertente confessional de sua lírica.

### Este inferno de amar

Este inferno de amar – como eu amo! –
Quem mo pôs aqui n'alma... quem foi?
Esta chama que alenta e consome,
Que é a vida – e que a vida destrói –
Como é que se veio atear,
Quando – ai quando se há de apagar?
[...]

Garrett, Almeida. In: Moisés, Massaud. *A literatura portuguesa através dos textos*. 29. ed. São Paulo: Cultrix, 2004. p. 252.

**Glossário**

**alentar**: animar, encorajar
**atear**: acender
**mo**: contração dos pronomes *me* e *o*

## Alexandre Herculano

Como Almeida Garrett, Alexandre Herculano era adepto do **liberalismo** e também esteve exilado na França. Deixou uma extensa obra, mas se tornou mais conhecido por suas **narrativas ficcionais**, que mesclam **imaginação** e **fatos históricos**, como o romance histórico *Eurico, o presbítero*, que remete ao **período medieval**, fazendo menção às lutas de cristãos contra os mouros, como evidencia o trecho abaixo, em que o narrador enaltece a vitória dos cristãos.

Os que têm lido a história daquela época sabem que a batalha de Cangas de Onis foi o primeiro elo dessa cadeia de combates que, prolongando-se através de quase oito séculos, fez recuar o Alcorão para as praias da África e restituir ao evangelho esta boa terra de Espanha, terra mais que nenhuma de mártires.

Herculano, Alexandre. *Eurico, o presbítero*. São Paulo: Ática, 1996. p. 138.

## Camilo Castelo Branco

Embora tenha escrito muito e em vários gêneros, Camilo Castelo Branco tornou-se célebre por seus **romances** e **novelas passionais**, cujos enredos giravam em torno do **conflito** entre os **impulsos do coração** e os **valores** e a **moral** da **sociedade burguesa**.

Essas narrativas apresentam como elementos comuns o **amor incondicional** dos protagonistas, que enfrentam obstáculos representados pelos valores da família e da comunidade, e a **impossibilidade de a paixão se concretizar** em razão de problemas relacionados ao dinheiro ou à honra. No final, ou os amantes se reconciliam com a **moral burguesa**, casando-se com outras personagens e reencontrando a tranquilidade, ou vivem tamanho conflito que são levados à **loucura** ou ao **suicídio**.

Certamente a novela passional mais conhecida de Camilo Castelo Branco é *Amor de perdição*. No trecho a seguir, apresenta-se o protagonista Simão, cujo caráter se modifica graças ao amor por Teresa. Os heróis viverão um amor proibido devido à rivalidade de suas famílias.

> Perdido o ano letivo, foi para Viseu Simão. O corregedor repeliu-o da sua presença com ameaças de o expulsar de casa. A mãe, mais levada do dever que do coração, intercedeu pelo filho e conseguiu sentá-lo à mesa comum.
>
> No espaço de três meses fez-se maravilhosa mudança nos costumes de Simão. As companhias da ralé desprezou-as. Saía de casa raras vezes, ou só, ou com a irmã mais nova, sua predileta. [...] Aqueles que assim o viam admiravam-lhe o ar cismador e o recolhimento que o sequestrava da vida vulgar. Em casa encerrava-se no seu quarto, e saía quando o chamavam para a mesa.
>
> D. Rita pasmava da transfiguração, e o marido, bem convencido dela, ao fim de cinco meses, consentiu que seu filho lhe dirigisse a palavra.
>
> Simão Botelho amava. Aí está uma palavra única, explicando o que parecia absurda reforma aos dezessete anos.
>
> Amava Simão uma sua vizinha, menina de quinze anos, rica herdeira, regularmente bonita e bem-nascida. Da janela do seu quarto é que ele a vira pela primeira vez, para amá-la sempre. Não ficara ela incólume da ferida que fizera no coração do vizinho: amou-o também, e com mais seriedade que a usual nos seus anos.
>
> [...]
>
> Castelo Branco, Camilo. *Amor de perdição*. São Paulo: Saraiva, s. d. p. 20-22.

Mas apesar da alta carga dramática e imaginativa dessas novelas, o autor era também um observador agudo da sociedade portuguesa. Em meio às paixões avassaladoras, o autor denunciava, com fina ironia, os desvios morais da sociedade, o que destoa do idealismo romântico. Em *Amor de perdição*, por exemplo, uma freira recrimina os hábitos mundanos de outra:

> Forte pouca vergonha! Lá que outra falasse, vá; mas ela, que tem sempre uns namorados pandilhas que bebem com ela na grade, isso lá me custa; mas, enfim, não há ninguém perfeito!... Boa rapariga é ela... se não fosse aquele maldito vício...
>
> Castelo Branco, Camilo. *Amor de perdição*. São Paulo: Saraiva, s. d. p. 69.

# Romantismo no Brasil

Após a transferência da família real para o Brasil, em 1808, o espaço urbano, especialmente do Rio de Janeiro, sofreu muitas transformações. A elite rural passou a estabelecer-se nas **cidades**, que se modernizaram a fim de acomodá-la. Ao mesmo tempo, a recém-surgida **imprensa** possibilitava a divulgação de obras literárias.

Paralelamente, após 1822, os intelectuais brasileiros procuravam consolidar a **independência**. Inspirados pela atitude contestadora e pelo espírito livre dos românticos europeus, os artistas aproveitavam a tendência nacionalista do movimento para produzir uma arte que expressasse a **identidade nacional**.

O Romantismo no Brasil teve manifestações artísticas relevantes nas artes plásticas, na música e na literatura. No âmbito literário, há obras importantes na **prosa**, na **poesia** e no **teatro**. Os autores mais representativos são: **José de Alencar** e **Manuel Antônio de Almeida** (prosa), **Gonçalves Dias**, **Álvares de Azevedo** e **Castro Alves** (poesia) e **Martins Pena** (teatro).

## Prosa: o vigor do romance

Foi por meio do romance que prosadores nacionais traçaram um vasto painel da cultura e sociedade locais. Os romances brasileiros daquele período foram organizados em quatro eixos temáticos: **indianista**, **regionalista**, **histórico** e **urbano**.

O **romance indianista** tem como principal figura o **indígena**, que, embora entendido como autêntico representante da nacionalidade brasileira, é **idealizado** e **valorizado** por aquilo que o aproxima dos ideais de beleza e bondade europeus. As principais obras são: *Iracema*, *O guarani* e *Ubirajara*, todas de José de Alencar.

Por apresentarem personagens reais e registrarem costumes dos povos nativos, alguns romances indianistas podem ser considerados **históricos**. Entretanto, tal classificação é mais adequada às narrativas que reinterpretam episódios da **história do Brasil** desde o início da colonização, com ênfase na posse das terras pelos portugueses e no alargamento das fronteiras, como *As minas de prata* e *A guerra dos mascates*, ambas de Alencar.

A abordagem das particularidades da vida nas cidades é própria do **romance urbano**. Em *A Moreninha*, de Joaquim Manuel de Macedo, um dos romances mais conhecidos do período, lê-se um registro da vida burguesa, com foco nas experiências de jovens estudantes. Já *Memórias de um sargento de milícias*, de Manuel Antônio de Almeida, propõe um retrato crítico da classe média carioca ao mostrar o protagonista da obra como um malandro ou anti-herói moderno, constituído de defeitos e virtudes.

O **romance regionalista**, por sua vez, valoriza as diferenças sociais e culturais das várias regiões do país. Visconde de Taunay, considerado seu principal representante, ambienta sua obra *Inocência* no Mato Grosso. Embora menos influenciado pela fantasia, o romance é marcado por características típicas do Romantismo, tais como o amor impossível e o conflito entre bem × mal. Bernardo Guimarães, outro expoente da prosa regionalista, destaca os regionalismos culturais e linguísticos da sociedade interiorana. Em ambos, nota-se a abordagem de realidades distantes dos centros urbanos, menos sujeitos à influência europeia. Por fim, cabe ainda citar duas obras de José de Alencar que se enquadram na vertente regionalista: *O gaúcho* e *O sertanejo*.

### José de Alencar

Como se vê, José de Alencar é a figura central da prosa romântica no Brasil, tendo escrito vários romances.

Sua **trilogia indianista** apresenta três etapas da relação do indígena com o colonizador: *Ubirajara* trata da convivência entre as nações indígenas antes da chegada dos europeus; *Iracema*, da chegada dos primeiros portugueses e da miscigenação; *O guarani* enfoca o processo de povoamento português. Nessas obras, a idealização do indígena desempenha duas funções: alinhamento com os ideais românticos e combate à ideia de que o indígena era inferior e rústico. Quanto ao último aspecto, buscou-se alinhar a figura do indígena por meio de uma postura **etnocêntrica**, uma vez que a valorização do povo nativo não é feita com base em sua própria cultura, mas sim nos elementos da cultura europeia. No excerto abaixo, a personagem Antônio de Mariz, ao enaltecer Peri, exalta suas virtudes europeias.

> – [...] Desde o primeiro dia que aqui entrou, salvando minha filha, a sua vida tem sido um só ato de abnegação e heroísmo. Crede-me, Álvaro, é um cavalheiro português no corpo de um selvagem!
>
> ALENCAR, José de. *O guarani*. São Paulo: Ática, 2006. p. 45.

O **regionalismo** de Alencar pode ser considerado um desdobramento de seu indianismo, por ser usado pelo autor para criar **mitos de origem do Brasil**. O casal Arnaldo e D. Flor, de *O sertanejo*, por exemplo, é tão idealizado quanto Peri e Cecília, como evidencia a descrição de D. Flor.

> Na moldura desse gracioso toucado, a beleza deslumbrante de seu rosto revestia-se de uma expressão cavalheira e senhoril, que era talvez o traço mais airoso de sua pessoa. [...] assomavam os realces de uma alma elevada que tem consciência de sua superioridade, e sente ao passar pela terra a elação das asas celestes.
>
> ALENCAR, José de. *O sertanejo*. 8. ed. São Paulo: Ática, 2002. p. 15.

Já seus romances urbanos constituem **crônicas de costumes** do Rio de Janeiro imperial e documentos críticos aos valores da época. Na passagem de *Senhora*, a seguir, a protagonista Aurélia humilha Fernando Seixas por ter aceitado casar-se com ela em troca de um dote em dinheiro.

> – A riqueza que Deus me concedeu chegou tarde; nem ao menos permitiu-me o prazer da ilusão, que têm as mulheres enganadas. Quando a recebi, já conhecia o mundo e suas misérias; já sabia que a moça rica é um arranjo e não uma esposa; pois bem, disse eu, essa riqueza servirá para dar-me a única satisfação que ainda posso ter neste mundo. Mostrar a esse homem que não me soube compreender, que mulher o amava, e que alma perdeu. Entretanto ainda eu afagava uma esperança. Se ele recusa nobremente a proposta aviltante, eu irei lançar-me a seus pés. Suplicar-lhe-ei que aceite a minha riqueza, que a dissipe se quiser; mas consinta-me que eu o ame. Essa última consolação, o senhor a arrebatou. Que me restava? Outrora atava-se o cadáver ao homicida, para expiação da culpa; o senhor matou-me o coração, era justo que o prendesse ao despojo de sua vítima. Mas não desespere, o suplício não pode ser longo: este constante martírio a que estamos condenados acabará por extinguir-me o último alento; o senhor ficará livre e rico.
>
> ALENCAR, José de. *Senhora*. São Paulo: Scipione, 1994. p. 87.

## Manuel Antônio de Almeida

Outro nome importante da prosa romântica brasileira é Manuel Antônio de Almeida. E bastou um único romance, *Memórias de um sargento de milícias*, para que o autor alcançasse esse prestígio.

Embora seja uma crônica de costumes, o que o filia ao chamado **romance urbano**, o livro contrasta com vários ideais românticos e prenuncia, tanto pelo tema quanto pela forma, o período artístico seguinte, o Realismo.

A começar pelo herói, Leonardo. Ao contrário do virtuoso herói romântico, ele é um indivíduo comum, preguiçoso, vive de favores, o que faz dele um **anti-herói** ou até mesmo um **malandro**. Esse tom menos idealizado e mais realista aparece inclusive na fala do próprio narrador, que ironiza o termo "romântico": "mas o homem era romântico, como se diz hoje, e babão como se dizia naquele tempo". No plano da forma, a linguagem usada no romance é **coloquial** e próxima do registro jornalístico, contrastando, por exemplo, com o rebuscamento e excesso de metáforas do romance urbano de José de Alencar, como neste trecho em que o protagonista é apresentado.

> Entre os termos que formavam essa equação meirinhal pregada na esquina havia uma quantidade constante, era o Leonardo-Pataca. Chamavam assim a uma rotunda e gordíssima personagem de cabelos brancos e carão avermelhado, que era o decano da corporação, o mais antigo dos meirinhos que viviam nesse tempo. A velhice tinha-o tornado moleirão e pachorrento; com sua vagareza atrasava o negócio das partes; não o procuravam; e por isso jamais saía da esquina [...].
>
> ALMEIDA, Manoel Antônio de. *Memórias de um sargento de milícias*. 24. ed. São Paulo: Ática, 1998.

## A poesia romântica no Brasil

A poesia teve grande representatividade no Romantismo brasileiro, espelhando o contexto histórico e cultural da época. É dividida em três gerações: **nacionalista**, **ultrarromântica** ou **byroniana** e **condoreira.**

Os poemas produzidos pela **geração nacionalista** impulsionaram a construção de um ideário brasileiro, exaltando a natureza local e o indígena, que recebia atributos equivalentes aos de um cavaleiro medieval – como coragem, honra e generosidade. **Gonçalves Dias**, o principal representante da geração, colocou o indígena como o eu lírico de seus poemas, dando destaque a seus valores e sentimentos. Em *I-Juca Pirama*, um poema dramático composto por 10 cantos, o poeta dá voz ao indígena, um pai que condena o filho por chorar no momento da morte, revelando uma covardia inaceitável no contexto de sua cultura. Abaixo, um excerto desse poema.

**I-Juca Pirama – Parte VIII**

Tu choraste em presença da morte?
Na presença de estranhos choraste?
Não descende o cobarde do forte;
Pois choraste, meu filho não és!
Possas tu, descendente maldito
De uma tribo de nobres guerreiros,
Implorando cruéis forasteiros,
Seres presa de vis Aimorés.

DIAS, Gonçalves. *I-Juca Pirama*. Disponível em: <http://www.dominiopublico.gov.br/download/texto/bn000007.pdf>. Acesso em: 2 abr. 2015.

Gonçalves Dias também se destacou na poesia lírica, com composições que revelam a melancolia e a saudade típicas do Romantismo, mas ainda expressas segundo uma contenção e um equilíbrio que remetem à tradição neoclássica, como se pode notar no fragmento extraído do poema "Ainda uma vez, adeus!":

Mas que tens? Não me conheces?
De mim afastas teu rosto?
Pois tanto pôde o desgosto
Transformar o rosto meu?
Sei a aflição quanto pode,
Sei quanto ela desfigura,
E eu não vivi na ventura...
Olha-me bem, que sou eu!

DIAS, Gonçalves. *Poesia*. 8. ed. Rio de Janeiro: Agir, 1977. p. 61.

A segunda geração, conhecida como **ultrarromântica** ou **byroniana**, afastou-se do projeto nacionalista e empenhou-se no idealismo e na evasão. Com individualismo e subjetivismo exacerbados, os principais temas explorados eram a morte, a fuga para a infância ou para a natureza e a relação contraditória com a mulher sexualizada e inatingível.

O tom variava entre o confessional e o sarcástico, como bem exemplifica a obra *Lira dos vinte anos*, de **Álvares de Azevedo**, caracterizada pela dualidade entre idealismo e realismo. O livro é dividido em duas partes: na primeira, são contemplados temas como a atração pela morte e o erotismo carregado de culpa, enquanto na segunda os temas mais relacionados à realidade, apresentados em tom mais leve e bem-humorado. A seguir, um fragmento do poema "Lembrança de morrer", da primeira parte do livro.

Quando em meu peito rebentar-se a fibra
Que o espírito enlaça à dor vivente,
Não derramem por mim nenhuma lágrima
Em pálpebra demente.

E nem desfolhem na matéria impura
A flor do vale que adormece ao vento:
Não quero que uma nota de alegria
Se cale por meu triste passamento.

Eu deixo a vida como deixa o tédio
Do deserto, o poento caminheiro,
– Como as horas de um longo pesadelo
Que se desfaz ao dobre de um sineiro;
[...]

Descansem o meu leito solitário
Na floresta dos homens esquecida,
À sombra de uma cruz, e escrevam nela:
Foi poeta – sonhou – e amou na vida.

Sombras do vale, noites da montanha
Que minha alma cantou e amava tanto,
Protegei o meu corpo abandonado,
E no silêncio derramai-lhe canto!

Mas quando preludia ave d'aurora
E quando à meia-noite o céu repousa,
Arvoredos do bosque, abri os ramos...
Deixai a lua prantear-me a lousa!

AZEVEDO, Álvares de. *Lira dos vinte anos*. São Paulo: FTD, 1994. p. 118-119.

Além de Álvares de Azevedo, tiveram destaque no ultrarromantismo o poeta **Casimiro de Abreu**, que se tornou bastante popular pelos poemas de linguagem fácil e grande qualidade musical, e **Fagundes Varela**, cujos poemas expressavam forte melancolia e desejo de morte.

A **geração condoreira**, por sua vez, associava o fazer poético a um compromisso social. Os poetas queriam despertar o pensamento do homem comum para os temas sociais de maior relevância, como as campanhas pela abolição da escravatura e pela implantação da República.

**Castro Alves** foi o principal poeta da **geração condoreira**. O chamado "Poeta dos Escravos" optou por um tom grandioso e emocional a fim de convencer o leitor das injustiças sociais. Em sua poesia amorosa, Castro Alves fugiu da conduta dos outros poetas românticos, retratando mulheres mais concretas e sensuais, como se pode notar neste fragmento de "Boa-noite":

Boa-noite, Maria! Eu vou-me embora.
A lua nas janelas bate em cheio.
Boa-noite, Maria! É tarde... é tarde...
Não me apertes assim contra teu seio.
Boa-noite!... E tu dizes – Boa-noite.
Mas não digas assim por entre beijos...
Mas não mo digas descobrindo o peito
– Mar de amor onde vagam meus desejos.
[...]

ALVES, Castro. *Poesia*. 5. ed. Rio de Janeiro: Agir, 1977. p. 39.

## O teatro

Embora não tenha tido o mesmo alcance da prosa e da poesia, o teatro foi um gênero relevante no Romantismo brasileiro. A primeira peça nacional, *José* ou *O poeta*, foi escrita por Gonçalves de Magalhães e encenada em 1838. Diversos outros autores românticos escreveram para o teatro, como José de Alencar, Álvares de Azevedo, Castro Alves e Casimiro de Abreu, mas o que mais se destacou como dramaturgo foi Martins Pena.

Enquanto Gonçalves de Magalhães ainda pautava seu teatro com base no modelo clássico de tragédia (peça dividida em cinco atos, falas rimadas e regulares, ações de caráter elevado), Martins Pena substituiu a tragédia clássica pelo **drama burguês**. Com a liberdade característica do Romantismo, Pena deixou de lado todos esses parâmetros clássicos e fez do ser humano comum o protagonista de suas obras.

Autor de mais de 30 peças, Martins Pena escreveu principalmente comédias nas quais satirizou a sociedade do século XIX. Sua sátira abordou temas como a desigualdade social, a corrupção, os casamentos por interesse e a escravidão, assuntos candentes da sociedade urbana carioca daquele tempo. No plano da forma, criou diálogos dinâmicos que muitas vezes realçam o humor característico de suas comédias, algo inédito para as plateias da época, acostumada à rigidez de textos declamados e metrificados.

Pode-se notar esse dinamismo dialógico no fragmento a seguir, extraído de peça *Os dous ou o inglês maquinista.*

> MARIQUINHA – Tens belo coração de estalagem!
> CECÍLIA – Ora, isto não é nada!
> MARIQUINHA – Não é nada?
> CECÍLIA – Não. Agora tenho mais namorados que nunca; tenho dous militares, um empregado do Tesouro, o cavalo rabão...
> MARIQUINHA – Cavalo rabão?
> CECÍLIA – Sim, um que anda num cavalo rabão.
> MARIQUINHA – Ah!
>
> PENA, Martins. Os dous ou o inglês maquinista. In: *Teatro de Martins Pena*: comédias. Rio de Janeiro: Instituto Nacional do Livro, 1956. p. 107.

Podemos, então, organizar as produções literárias do Romantismo português e brasileiro da seguinte forma:

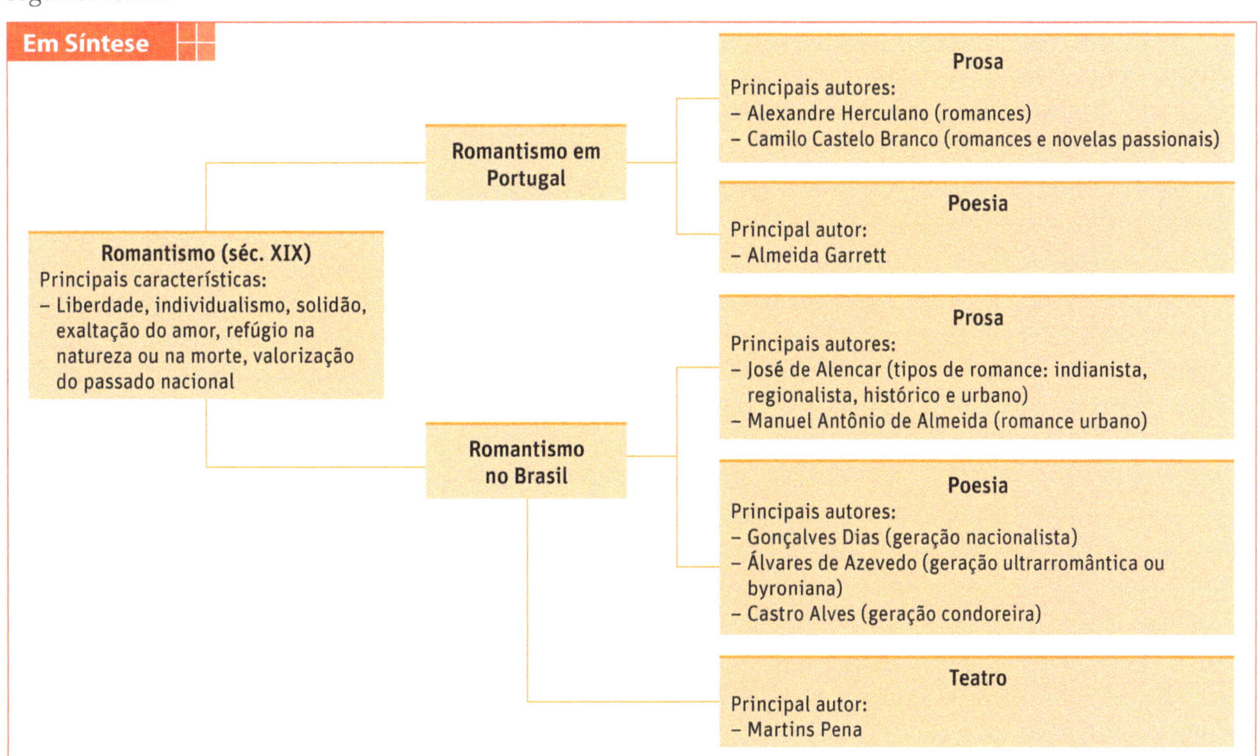

1. (IFSP) Leia o poema de Francisco Otaviano.

**Ilusões da vida**

Quem passou pela vida em branca nuvem,
E em plácido repouso adormeceu;
Quem não sentiu o frio da desgraça,
Quem passou pela vida e não sofreu;
Foi espectro de homem, não foi homem,
Só passou pela vida, não viveu.

SECCHIN, Antonio Carlos. *Roteiro da poesia brasileira*: Romantismo. São Paulo: Global, 2007.

Este poema pertence à estética romântica porque:

a) sugere que o leitor, para ser feliz, viva alienado e distante da realidade.
b) são explícitas as referências a alguns cânones do Catolicismo.
c) expõe os problemas sociais que afetavam a sociedade da época.
d) nele se percebe a vassalagem amorosa, isto é, a submissão do homem em relação à mulher.
e) sugere que é importante viver, de forma intensa e profunda, as experiências da existência humana.

2. (UFG-GO) Leia o soneto abaixo.

**XXXI**

Longe de ti, se escuto, porventura,
Teu nome, que uma boca indiferente
Entre outros nomes de mulher murmura,
Sobe-me o pranto aos olhos, de repente...

Tal aquele, que, mísero, a tortura
Sofre de amargo exílio, e tristemente
A linguagem natal, maviosa e pura,
Ouve falada por estranha gente...

Porque teu nome é para mim o nome
De uma pátria distante e idolatrada,
Cuja saudade ardente me consome:

E ouvi-lo é ver a eterna primavera
E a eterna luz da terra abençoada,
Onde, entre flores, teu amor me espera.

BILAC, Olavo. *Melhores poemas*. Seleção de Marisa Lajolo. São Paulo: Global, 2003. p. 54 (Coleção Melhores Poemas).

Olavo Bilac, mais conhecido como poeta parnasiano, expressa traços românticos em sua obra. No soneto apresentado observa-se o seguinte traço romântico:

a) objetividade do eu lírico.
b) predominância de descrição.
c) utilização de universo mitológico.
d) erudição do vocabulário.
e) idealização do tema amoroso.

3. Tema bastante recorrente nas literaturas românticas portuguesa e brasileira, o amor impossível aparece em personagens que encarnam o modelo romântico, cujas características são:

a) o sentimentalismo e a idealização do amor.
b) os jogos de interesses e a racionalidade.
c) o subjetivismo e o nacionalismo.
d) o egocentrismo e o amor subordinado a interesses sociais.
e) a introspecção psicológica e a idealização da mulher.

4. **(Uepa)** É comum encontrarmos, em versos românticos, atitudes de autodestruição e desencanto. Sob o olhar de Álvares de Azevedo não encontramos qualquer consciência ecológica que privilegie os cuidados com o próprio corpo no afã de preservá-lo como parte importante do ecossistema. Marque a alternativa cujos versos confirmam esta afirmação.

a) "E, se eu devo expirar nos meus amores,
Nuns olhos de mulher amor bebendo,
Seja aos pés da morena italiana,
Ouvindo-a suspirar, inda morrendo."

b) "Como é bela a manhã! Como entre a névoa
A cidade sombria ao sol clareia
E o manto dos pinheiros se aveluda..."

c) "Minha desgraça, ó cândida donzela,
O que faz que meu peito assim blasfema,
É ter por escrever todo um poema
E não ter um vintém para uma vela."

d) "Já da morte o palor me cobre o rosto,
Nos lábios meus o alento desfalece,
Surda agonia o coração fenece,
E devora meu ser mortal desgosto!"

e) "Negreja ao pé narcótica botelha
Que da essência de flores de laranja
Guarda o licor que nectariza os nervos.
Ali mistura-se o charuto havano
Ao mesquinho cigarro e ao meu cachimbo..."

5. **(Cefet-MG)** A memória mítica da infância e a figura idealizada da mulher são temas frequentes apresentados na poética romântica,

a) através de uma postura do eu poético emocionalmente desligado e distante.
b) dentro de uma perspectiva da valorização do poético como algo inatingível.
c) por meio de um tom ressentido, com tendência à depreciação do feminino.
d) a partir da grandiloquência dos temas universais inspirados na era clássica.

6. **(PUC-PR)** *Senhora* é uma das obras mais representativas do romantismo brasileiro. Entre as características desse movimento estético, encontramos na obra de Alencar:

I. A idealização da mulher e do amor.
II. O culto à natureza e a valorização da religiosidade.
III. A arte pela arte.
IV. A crítica à sociedade e ideias socialistas.
V. O Determinismo.

a) as alternativas I, II e III estão corretas.
b) somente as alternativas IV e V estão corretas.
c) as alternativas I, II e V estão corretas.
d) nenhuma alternativa está correta.
e) somente as alternativas I e II estão corretas.

7. **(Fuvest-SP)** Em um poema escrito em louvor de *Iracema*, Manuel Bandeira afirma que, ao compor esse livro, Alencar

> [...] escreveu o que é mais poema
> Que romance, e poema menos
> Que um mito, melhor que Vênus.

Segundo Bandeira, em Iracema,

a) Alencar parte da ficção literária em direção à narrativa mítica, dispensando referências a coordenadas e personagens históricas.

b) o caráter poemático dado ao texto predomina sobre a narrativa em prosa, sendo, por sua vez, superado pela constituição de um mito literário.

c) a mitologia tupi está para a mitologia clássica, predominante no texto, assim como a prosa está para a poesia.

d) ao fundir romance e poema, Alencar, involuntariamente, produziu uma lenda do Ceará, superior à mitologia clássica.

e) estabelece-se uma hierarquia de gêneros literários, na qual o termo superior, ou dominante, é a prosa romanesca, e o termo inferior, o mito.

**(ITA-SP)** A questão **8** refere-se ao texto abaixo, extraído de *O guarani*, de José de Alencar.

De um dos cabeços da Serra dos Órgãos desliza um fio de água que se dirige para o norte, e engrossado com os mananciais, que recebe no seu curso de dez léguas, torna-se rio caudal.

É o Paquequer: saltando de cascata em cascata, enroscando-se como uma serpente, vai depois se espreguiçar na várzea e embeber no Paraíba, que rola majestosamente em seu vasto leito.

Dir-se-ia que, vassalo e tributário desse rei das águas, o pequeno rio, altivo e sobranceiro contra os rochedos, curva-se humildemente aos pés do suserano. Perde então a beleza selvática; suas ondas são calmas e serenas como as de um lago, e não se revoltam contra os barcos e as canoas que resvalam sobre elas: escravo submisso, sofre o látego* do senhor.

Não é neste lugar que ele deve ser visto; sim três ou quatro léguas acima de sua foz, onde é livre ainda, como o filho indômito desta pátria da liberdade.

Aí, Paquequer lança-se rápido sobre o seu leito, e atravessa as florestas como o tapir, espumando, deixando o pelo esparso pelas pontas do rochedo, e enchendo a solidão com o estampido de sua carreira. De repente, falta-lhe o espaço, foge-lhe a terra; o soberbo rio recua um momento para concentrar as suas forças, e precipita-se de um só arremesso, como o tigre sobre a presa.

Alencar, José de. *O guarani*.

**Glossário**

*** látego**: chicote

**8.** O trecho anterior, relacionado ao enredo do romance, cria um cenário que prepara o leitor para o conflito entre:

a) espécies do mundo natural.

b) nativos e a natureza.

c) índios e escravos.

d) tribos indígenas.

e) colonizador e nativos.

**9.** **(Uepa)** Leia o texto para responder à questão.

**Mãe penitente**

Ouve-me, pois!... Eu fui uma perdida;
Foi este o meu destino, a minha sorte...
Por esse crime é que hoje perco a vida,
Mas dele em breve há de salvar-me a morte!
E minh'alma, bem vês, que não se irrita,
Antes bendiz estes mandões ferozes.
Eu seria talvez por ti maldita,
Filho! sem o batismo dos algozes!
Porque eu pequei... e do pecado escuro
Tu foste o fruto cândido, inocente,

– Borboleta, que sai do – lodo impuro...
– Rosa, que sai de – pútrida semente!
Filho! Bem vês... fiz o maior dos crimes
– Criei um ente para a dor e a fome!
Do teu berço escrevi nos brancos vimes
O nome de bastardo – impuro nome.
Por isso agora tua mãe te implora
E a teus pés de joelhos se debruça.
Perdoa à triste – que de angústia chora,
Perdoa à mártir – que de dor soluça!
[...]

Disponível em: <www.dominiopublico.gov.br>. Acesso em: 7 out. 2011.

A fala do sujeito poético exprime uma das formas da violência simbólica denunciada por Castro Alves. No poema, mais do que os maus-tratos sofridos fisicamente, é denunciada a consequência:

a) da humilhação imposta pelos algozes que torturam a mulher, chicoteando-a.
b) da subordinação da mulher negra que serve aos desejos sexuais do senhor de engenho.
c) do erotismo livre que leva a mulher a realizar seus desejos sem pensar em consequências.
d) do excesso de religiosidade que leva a mulher negra a uma confissão de culpa.
e) da tortura psicológica que obriga a mãe a abandonar o filho.

**10.** **(UFJF-MG)** Leia os trechos de dois poemas de Álvares de Azevedo e faça o que se pede.

**Trecho 1**

Quando em meu peito rebentar-se a fibra,
Que o espírito enlaça à dor vivente,
Não derramem por mim nem uma lágrima
Em pálpebra demente.

Azevedo, Álvares de. *Obra completa*. Rio de Janeiro: Nova Aguilar, 2000. p. 188.

**Trecho 2**

Poetas! Amanhã ao meu cadáver
Minha tripa cortai mais sonorosa!...
Façam dela uma corda e cantem nela
Os amores da vida esperançosa!

Azevedo, Álvares de. *Obra completa*. Rio de Janeiro: Nova Aguilar, 2000. p. 236.

Contraste os dois poemas, mostrando as duas perspectivas do livro *Lira dos vinte anos*.

**11.** **(UEL-PR)** Assinale a letra correspondente à alternativa que preenche **corretamente** as lacunas do trecho apresentado.

Vista de forma panorâmica, a poesia romântica brasileira é muito rica em temas e em tons: estão nela a bravura do silvícola cantada por ......., a timidez amorosa e idealizante da lira de ......., a pujança oratória dos versos ....... de Castro Alves.

a) Casimiro de Abreu – Olavo Bilac – líricos.
b) Fagundes Varela – Gonçalves Dias – antiabolicionistas.
c) Gonçalves Dias – Álvares de Azevedo – condoreiros.
d) Álvares de Azevedo – Fagundes Varela – satíricos.
e) Olavo Bilac – Casimiro de Abreu – libertários.

**(Ufla-MG)** Leia o texto para responder às questões **12** e **13**.

## Se se morre de amor!

Se se morre de amor! – Não, não se morre,
Quando é fascinação que nos surpreende
De ruidoso sarau entre os festejos;
Quando luzes, calor, orquestra e flores
Assomos de prazer nos raiam n'alma,
Que embelezada e solta em tal ambiente
No que ouve, e no que vê prazer alcança!
[...]
Amor é vida; é ter constantemente
Alma, sentidos, coração – abertos
Ao grande, ao belo; é ser capaz d'extremos,
D'altas virtudes, té capaz de crimes!
Compr'ender o infinito, a imensidade,
E a natureza e Deus; gostar dos campos,
D'aves, flores, murmúrios solitários;
Buscar tristeza, a soledade, o ermo,
E ter o coração em riso e festa;
[...]
Conhecer o prazer e a desventura
No mesmo tempo, e ser no mesmo ponto
O ditoso, o misérrimo dos entes:
Isso é amor, e desse amor se morre!

Gonçalves Dias. *Poesia e prosa completas*. Rio de Janeiro: Nova Aguilar, 1998. p. 292-293.

**Glossário**

**sarau**: reunião noturna com músicas, conversas
**assomos**: indícios
**ditoso**: feliz, afortunado
**misérrimo**: superlativo absoluto sintético de mísero, o mais pobre
**entes**: seres

**12.** Segundo o autor, morre-se de amor ao
a) supervalorizar as virtudes do amor.
b) ter o amor como fonte de vida.
c) idealizar um amor invencível.
d) viver, ao mesmo tempo, estados contraditórios.

Releia o trecho seguinte:

Amor é vida; é ter constantemente
Alma, sentidos, coração – abertos
Ao grande, ao belo; é ser capaz d'extremos,
D'altas virtudes, té capaz de crimes!
Compr'ender o infinito, a imensidade,
E a natureza e Deus; gostar dos campos,
D'aves, flores, murmúrios solitários;
Buscar tristeza, a soledade, o ermo,

**13.** Nesse trecho, estão presentes os seguintes aspectos, **exceto**:
a) sentimento de religiosidade.
b) gosto pela solidão.
c) exaltação da natureza.
d) medo da morte.

**(UEL-PR)** Leia o poema a seguir e responda às questões **14** e **15**.

## Dedicatória

A pomba d'aliança o voo espraia
Na superfície azul do mar imenso,
Rente... rente da espuma já desmaia
Medindo a curva do horizonte extenso...
Mas um disco se avista ao longe... A praia
Rasga nitente o nevoeiro denso!...
Ó pouso! ó monte! ó ramo de oliveira!
Ninho amigo da pomba forasteira!...

Assim, meu pobre livro as asas larga
Neste oceano sem fim, sombrio, eterno...
O mar atira-lhe a saliva amarga,
O céu lhe atira o temporal de inverno...
O triste verga à tão pesada carga!
Quem abre ao triste um coração paterno?...
É tão bom ter por árvore – uns carinhos!
É tão bom de uns afetos – fazer ninhos!

Pobre órfão! Vagando nos espaços
Embalde às solidões mandas um grito!
Que importa? De uma cruz ao longe os braços
Vejo abrirem-se ao mísero precito...
Os túmulos dos teus dão-te regaços!
Ama-te a sombra do salgueiro aflito...
Vai, pois, meu livro! e como louro agreste
Traz-me no bico um ramo de... cipreste!

ALVES, C. *Espumas flutuantes*. São Paulo: Companhia Editora Nacional, 2005. p. 17.

Acerca do poema, considere as afirmativas a seguir.

I. Como o próprio título sugere, este poema é uma dedicatória construída associando-se a paisagem marítima aos poemas incluídos no livro.

II. A primeira estrofe do poema sugere uma contemplação melancólica da paisagem marítima associada aos sentimentos do poeta diante da expectativa da morte ou do retorno a sua terra natal.

III. Na terceira estrofe, percebe-se um tom otimista diante do destino do eu lírico. A morte, vista pelos românticos como a melhor solução diante da cruel realidade, é também apontada como caminho a ser buscado e esperado.

IV. O poema, assim como diversos presentes no livro, apresenta a sensualidade feminina representada pelas imagens da pomba e do ninho que se destacam nas duas primeiras estrofes.

**14.** Assinale a alternativa correta.

a) Somente as afirmativas I e II são corretas.
b) Somente as afirmativas I e IV são corretas.
c) Somente as afirmativas III e IV são corretas.
d) Somente as afirmativas I, II e III são corretas.
e) Somente as afirmativas II, III e IV são corretas.

**15.** O poema é construído por muitas figuras de linguagens e recursos expressivos. A esse respeito, atribua V (verdadeiro) ou F (falso) às afirmativas a seguir.

( ) Em "Rente... rente da espuma já desmaia", há prosopopeia, na qual é atribuída ao sujeito "espuma" uma ação humana: "desmaiar".

( ) Em "Mas um disco se avista ao longe... A praia", existe uma metáfora construída a partir do aspecto físico – arredondado – que tem o disco e também o contorno da praia.

( ) Em "Assim, meu pobre livro as asas larga" e "Pobre órfão! Vagando nos espaços", o adjetivo "pobre", empregado nesses dois versos, tem sentido denotativo porque é anteposto aos substantivos a que se refere.

( ) No verso "Vai, pois, meu livro! e como louro agreste", tem-se um vocativo que personifica o objeto livro e uma comparação deste com a pomba citada no início do poema.

Assinale a alternativa que contém, de cima para baixo, a sequência correta.

a) V, V, F, F.
b) V, F, V, F.
c) F, V, V, F.
d) F, V, F, V.
e) F, F, V, V.

**(Unifesp – adaptada)** Para responder às questões de números **16** e **17**, leia os versos do poeta romântico Casimiro de Abreu.

**Meus oito anos**

Oh! que saudades que tenho
Da aurora da minha vida,
Da minha infância querida
Que os anos não trazem mais!
Que amor, que sonhos, que flores,
Naquelas tardes fagueiras
À sombra das bananeiras,
Debaixo dos laranjais!

**16.** O estilo dos versos de Casimiro de Abreu

a) é brando e gracioso, carregado de musicalidade nas redondilhas maiores.
b) traduz-se em linguagem grandiosa, por meio da qual estabelece a crítica social.
c) é preciso e objetivo, deixando em segundo plano o subjetivismo.
d) reproduz o padrão romântico da morbidez e melancolia.
e) é rebuscado e altamente subjetivo, o que o aproxima do estilo de Castro Alves.

**17.** Nos versos, evidenciam-se as seguintes características românticas:

a) nacionalismo e religiosidade.
b) sentimentalismo e saudosismo.
c) subjetivismo e condoreirismo.
d) egocentrismo e medievalismo.
e) byronismo e idealização do amor.

**18.** **(UFRN)** As três estrofes abaixo pertencem ao poema Lembrança de morrer, de Álvares de Azevedo.

**Lembrança de morrer**

Descansem o meu leito solitário
Na floresta dos homens esquecida,
À sombra de uma cruz, e escrevam nela:
 – Foi poeta – sonhou – e amou na vida. –

Sombras do vale, noites da montanha
Que minh'alma cantou e amava tanto,
Protegei o meu corpo abandonado,
 E no silêncio derramai-lhe canto!

Mas quando preludia ave d'aurora
E quando à meia-noite o céu repousa,
Arvoredos do bosque, abri os ramos...
 Deixai a lua prantear-me a lousa!

Azevedo, Álvares de. *Lira dos vinte anos*. Porto Alegre: L&PM, 2001. p. 115.

Nos versos que compõem as estrofes, a temática essencial da obra do poeta é revelada na:

a) valorização da morte como fuga dos problemas sociais de sua época.
b) exaltação da natureza brasileira como propósito de enaltecimento à nacionalidade.
c) manifestação do desejo de amor e de morte como impulsos presentes em sua sensibilidade poética.
d) adesão aos valores cristãos como indica a imagem da cruz.

**19.** (UFBA)

No geral conceito, esse único filho varão devia ser o amparo da família, órfã de seu chefe natural. Não o entendiam assim aquelas três criaturas, que se desviviam pelo ente querido. Seu destino resumia-se em fazê-lo feliz; não que elas pensassem isto, e fossem capazes de o exprimir; mas faziam-no.

Que um moço tão bonito e prendado como o seu Fernandinho se vestisse no rigor da moda e com a maior elegância; que em vez de ficar em casa aborrecido, procurasse os divertimentos e a convivência dos camaradas; que em suma fizesse sempre na sociedade a melhor figura, era para aquelas senhoras não somente justo e natural, mas indispensável.

[...]

Dessa vida faustosa, que ostentava na sociedade, trazia Seixas para a intimidade da família não só as provas materiais, mas as confidências e seduções. Era então muito moço; e não pensou no perigo que havia, de acordar no coração virgem das irmãs desejos que podiam supliciá-las. Quando mais tarde a razão devia adverti-lo, já o doce hábito das confidências a havia adormecido.

Felizmente D. Camila tinha dado a suas filhas a mesma vigorosa educação que recebera; a antiga educação brasileira, já bem rara em nossos dias, que, se não fazia donzelas românticas, preparava a mulher para as sublimes abnegações que protegem a família, e fazem da humilde casa um santuário.

Mariquinhas, mais velha que Fernando, vira escoarem-se os anos da mocidade, com serena resignação. Se alguém se lembrava de que o outono, que é a estação nupcial, ia passando sem esperança de casamento, não era ela, mas a mãe, D. Camila, que sentia apertar-se-lhe o coração, quando lhe notava o desdobre da mocidade.

Também Fernando algumas vezes a acompanhava nessa mágoa; mas nele breve a apagava o bulício do mundo.

Nicota, mais moça e também mais linda, ainda estava na flor da idade; mas já tocava aos vinte anos, e com a vida concentrada que tinha a família, não era fácil que aparecessem pretendentes à mão de uma menina pobre e sem proteções. Por isso cresciam as inquietações e tristezas da boa mãe, ao pensar que também esta filha estaria condenada à mesquinha sorte do aleijão social, que se chama celibato.

ALENCAR, José de. *Senhora*. In: *José de Alencar: ficção completa e outros escritos*. 3. ed. Rio de Janeiro: Aguilar, 1965. v. I. p. 684-685 (Biblioteca Luso-Brasileira. Série Brasileira).

Dentre as ideias focalizadas na obra, têm comprovação no texto as proposições

(01) A narrativa apresenta censura à sociedade da época por não preparar devidamente a mulher para exercer o papel que lhe é reservado.

(02) O narrador põe a nu uma visão de mundo patriarcalista, no que tange aos papéis sociais atribuídos ao homem e à mulher.

(04) A vida que Seixas e sua família levavam obedecia às regras sociais que vigoravam na época.

(08) A existência de uma oposição entre a vida do lar e a realidade mundana está evidenciada no fragmento.

(16) Fernando Seixas é caracterizado como um ser humano de caráter e de sentimentos nobres, além de generoso com sua família.

(32) O casamento aparece como um contrato em que o dote da mulher e o prestígio social de sua família são pré-requisitos essenciais.

(64) O narrador mantém-se impessoal, seguindo os padrões narrativos então vigentes.

# Realismo e Naturalismo

## Contexto histórico do Realismo

O Realismo nasceu em plena **Segunda Revolução Industrial**. Na Europa da segunda metade do século XIX, indústrias passaram a financiar pesquisas científicas, o que contribuiu consideravelmente para a otimização do processo de produção. Esse impulso tecnológico representou um grande avanço em relação ao que era praticado na indústria desde meados do século XVIII, razão pela qual os historiadores classificam o período como Segunda Revolução Industrial.

Como era muito dispendioso incentivar pesquisas científicas, as indústrias promoveram fusões entre si, gerando grandes e poderosos conglomerados. Em resposta ao fortalecimento das empresas, os trabalhadores organizaram-se em **sindicatos**, que se radicalizaram após o surgimento do **socialismo científico**. Essa doutrina do filósofo alemão Karl Marx criticava a exploração dos operários e defendia o fim do capitalismo, além do uso da **ciência a favor do ser humano**, e não da indústria.

## Contexto cultural do Realismo

O desenvolvimento científico não ocorreu apenas na esfera econômica.

Entre as **novas teorias científicas** desenvolvidas à época, destacam-se:

- a **seleção natural**, de Charles Darwin, de acordo com a qual o ambiente seleciona os organismos mais aptos;
- o **cientificismo**, tendência intelectual em que se tentava aplicar as leis universais da natureza às sociedades humanas;
- o **positivismo**, de Auguste Comte, que propunha o desenvolvimento natural de uma sociedade amparada no saber científico.

O entusiasmo com as ciências chegou também aos artistas, que abdicaram do impulso subjetivo romântico e fizeram da observação direta e meticulosa da realidade o propósito da criação artística. Ao representar a realidade sem idealismos, eles criticaram hábitos e crenças burguesas e questionaram o poder de instituições como a Igreja e a aristocracia, tornando-se importantes divulgadores dos **ideais republicanos** e **liberais**.

Na literatura, a conduta científica pode ser notada no método de representação adotado pelos autores: investigam-se indivíduos para, com base neles, explicar o funcionamento da sociedade. Esse trabalho é feito por meio do exame minucioso de tensões psicológicas, dilemas e desequilíbrios emocionais de representantes dos mais variados **tipos sociais**. Isso se deve à crença defendida pelos realistas de que os indivíduos não carregam apenas características próprias, mas também da parcela social a que pertencem.

Há uma nítida contraposição à estética romântica, pois, em vez de representar heróis íntegros em confronto com o mundo, a literatura realista representa indivíduos comuns, instáveis, sujeitos a fraquezas e desvios de caráter. Por essa razão, o Realismo é o movimento que instituiu a figura do **anti-herói**.

Nos romances realistas, o idealismo não salva os personagens, mas sim os condena, pois seus sonhos são incompatíveis com a realidade. Um dos exemplos mais emblemáticos é Emma Bovary, protagonista do romance *Madame Bovary*, de Gustave Flaubert. Seja no casamento, seja fora dele, Emma não encontra o ímpeto e as paixões dos romances românticos lidos por ela, conflito que a leva ao suicídio.

## Realismo em Portugal

O Realismo em Portugal se iniciou na década de 1860, quando um grupo de jovens, em consonância com o que ocorria no restante da Europa, decidiu **repensar** a **economia**, a **política** e a **sociedade portuguesa**. Esses jovens condenavam a Igreja e a Monarquia, além da economia ainda ruralista do país, ideias que contribuiriam para a **implantação da República** em Portugal, em 1910.

A renovação, contudo, não ocorreu sem embates. Os jovens escritores enfrentaram o grupo de românticos liderado pelo poeta Antonio Feliciano de Castilho. De um lado, os autores realistas propunham a representação objetiva da sociedade portuguesa; de outro, os autores ainda defendiam o sentimentalismo exacerbado e a morbidez do ultrarromantismo. Esse embate ficou conhecido como **Questão Coimbrã**.

As principais realizações da literatura realista portuguesa foram na **poesia** e na **prosa**, representadas, em sua maioria, pelas obras dos poetas Antero de Quental e Cesário Verde e do romancista Eça de Queirós.

## Poesia: Antero de Quental e Cesário Verde

A poesia realista portuguesa pode ser organizada em quatro tendências: **expressão das reformas sociais**, **preocupação formal**, **temas do cotidiano** e **preocupação metafísica**. No entanto, essas tendências não raro se misturam, como revelam os versos abaixo, extraídos do soneto "Evolução", de Antero de Quental. Neles, a inquietação metafísica do eu lírico culmina no anseio por liberdade, o que pode ser entendido no contexto das lutas sociais.

> [...]
> Hoje sou homem – e na sombra enorme
> Vejo, a meus pés, a escada multiforme,
> Que desce, em espirais, na imensidade...
>
> Interrogo o infinito e às vezes choro...
> Mas, estendendo as mãos no vácuo, adoro
> E aspiro unicamente à liberdade.
>
> QUENTAL, Antero de. *Sonetos*. 6. ed. Lisboa: Livraria Sá da Costa Editora, 1979. p. 204-205.

Já nos versos abaixo, de Cesário Verde (outro expoente da poesia realista portuguesa), o eu lírico compara a composição de versos ao forjamento de ferro e à produção de pães, o que demonstra a exploração de temas extraídos do cotidiano.

> [...]
> Num cutileiro, de avental, ao torno,
> Um forjador maneja um malho, rubramente;
> E de uma padaria exala-se, inda quente,
> Um cheiro salutar e honesto a pão no forno.
>
> E eu que medito um livro que exacerbe,
> Quisera que o real e a análise mo dessem;
> Casas de confecções e modas resplandecem;
> Pelas vitrines olha um ratoneiro imberbe.
> [...]
>
> VERDE, Cesário. Sentimento de um ocidental. In: MOISÉS, Massaud. *A literatura portuguesa através dos textos*. 17. ed. São Paulo: Cultrix, 1988. p. 301.

**Glossário**

**cutileiro**: fábrica de instrumentos cortantes
**exacerbar**: exagerar
**forjador**: ferreiro
**imberbe**: sem barba, jovem
**malho**: martelo de ferro
**ratoneiro**: larápio, gatuno
**salutar**: saudável
**torno**: máquina que dá acabamento a peças

## Prosa: Eça de Queirós

Eça de Queirós foi o escritor com maior importância na prosa realista, com uma vasta produção de contos e romances. Eça acreditava que a literatura deveria ser um **espelho da sociedade** e se basear nas ciências que estudavam o comportamento humano. Para fazer valer esse propósito, o autor valeu-se de recursos formais como **narrador onisciente**, **descrições minuciosas** e **linguagem clara**.

Com feição crítica, *O crime do padre Amaro*, seu primeiro romance, tem caráter claramente anticlerical, denunciando o comportamento dos homens da Igreja e das beatas. *A cidade e as serras* expõe uma visão política, segundo a qual a emancipação das classes subalternas dependeria da intervenção das classes superiores.

Em *O primo Basílio*, seu romance mais conhecido, o autor desenvolve o tema do adultério. No trecho a seguir, a protagonista Luísa revela seu caráter volúvel, típico da sociedade lisboeta que o autor critica nesse romance. Estão em foco os comportamentos amorais e os relacionamentos por conveniência social.

Tinham passado três anos quando conheceu Jorge. Ao princípio não lhe agradou. Não gostava dos homens barbados; depois percebeu que era a primeira barba, fina, rente, muito macia decerto; começou a admirar os seus olhos, a sua frescura. E sem o amar sentia ao pé dele como uma fraqueza, uma dependência e uma quebreira, uma vontade de adormecer encostada ao seu ombro, e de ficar assim muitos anos, confortável, sem receio de nada. Que sensação quando ele lhe disse: "Vamos casar, hein!" Viu de repente o rosto barbado, com os olhos muito luzidios, sobre o mesmo travesseiro, ao pé do seu! Fez-se escarlate. Jorge tinha-lhe tomado a mão; ela sentia o calor daquela palma larga penetrá-la, tomar posse dela; disse que sim; ficou como idiota, e sentia debaixo do vestido de merino dilatarem-se docemente os seus seios. Estava noiva, enfim! Que alegria, que descanso para a mamã!

Casaram às oito horas, numa manhã de nevoeiro. [...] Sentia-se enjoada da madrugada, fora necessário fazer-lhe chá verde muito forte. E tão cansada à noite naquela casa nova, depois de desfazer os seus baús! Quando Jorge apagou a vela, com um sopro trêmulo, os luminosos faiscavam, corriam-lhe diante dos olhos.

Queirós, Eça de. *O primo Basílio*. Disponível em: <http://www.dominiopublico.gov.br/download/texto/ua00087a.pdf>. Acesso em: 26 jul. 2012.

## Realismo no Brasil

O Brasil do final do século XIX vivia em efervescência política. As **ideias liberais** vindas da Europa acirraram o debate sobre os rumos de um país que ainda se pautava por um **governo monárquico** e cuja **força de trabalho** era majoritariamente **escrava**. O questionamento da desigualdade de direitos e da supressão da liberdade ganhou força, culminando na **abolição da escravatura**, no fim da **Monarquia** e no início da **República.**

No âmbito cultural, a crítica literária e os estudos históricos e filosóficos ganharam relevância, adotando, muitas vezes, traços da cultura como parâmetros para a análise do indivíduo e da sociedade. Essas mudanças refletiram-se no campo artístico, demandando novas formas de representação do homem e da sociedade. Ideais românticos como o subjetivismo exacerbado e a exaltação do passado glorioso são abdicados em favor da representação objetiva da realidade e da consequente preocupação com o tempo presente.

Ao voltar seus olhos para a sociedade brasileira daquele tempo, os escritores confrontaram-se com paradoxos, a começar pela **coexistência de ideias progressistas com a escravidão**, ou seja, a mesma elite que clamava pela república devia parte considerável de sua riqueza ao uso de mão de obra escrava. Essa contradição marcante da história do país foi um tema fundamental do Realismo brasileiro e quem melhor soube representá-la foi aquele que, para muitos, é o nosso maior escritor: Machado de Assis.

### Machado de Assis

Além de exímio romancista, Machado de Assis escreveu poemas, peças de teatro, contos e crônicas. Nestas últimas, constrói um panorama vivo da sociedade brasileira do período, com seus costumes e valores, algo que é retomado e enriquecido com profunda análise da alma humana nos contos.

Seus primeiros romances apresentavam **características românticas**, com enredos envolvendo histórias de amor que procuravam emocionar e divertir o leitor.

Mas a publicação de *Memórias póstumas de Brás Cubas* em 1881 marca uma guinada não apenas em sua carreira, mas também na literatura do país, uma vez que o romance é considerado o marco inicial do Realismo brasileiro. Brás Cubas, protagonista do romance, é um inusitado narrador que conta suas memórias depois de morto. Essa condição lhe permite olhar para os acontecimentos "sem temer mais nada", resultando numa avaliação **mordaz** e **irônica** dos vícios da sociedade brasileira da segunda metade do século XIX.

A narrativa está repleta de personagens que buscam ascensão social por meio de jogos de interesse e favores alheios, como Marcela, a amante que amou Brás Cubas "durante quinze meses e onze contos de réis". Com menos destaque, mas com igual relevância, estão presentes outros temas como a segregação racial. Esse tema aparece principalmente no relato sobre a infância do protagonista, período em que se divertia ao montar o escravo Prudêncio, e no famoso episódio da borboleta preta, no qual mata o inseto por ser "negro como a noite".

### A borboleta preta

No dia seguinte, [...] entrou no meu quarto uma borboleta, tão negra como a outra, e muito maior do que ela. [...] A borboleta, depois de esvoaçar muito em torno de mim, pousou-me na testa. Sacudi-a, ela foi pousar na vidraça; e, porque eu a sacudisse de novo, saiu dali e veio parar em cima de um velho retrato de meu pai. Era negra como a noite. O gesto brando com que, uma vez posta, começou a mover as asas, tinha um certo ar escarninho, que me aborreceu muito. Dei de ombros, saí do quarto; mas tornando lá, minutos depois, e achando-a ainda no mesmo lugar, senti um repelão dos nervos, lancei mão de uma toalha, bati-lhe e ela caiu.

Não caiu morta; ainda torcia o corpo e movia as farpinhas da cabeça. Apiedei-me; tomei-a na palma da mão e fui depô-la no peitoril da janela. Era tarde; a infeliz expirou dentro de alguns segundos. Fiquei um pouco aborrecido, incomodado.

– Também por que diabo não era ela azul? disse comigo.

E esta reflexão, – uma das mais profundas que se tem feito, desde a invenção das borboletas, – me consolou do malefício, e me reconciliou comigo mesmo. [...] Suponho que nunca teria visto um homem; não sabia, portanto, o que era o homem; descreveu infinitas voltas em torno do meu corpo, e viu que me movia, que tinha olhos, braços, pernas, um ar divino, uma estatura colossal. Então disse consigo: "Este é provavelmente o inventor das borboletas." A ideia subjugou-a, aterrou-a; mas o medo, que é também sugestivo, insinuou-lhe que o melhor modo de agradar ao seu criador era beijá-lo na testa, e beijou-me na testa. Quando enxotada por mim, foi pousar na vidraça, viu dali o retrato de meu pai, e não é impossível que descobrisse meia verdade, a saber, que estava ali o pai do inventor das borboletas, e voou a pedir-lhe misericórdia.

Pois um golpe de toalha rematou a aventura. Não lhe valeu a imensidade azul, nem a alegria das flores, nem a pompa das folhas verdes, contra uma toalha de rosto, dois palmos de linho cru. Vejam como é bom ser superior às borboletas! Porque, é justo dizê-lo, se ela fosse azul, ou cor de laranja, não teria mais segura a vida; não era impossível que eu a atravessasse com um alfinete, para recreio dos olhos. Não era. Esta última ideia restituiu-me a consolação; uni o dedo grande ao polegar, despedi um piparote e o cadáver caiu no jardim. Era tempo; aí vinham já as próvidas formigas... Não, volto à primeira ideia; creio que para ela era melhor ter nascido azul.

Machado de Assis, J. M. Memórias póstumas de Brás Cubas. In: *Obra completa*. Rio de Janeiro: Nova Aguilar, 1992. v. 1. p. 552-553.

Iniciada com *Memórias póstumas*, a fase realista de Machado conta ainda com outros quatro romances: *Quincas Borba*, *Dom Casmurro*, *Esaú e Jacó* e *Memorial de Aires*. Cada qual a seu modo, essas obras apresentam temas tipicamente realistas, como a fragilidade e a mesquinhez das relações sociais.

Em *Dom Casmurro*, por exemplo, nem mesmo o sentimento amoroso é poupado, uma vez que é marcado por uma desconfiança exacerbada. O romance é narrado por Bentinho, personagem que, contra a vontade da mãe, abandonara o seminário para casar-se com Capitu, a vizinha por quem tinha verdadeiro fascínio. Porém, pouco sabe lidar com a personalidade da esposa e logo se torna obcecado pela ideia de que ela teria cometido adultério com Escobar, amigo de Bentinho desde os tempos de seminário. A obsessão era tamanha, que Bentinho põe em dúvida a paternidade de Ezequiel, filho que teve com Capitu. À medida que o garoto crescia, Bentinho acreditava estar diante da encarnação de seu amigo Escobar, já morto àquela altura dos acontecimentos.

Nem só os olhos, mas as restantes feições, a cara, o corpo, a pessoa inteira, iam-se apurando com o tempo. Eram como um debuxo primitivo que o artista vai enchendo e colorindo aos poucos, e a figura entra a ver, sorrir, palpitar, falar quase, até que a família pendura o quadro na parede, em memória do que foi e já não pode ser. Aqui podia ser e era. [...]

Escobar vinha assim surgindo da sepultura, do seminário e do Flamengo para se sentar comigo à mesa, receber-me na escada, beijar-me no gabinete de manhã, ou pedir-me à noite a bênção do costume. Todas essas ações eram repulsivas; eu tolerava-as e praticava-as, para me não descobrir a mim mesmo e ao mundo. Mas o que pudesse dissimular ao mundo, não podia fazê-lo a mim, que vivia mais perto de mim que ninguém.

Machado de Assis, J. M. *Dom Casmurro*. Disponível em: <http://www.dominiopublico.gov.br/download/texto/bn000069.pdf>. Acesso em: 30 mar. 2015.

**Glossário**

**debuxo**: rascunho

**dissimular**: disfarçar

A tensão do romance é sustentada principalmente pela postura pouco confiável do narrador, que, consumido pelo ciúme, tenta convencer o leitor do adultério de Capitu. Desse modo, não se pode esquecer que tudo é narrado da perspectiva de Bentinho, o que instaura uma névoa de dúvida sobre os acontecimentos e o comportamento das demais personagens. Outro aspecto importante a ser destacado é a **narração em *flashback***, ou seja, é da velhice que Bentinho reconstitui a infância, a adolescência e a fase adulta, como se pode observar no trecho transcrito a seguir. Esse distanciamento temporal reforça ainda mais a parcialidade do relato.

> A certos respeitos, aquela vida antiga aparece-me despida de muitos encantos que lhe achei; mas é também exato que perdeu muito espinho que a fez molesta, e, de memória, conservo alguma recordação doce e feiticeira.
>
> Machado de Assis, J. M. *Dom Casmurro*. Disponível em: <http://www.dominiopublico.gov.br/download/texto/bn000069.pdf>. Acesso em: 30 mar. 2015.

## Raul Pompeia

Embora a envergadura de sua obra não possa ser equiparada à das obras-primas de Machado de Assis, Raul Pompeia é considerado um dos expoentes da prosa realista brasileira. Isso se deve principalmente ao seu romance *O Ateneu: uma crônica de saudades*, publicado em 1888.

O livro é narrado em primeira pessoa e conta as memórias de Sérgio quando aluno no colégio Ateneu. Uma característica realista especialmente evidente nessa obra é a **análise psicológica** que revela os aspectos mais duros e cruéis das personagens e, por extensão, da sociedade. Não é o tempo cronológico que conduz a narrativa, mas sim a tensão psicológica de Sérgio. Por volta de 1890, na mesma época em que se configurava o Realismo nas artes e na literatura, o médico austríaco Sigmund **Freud** divulgava ao mundo suas pesquisas sobre a psique humana. A luta entre a **vontade individual** e a **moral** que reprimia a realização dos desejos, estudada por Freud, é uma marca de muitas das personagens realistas.

Outra característica marcante é a postura do narrador, o qual não tenta resgatar a perspectiva infantil do período vivido no Ateneu, mas sim julga os acontecimentos com base em seus valores de adulto. Isso permite criar uma visão contundente da opressão e dos desvios morais encontrados naquele ambiente. Desde o princípio do livro, o narrador deixa claro o contraste entre a "estufa de carinho" vivida na casa dos pais e o "mundo" de conflitos representado pelo colégio. Uma das críticas mais contundentes a esse ambiente está presente no trecho final do livro, em que o narrador descreve o Ateneu devastado por um incêndio:

> Dirigi-me para o terraço de mármore do outão. Lá estava Aristarco, tresnoitado, o infeliz. No jardim continuava a multidão dos basbaques. Algumas famílias em *toilette* matinal passeavam. Em redor do diretor muitos discípulos tinham ficado desde a véspera, inabaláveis e compadecidos. Lá estava, a uma cadeira em que passara a noite, imóvel, absorto, sujo de cinza como um penitente, o pé direito sobre um monte de carvões, o cotovelo espetado na perna, a grande mão felpuda envolvendo o queixo, dedos perdidos no bigode branco, sobrolho carregado.
>
> Falavam do incendiário. Imóvel! Contavam que não se achava a senhora. Imóvel! A própria senhora com quem ele contava para o jardim de crianças! Dor veneranda! Indiferença suprema dos sofrimentos excepcionais! Majestade inerte do cedro fulminado! Ele pertencia ao monopólio da mágoa. O *Ateneu* devastado! O seu trabalho perdido, a conquista inapreciável dos seus esforços!... Em paz!... Não era um homem aquilo; era um *de profundis*.

**Glossário**

**basbaque**: ingênuo, tolo
**caipora**: cuja proximidade traz azar
**calcinado/incinerado**: transformado em cinzas
**cedro**: tipo de pinheiro
**cosmografia**: ciência que descreve o Universo
***de profundis***: do latim, "das profundezas do abismo" (referência a salmo da Bíblia)
**enxovalhado**: amarrotado
**outão**: parede da fachada lateral de um edifício
**sobrolho**: região das sobrancelhas
***toilette***: roupa
**tresnoitado**: que não dormiu
**venerando**: respeitável

Lá estava; em roda amontoavam-se figuras torradas de geometria, aparelhos de cosmografia partidos, enormes cartas murais em tiras, queimadas, enxovalhadas, vísceras dispersas das lições de anatomia, gravuras quebradas da história santa em quadros, cronologias da história pátria, ilustrações zoológicas, preceitos morais pelo ladrilho, como ensinamentos perdidos, esferas terrestres contundidas, esferas celestes rachadas; borra, chamusco por cima de tudo: despojos negros da vida, da história, da crença tradicional, da vegetação de outro tempo, lascas de continentes calcinados, planetas exorbitados de uma astronomia morta, sóis de ouro destronados e incinerados... Ele, como um deus caipora, triste, sobre o desastre universal de sua obra.

Aqui suspendo a crônica das saudades. Saudades verdadeiramente? Puras recordações, saudades talvez, se ponderarmos que o tempo é a ocasião passageira dos fatos, mas sobretudo – o funeral para sempre das horas.

Pompeia, Raul. *O Ateneu*. 2. ed. São Paulo: FTD, 1992. p. 188-189.

# Contexto histórico e cultural do Naturalismo

A crescente **industrialização** e o notável **progresso científico** da segunda metade do século XIX produziram efeitos opostos na sociedade da época. De um lado, havia um claro **otimismo** com essas conquistas e a esperança de que a ciência resolveria grande parte dos problemas humanos. Do outro, os avanços tecnológicos produziam um contingente de pessoas que se submetia a **condições degradantes** nas indústrias, vivendo e trabalhando precariamente. As conquistas da ciência também levaram os intelectuais a **analisar** a sociedade e o comportamento humano por essa ótica, dando origem a teorias como o **determinismo**, que propunha ser o homem o resultado de três fatores: o **meio**, a **raça** e o **momento histórico**.

Se o Realismo se propunha a representar a sociedade e o indivíduo sem quaisquer idealizações, o **Naturalismo**, sob nítida influência do determinismo, vai mais além ao investigar o ser humano como um resultado das forças da natureza. Por essa razão, há quem afirme que o Naturalismo é a **radicalização do Realismo**. Nos romances naturalistas, as personagens são representadas em situações extremas, dominadas por forças irracionais. Esse propósito está claro no prefácio de *Teresa Raquin*, romance do francês Émile Zola, um dos expoentes do Naturalismo:

Na *Teresa Raquin* quis estudar temperamentos e não caracteres. Nisso está o livro inteiro. Escolhi personagens soberanamente dominadas pelos seus nervos e pelo seu sangue, desprovidas de livre-arbítrio, arrastadas a cada ato das suas vidas pelas fatalidades de sua carne.

Zola, Émile. *Teresa Raquin*. Trad. João Gaspar Simões. Lisboa: Arcádia, s. d. p. 7-8.

# Naturalismo no Brasil

No Brasil, a **Escola do Recife** foi especialmente importante para a disseminação do Naturalismo. Liderado por Tobias Barreto, esse grupo de intelectuais contribuiu para ampliar o debate nas ciências humanas e incentivar tendências ideológicas como o **abolicionismo** e o **republicanismo**, e influenciou autores como **Domingos Olímpio**, autor de *Luzia-homem*, e **Inglês de Sousa**, autor, entre outras obras, de *O missionário*.

## Aluísio Azevedo

O autor brasileiro de maior destaque no Naturalismo foi Aluísio Azevedo. Em obras como *O mulato*, *Casa de pensão* e *O cortiço*, evidenciam-se a objetividade nas descrições, o caráter distanciado e analítico do narrador em terceira pessoa, a organização do enredo de forma a comprovar uma tese e a presença do cenário como uma personagem que afeta a vida de todos. Em *O cortiço*, seu romance mais importante, o cenário que dá nome ao livro costuma ser considerado como a personagem principal da obra.

As casinhas eram alugadas por mês e as tinas por dia: tudo pago adiantado. O preço de cada tina, metendo a água, quinhentos réis, sabão à parte. [...]

Graças à abundância da água que lá havia, como em nenhuma outra parte, e graças ao muito espaço de que se dispunha no cortiço para estender a roupa, a concorrência às tinas não se fez esperar; acudiram lavadeiras de todos os pontos da cidade, entre elas algumas vindas de bem longe. E, mal vagava uma das casinhas, ou um quarto, um canto onde coubesse um colchão, surgia uma nuvem de pretendentes a disputá-los.

E aquilo foi se constituindo uma grande lavandeira, agitada e barulhenta, com as suas cercas de varas, as suas hortaliças verdejantes e os seus jardinzinhos de três e quatro palmos, que apareciam como manchas alegres por entre a negrura das limosas tinas transbordantes e o revérbero das claras barracas de algodão cru, armadas sob os lustrosos bancos de lavar. E os gotejantes giraus, cobertos de roupa molhada, cintilavam ao sol, que nem lagos de metal branco.

E naquela terra encharcada e fumegante, naquela umidade quente e lodosa, começou a minhocar, a esfervilhar, a crescer, um mundo, uma coisa viva, uma geração, que parecia brotar espontânea, ali mesmo, daquele lameiro, e multiplicar-se como larvas no esterco.

Azevedo, Aluísio. *O cortiço*. In: Moisés, Massaud. *A literatura brasileira através dos textos*. 29. ed. rev. e ampl. São Paulo: Cultrix, 2012. p. 234-235.

**Glossário**

**esfervilhar**: movimentar-se com rapidez
**revérbero**: emitir brilho, resplandecer
**tina**: balde grande

No trecho, o cortiço é *personificado* com o fim de reforçar sua posição como "protagonista", já que é ele, meio em que vivem as personagens, que determina a vida de todas. Todos os miseráveis que o habitam acabam se animalizando, devido às péssimas condições em que vivem, confirmando, assim, a tese do **determinismo**. O romance também aborda a questão das classes sociais ao contrapor os endinheirados João Romão, dono do cortiço, e seu vizinho, o comerciante Miranda, às demais personagens, pobres e exploradas.

Podemos, então, organizar as literaturas realista (em Portugal e no Brasil) e naturalista (no Brasil) da seguinte forma:

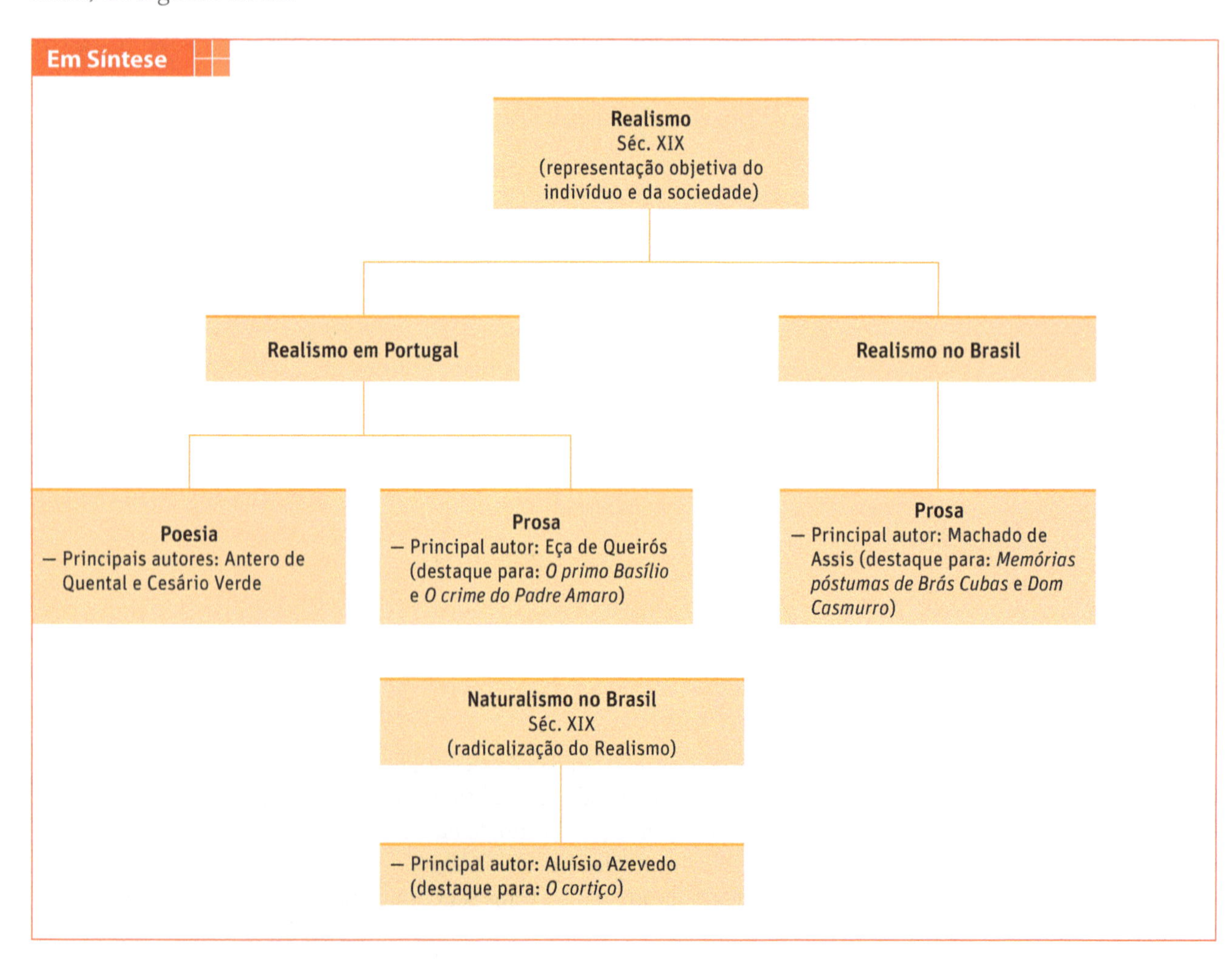

1. **(Uepa)** A Estética Realista primou pela objetivação e clareza na exposição dos fatos cotidianos. Estes traços nortearam a intenção do autor de denunciar o drama psicológico vivenciado pelo homem da época, condicionado a viver em um mundo materialista, por isso em Cesário Verde, poeta representativo desta estética, é recorrente a referência ao mal-estar ante à modernização da cidade. Analise os versos e identifique a alternativa que comprove a afirmação.

   a) "Milady, é perigoso contemplá-la,
   Quando passa aromática e normal,
   Com seu tipo tão nobre e tão de sala,
   Com seus gestos de neve e de metal."

   b) "Quando eu via, invejoso, mas sem queixas,
   Pousarem borboletas doidejantes
   Nas tuas formosíssimas madeixas,
   Daquela cor das messes lourejantes."

   c) "Talvez já te não lembres com desgosto
   Daquelas brancas noites de mistério,
   Em que a Lua sorria no teu rosto
   E nas lajes campais do cemitério."

   d) "O céu parece baixo e de neblina,
   O gás extravasado enjoa-me, perturba;
   E os edifícios, com as chaminés, e a turba
   Toldam-se duma cor monótona e londrina."

   e) "Espreitam-te, por cima, as frestas dos celeiros;
   O Sol abrasa as terras já ceifadas,
   E alvejam-te, na sombra dos pinheiros,
   Sobre os teus pés decentes, verdadeiros,
   As saias curtas, frescas, engomadas."

**(Unesp)** Instrução: As questões de números **2** a **4** tomam por base um fragmento de uma crônica de Eça de Queirós (1845-1900) escrita em junho de 1871.

## Uma campanha alegre, IX

Há muitos anos que a política em Portugal apresenta este singular estado:

Doze ou quinze homens, sempre os mesmos, alternadamente possuem o *Poder*, perdem o *Poder*, reconquistam o *Poder*, trocam o *Poder*... O *Poder* não sai duns certos grupos, como uma pela* que quatro crianças, aos quatro cantos de uma sala, atiram umas às outras, pelo ar, num rumor de risos.

Quando quatro ou cinco daqueles homens estão no *Poder*, esses homens são, segundo a opinião, e os dizeres de todos os outros que lá não estão – os *corruptos*, os *esbanjadores da Fazenda*, a ruína do *País*!

Os outros, os que não estão no *Poder*, são, segundo a sua própria opinião e os seus jornais – *os verdadeiros liberais*, os *salvadores da causa pública*, os *amigos do povo*, e os *interesses do País*.

Mas, coisa notável! – os cinco que estão no *Poder* fazem tudo o que podem para continuar a ser os *esbanjadores da Fazenda* e a *ruína do País*, durante o maior tempo possível! E os que não estão no *Poder* movem-se, conspiram, cansam-se, para deixar de ser o mais depressa que puderem – os *verdadeiros liberais*, e os *interesses do País*!

Até que enfim caem os cinco do *Poder*, e os outros, os *verdadeiros liberais*, entram triunfantemente na designação herdada de *esbanjadores da Fazenda* e *ruína do País*; em tanto que os que caíram do *Poder* se resignam, cheios de fel e de tédio – a vir a ser os *verdadeiros liberais* e os *interesses do País*.

Ora como todos os ministros são tirados deste grupo de doze ou quinze indivíduos, não há nenhum deles que não tenha sido por seu turno *esbanjador da Fazenda* e *ruína do País*...

Não há nenhum que não tenha sido demitido, ou obrigado a pedir a demissão, pelas acusações mais graves e pelas votações mais hostis...

Não há nenhum que não tenha sido julgado incapaz de dirigir as coisas públicas – pela Imprensa, pela palavra dos oradores, pelas incriminações da opinião, pela afirmativa constitucional do poder moderador...

E todavia serão estes doze ou quinze indivíduos os que continuarão dirigindo o País, neste caminho em que ele vai, feliz, abundante, rico, forte, coroado de rosas, e num chouto** tão triunfante!

QUEIRÓS, Eça de. *Obras*. Porto: Lello & Irmão-Editores, s. d.

* **pela**: bola.

** **chouto**: trote miúdo.

**2.** *Não há nenhum que não tenha sido demitido, ou obrigado a pedir a demissão, pelas acusações mais graves e pelas votações mais hostis...*

Com esta frase, o cronista afirma que:

a) a atividade política está sempre sujeita a acusações descabidas.

b) é altamente honroso, em certos casos, demitir-se para evitar males ao estado.

c) a defesa de boas ideias frequentemente leva à renúncia.

d) os políticos honestos sofrem acusações e perseguições dos desonestos.

e) todos os políticos se equivalem pelos desvios da ética.

**3.** *... cheios de fel e de tédio...*

Nesta passagem do sexto parágrafo, o cronista se utiliza figuradamente da palavra *fel* para significar:

a) rancor.

b) eloquência.

c) esperança.

d) medo.

e) saudade.

**4.** Considerando que o último parágrafo do fragmento representa uma ironia do cronista, seu significado contextual é:

a) Portugal vai muito bem, apesar de seus maus governantes.

b) A alternância dos grupos no poder faz bem ao país.

c) O país experimenta um progresso vertiginoso.

d) O país vai mal em todos os sentidos.

e) Portugal não se importa com seus políticos.

**5.** **(Unifesp)** Texto para a questão.

[...] Um poeta dizia que o menino é o pai do homem. Se isto é verdade, vejamos alguns lineamentos do menino.

Desde os cinco anos merecera eu a alcunha de "menino diabo"; e verdadeiramente não era outra coisa; fui dos mais malignos do meu tempo, arguto, indiscreto, traquinas e voluntarioso. Por exemplo, um dia quebrei a cabeça de uma escrava, porque me negara uma colher do doce de coco que estava fazendo, e, não contente com o malefício, deitei um punhado de cinza ao tacho, e, não satisfeito da travessura, fui dizer à minha mãe que a escrava é que estragara o doce "por pirraça"; e eu tinha apenas seis anos. Prudêncio, um moleque de casa, era o meu cavalo de todos os dias; punha as mãos no chão, recebia um cordel nos queixos, à guisa de freio, eu trepava-lhe ao dorso, com uma varinha na mão, fustigava-o, dava mil voltas a um e outro lado, e ele obedecia, – algumas vezes gemendo – mas obedecia sem dizer palavra, ou, quando muito, um – "ai, nhonhô!" – ao que eu retorquia: "Cala a boca, besta!" – Esconder os chapéus das visitas, deitar rabos de papel a pessoas graves, puxar pelo rabicho das cabeleiras, dar beliscões nos braços das matronas, e outras muitas façanhas deste jaez, eram mostras de um gênio indócil, mas devo crer que eram também expressões de um espírito robusto, porque meu pai tinha-me em grande admiração; e se às vezes me repreendia, à vista de gente, fazia-o por simples formalidade: em particular dava-me beijos.

Não se conclua daqui que eu levasse todo o resto da minha vida a quebrar a cabeça dos outros nem a esconder-lhes os chapéus; mas opiniático, egoísta e algo contemptor dos homens, isso fui; se não passei o tempo a esconder-lhes os chapéus, alguma vez lhes puxei pelo rabicho das cabeleiras.

MACHADO DE ASSIS. *Memórias póstumas de Brás Cubas.*

É **correto** afirmar que:

a) se trata basicamente de um texto naturalista, fundado no Determinismo.
b) o texto revela um juízo crítico do contexto escravista da época.
c) o narrador se apresenta bastante sisudo e amargo, bem ao gosto machadiano.
d) o texto apresenta papéis sociais ambíguos das personagens em foco.
e) os comportamentos desumanos do narrador são sutilmente desnudados.

6. **(UFRN)** A passagem abaixo é extraída do capítulo "Das negativas", de *Memórias póstumas de Brás Cubas*.

Este último capítulo é todo de negativas. Não alcancei a celebridade do emplasto, não fui ministro, não fui califa, não conheci o casamento. Verdade é que, ao lado dessas faltas, coube-me a boa fortuna de não comprar o pão com o suor do meu rosto. Mais; não padeci a morte de Dona Plácida, nem a semidemência de Quincas Borba. Somadas umas coisas e outras, qualquer pessoa imaginará que não houve míngua nem sobra, e conseguintemente que saí quite com a vida. E imaginará mal; porque ao chegar a este outro lado do mistério, achei-me com um pequeno saldo, que é a derradeira negativa deste capítulo de negativas: – Não tive filhos, não transmiti a nenhuma criatura o legado da nossa miséria.

MACHADO DE ASSIS. *Memórias póstumas de Brás Cubas.* 27. ed. São Paulo: Ática, 1999. p. 176.

Neste capítulo, Brás Cubas faz uma espécie de balanço de sua existência, em que:

a) demonstra tristeza por não ter conseguido um saldo positivo em sua vida.
b) lamenta suas dificuldades e o fato de não ter tido sucesso em sua vida.
c) orgulha-se por não ter deixado filhos para herdarem a infelicidade humana.
d) desculpa-se pelo fato de não ter suportado o sofrimento como seus amigos.

7. **(Fuvest-SP)** Texto para questão.

Assim se explicam a minha estada debaixo da janela de Capitu e a passagem de um cavaleiro, um *dandy*, como então dizíamos. Montava um belo cavalo alazão, firme na sela, rédea na mão esquerda, a direita à cinta, botas de verniz, figura e postura esbeltas: a cara não me era desconhecida. Tinham passado outros, e ainda outros viriam atrás; todos iam às suas namoradas. Era uso do tempo namorar a cavalo. Relê Alencar: "Porque um estudante (dizia um dos seus personagens de teatro de 1858) não pode estar sem estas duas coisas, um cavalo e uma namorada". Relê Álvares de Azevedo. Uma das suas poesias é destinada a contar (1851) que residia em Catumbi, e, para ver a namorada no Catete, alugara um cavalo por três mil-réis...

MACHADO DE ASSIS. *Dom Casmurro.*

Considerando-se o excerto no contexto da obra a que pertence, pode-se afirmar **corretamente** que as referências a Alencar e a Álvares de Azevedo revelam que, em ***Dom Casmurro***, Machado de Assis:

a) expôs, embora tardiamente, o seu nacionalismo literário e sua consequente recusa de leituras estrangeiras.

b) negou ao Romantismo a capacidade de referir-se à realidade, tendo em vista o hábito romântico de tudo idealizar e exagerar.

c) recusou, finalmente, o Realismo, para começar o retorno às tradições românticas que irá caracterizar seus últimos romances.

d) declarou que o passado não tem relação com o presente e que, portanto, os escritores de outras épocas não mais merecem ser lidos.

e) utilizou, como em outras obras suas, elementos do legado de seus predecessores locais, alterando-lhes, entretanto, contexto e significado.

**8.** (Ufam)

> Daí a pouco, em volta das bicas era um zum-zum crescente, uma aglomeração tumultuosa de machos e fêmeas. Uns, após outros, lavavam a cara, incomodamente, debaixo do fio d'água que escorria da altura de uns cinco palmos. O chão inundava-se. As mulheres precisavam já prender as saias entre as coxas para não as molhar; via-se-lhes a tostada nudez dos braços e do pescoço, que elas despiam, suspendendo o cabelo todo para o alto do casco; os homens, esses não se preocupavam em não molhar o pelo, ao contrário metiam a cabeça bem debaixo da água e esfregavam com força as ventas e as barbas, fossando e fungando contra as palmas das mãos.
>
> Azevedo, Aluísio de. *O cortiço*. São Paulo: Martins Fontes, 1968.

Este fragmento pertence a *O cortiço*, obra emblemática do Naturalismo. São características desse fragmento, típicas desse movimento literário, entre outras:

a) o idealismo na descrição feminina.

b) a sensualidade idealizada.

c) a visão da realidade atrelada aos elementos naturais.

d) a fuga à realidade, a partir de um local idealizado, como o cortiço.

e) a descrição visando aproximar homens de animais e destacar aspectos desagradáveis do ambiente.

**9.** **(FMTM-MG)** Assinale a alternativa em que se encontram características da prosa do Realismo.

a) Objetivismo; subordinação dos sentimentos a interesses sociais; críticas às instituições decadentes da sociedade burguesa.

b) Idealização do herói; amor visto como redenção; oposição aos valores sociais.

c) Casamento visto como arranjo de conveniência; descrição objetiva; idealização da mulher.

d) Linguagem metafórica; protagonista tratado como anti-herói; sentimentalismo.

e) Espírito de aventura; narrativa lenta; impasse amoroso solucionado pelo final feliz.

**10.** **(Mackenzie-SP)** Sobre Machado de Assis, é **incorreto** afirmar que:

a) Em sua extensa obra, ainda se podem encontrar peças de teatro, crônicas e ensaios.

b) Seus primeiros romances como *Ressurreição* e *Iaiá Garcia* apresentam traços ainda ligados ao Romantismo.

c) Sua poesia apresenta, muitas vezes, características próprias do Parnasianismo como a busca da perfeição formal e um vocabulário elevado.

d) Nos contos, não se percebem elementos que o consagraram nos romances, evidenciando as características que o diferenciam na literatura brasileira.

**11.** **(Unifesp)** Considere o trecho de *O cortiço*, de Aluísio Azevedo.

> Uma aluvião de cenas, que ela [Pombinha] jamais tentara explicar e que até ali jaziam esquecidas nos meandros do seu passado, apresentavam-se agora nítidas e transparentes. Compreendeu como era que certos velhos respeitáveis, cuja fotografia Léonie lhe mostrou no dia que passaram juntas, deixavam-se vilmente cavalgar pela loureira, cativos e submissos, pagando a escravidão com a honra, os bens, e até com a própria vida, se a prostituta, depois de os ter esgotado, fechava-lhes o corpo. E continuou a sorrir, desvanecida na sua superioridade sobre esse outro sexo, vaidoso e fanfarrão, que se julgava senhor e que, no entanto, fora posto no mundo simplesmente para servir ao feminino; escravo ridículo que, para gozar um pouco, precisava tirar da sua mesma ilusão a substância do seu gozo; ao passo que a mulher, a senhora, a dona dele, ia tranquilamente desfrutando o seu império, endeusada e querida, prodigalizando martírios, que os miseráveis aceitavam contritos, a beijar os pés que os deprimiam e as implacáveis mãos que os estrangulavam.
>
> – Ah! homens! homens! ... sussurrou ela de envolta com um suspiro.

No texto, os pensamentos da personagem:

a) recuperam o princípio da prosa naturalista, que condena os assuntos repulsivos e bestiais, sem amparo nas teorias científicas, ligados ao homem que põe em primeiro plano seus instintos animalescos.
b) elucidam o princípio do determinismo presente na prosa naturalista, revelando os homens e as mulheres conscientes dos seus instintos em função do meio em que vivem e, sobretudo, capazes de controlá-los.
c) trazem uma crítica aos aspectos animalescos próprios do homem, mas, por outro lado, revelam uma forma de Pombinha submeter a muitos deles para obter vantagens: eis aí um princípio do Realismo rechaçado no Naturalismo.
d) constroem uma visão de mundo e do homem idealizada, o que, em certa medida, afronta o referencial em que se baseia a prosa naturalista, que define o homem como fruto do meio, marcado pelo apelo dos seus sentidos.
e) consubstanciam a concepção naturalista de que o homem é um animal, preso aos instintos e, no que dizem respeito à sexualidade, vê-se que Pombinha considera a mulher superior ao homem, e esse conhecimento é uma forma de se obterem vantagens.

**(FMTM-MG)** Para responder às questões de números **12** e **13**, leia o texto a seguir.

> O cônego Dias era muito conhecido em Leiria. Ultimamente engordara, o ventre saliente enchia-lhe a batina; e a sua cabecinha grisalha, as olheiras papudas, o beiço espesso faziam lembrar velhas anedotas de frades lascivos e glutões.
>
> QUEIRÓS, Eça de. *O crime do padre Amaro.*

**12.** Ao apresentar o cônego Dias, o narrador o faz de forma irônica e sarcástica. No texto, isso pode ser verificado:

I. pelo uso sistemático de adjetivos que, pelo contexto, assumem conotação pejorativa;
II. pela caracterização psicológica do personagem;
III. pelo uso da palavra beiço (para designar lábio).

Está **correto** o contido apenas em:

a) II.
b) III.
c) I e II.
d) I e III.
e) II e III.

Realismo e Naturalismo

**13.** No trecho selecionado, estão presentes importantes características da literatura de Eça de Queirós. Essas características são:

a) o idealismo, a linguagem coloquial e o tom sarcástico.
b) o psicologismo, a linguagem prolixa e o tom retórico.
c) o criticismo, a linguagem concisa e o tom reflexivo.
d) o elitismo, a linguagem rebuscada e o tom aristocrático.
e) o anticlericalismo, a linguagem mordaz e o tom descritivo.

**14.** **(PUC-PR)** Assinale a alternativa que contém a afirmação **correta** sobre o Naturalismo no Brasil.

a) O Naturalismo, por seus princípios científicos, considerava as narrativas literárias exemplos de demonstração de teses e ideias sobre a sociedade e o homem.
b) O Naturalismo usou elementos da natureza selvagem do Brasil do século XIX para defender teses sobre os defeitos da cultura primitiva.
c) A valorização da natureza rude verificada nos poetas árcades se prolonga na visão naturalista do século XIX, que toma a natureza decadente dos cortiços para provar os malefícios da mestiçagem.
d) O Naturalismo no Brasil esteve sempre ligado à beleza das paisagens das cidades e do interior do Brasil.
e) O Naturalismo do século XIX no Brasil difundiu na literatura uma linguagem científica e hermética, fazendo com que os textos literários fossem lidos apenas por intelectuais.

**(Unifesp – adaptada)** As questões de números **15** e **16** baseiam-se no seguinte fragmento do romance *O cortiço* (1890), de Aluísio Azevedo (1857-1913).

### O cortiço

Fechou-se um entra-e-sai de marimbondos defronte daquelas cem casinhas ameaçadas pelo fogo. Homens e mulheres corriam de cá para lá com os tarecos ao ombro, numa balbúrdia de doidos. O pátio e a rua enchiam-se agora de camas velhas e colchões espocados. Ninguém se conhecia naquela zumba de gritos sem nexo, e choro de crianças esmagadas, e pragas arrancadas pela dor e pelo desespero. Da casa do Barão saíam clamores apopléticos; ouviam-se os guinchos de Zulmira que se espolinhava com um ataque. E começou a aparecer água. Quem a trouxe? Ninguém sabia dizê-lo; mas viam-se baldes e baldes que se despejavam sobre as chamas.

Os sinos da vizinhança começaram a badalar.

E tudo era um clamor.

A Bruxa surgiu à janela da sua casa, como à boca de uma fornalha acesa. Estava horrível; nunca fora tão bruxa. O seu moreno trigueiro, de cabocla velha, reluzia que nem metal em brasa; a sua crina preta, desgrenhada, escorrida e abundante como as das éguas selvagens, dava-lhe um caráter fantástico de fúria saída do inferno. E ela ria-se, ébria de satisfação, sem sentir as queimaduras e as feridas, vitoriosa no meio daquela orgia de fogo, com que ultimamente vivia a sonhar em segredo a sua alma extravagante de maluca.

Ia atirar-se cá para fora, quando se ouviu estalar o madeiramento da casa incendiada, que abateu rapidamente, sepultando a louca num montão de brasas.

(Azevedo, Aluísio. *O cortiço*)

**15.** Em *O cortiço*, o caráter naturalista da obra faz com que o narrador se posicione em terceira pessoa, onisciente e onipresente, preocupado em oferecer uma visão crítico-analítica dos fatos. A sugestão de que o narrador é testemunha pessoal e muito próxima dos acontecimentos narrados aparece de modo mais direto e explícito em:

a) Fechou-se um entra-e-sai de marimbondos defronte daquelas cem casinhas ameaçadas pelo fogo.

b) Ninguém sabia dizê-lo; mas viam-se baldes e baldes que se despejavam sobre as chamas.
c) Da casa do Barão saíam clamores apopléticos...
d) A Bruxa surgiu à janela da sua casa, como à boca de uma fornalha acesa.
e) Ia atirar-se cá para fora, quando se ouviu estalar o madeiramento da casa incendiada...

**16.** O caráter naturalista nessa obra de Aluísio Azevedo oferece, de maneira figurada, um retrato de nosso país, no final do século XIX. Põe em evidência a competição dos mais fortes, entre si, e estes, esmagando as camadas de baixo, compostas de brancos pobres, mestiços e escravos africanos. No ambiente de degradação de um cortiço, o autor expõe um quadro tenso de misérias materiais e humanas. No fragmento, há várias outras características do Naturalismo. Aponte a alternativa em que as duas características apresentadas são **corretas**.

a) Exploração do comportamento anormal e dos instintos baixos; enfoque da vida e dos fatos sociais contemporâneos ao escritor.
b) Visão subjetivista dada pelo foco narrativo; tensão conflitiva entre o ser humano e o meio ambiente.
c) Preferência pelos temas do passado, propiciando uma visão objetiva dos fatos; crítica aos valores burgueses e predileção pelos mais pobres.
d) A onisciência do narrador imprime-lhe o papel de criador, e se confunde com a ideia de Deus; utilização de preciosismos vocabulares, para enfatizar o distanciamento entre a enunciação e os fatos enunciados.
e) Exploração de um tema em que o ser humano é aviltado pelo mais forte; predominância de elementos anticientíficos, para ajustar a narração ao ambiente degradante dos personagens.

**(Fuvest-SP – adaptada)** Texto para as questões **17** e **18**.

Talvez pareça excessivo o escrúpulo do Cotrim, a quem não souber que ele possuía um caráter ferozmente honrado. Eu mesmo fui injusto com ele durante os anos que se seguiram ao inventário de meu pai. Reconheço que era um modelo. Arguiam-no de avareza, e cuido que tinham razão; mas a avareza é apenas a exageração de uma virtude e as virtudes devem ser como os orçamentos: melhor é o saldo que o déficit. Como era muito seco de maneiras tinha inimigos, que chegavam a acusá-lo de bárbaro. O único fato alegado neste particular era o de mandar com frequência escravos ao calabouço, donde eles desciam a escorrer sangue; mas, além de que ele só mandava os perversos e os fujões, ocorre que, tendo longamente contrabandeado em escravos, habituara-se de certo modo ao trato um pouco mais duro que esse gênero de negócio requeria, e não se pode honestamente atribuir à índole original de um homem o que é puro efeito de relações sociais.

(Assis, Machado de. *Memórias póstumas de Brás Cubas*)

**17.** Neste excerto, Brás Cubas discute as acusações dirigidas a seu cunhado Cotrim. A argumentação aí apresentada

a) faz com que, ao defender Cotrim, ele contribua, ironicamente, para confirmar essas acusações.
b) confirma a hipótese de que Machado de Assis, ao ascender socialmente, renegou suas origens e abandonou a crítica ao comportamento das elites.
c) visa demonstrar que as práticas de Cotrim não contavam com a conivência de Brás Cubas e da sociedade da época.
d) comprova a convicção machadiana de que os homens nascem bons, a sociedade é que os corrompe.
e) é moralmente impecável, pois distingue o lícito do ilícito, condenando explicitamente os desvios, como o contrabando e a tortura.

**18.** As relações entre senhores e escravos, referidas no excerto,

a) caracterizam-se por uma crueldade que, no entanto, constitui exceção no livro: nas demais ocorrências do tema, essas relações são bastante amenas e cordiais.

b) constituem o principal assunto das *Memórias póstumas de Brás Cubas*, ocupando o primeiro plano da narrativa.

c) aparecem poucas vezes, de maneira direta, no romance, mas caracterizam de modo decisivo as relações sociais nele representadas.

d) desenham o pano de fundo histórico do romance, mas não contribuem para a caracterização das personagens.

e) servem apenas para caracterizar o comportamento de personagens secundárias, não aparecendo no relato da formação do protagonista.

**19.** **(PUC-RS)** Para responder à questão, leia as seguintes afirmativas a respeito de *Memórias póstumas de Brás Cubas*, de Machado de Assis.

I. O insólito no romance advém do fato de que Brás Cubas, escritor do Rio de Janeiro, utiliza um narrador-fantasma que assombra os vivos.

II. O narrador é um defunto-autor que relata suas memórias no além-túmulo, para, de modo irônico, expressar seu pessimismo em relação ao ser humano e à sociedade.

III. É inusitada a forma como Brás Cubas, por meio de um delírio, empreende uma jornada através dos séculos.

A(s) afirmativa(s) **correta**(s) é/são:

a) I, apenas.

b) I e II, apenas.

c) I e III apenas.

d) II e III, apenas.

e) I, II, III.

**20.** **(UFMS)** A respeito do romance *O Ateneu*, de Raul Pompeia, é **correto** afirmar que

(01) o universo do internato caracteriza-se como um espaço de desilusão para os sonhos infantis de Sérgio, carregado de pessimismo e repleto de adversidades, deixando para trás a "estufa de carinho" na qual o narrador-personagem vivera até seu ingresso no Colégio Ateneu.

(02) o tempo da narrativa não é o mesmo das vivências da personagem, uma vez que Sérgio procura recuperar fatos e sensações experimentados no passado e guardados em sua memória.

(04) o tema da saudade é uma constante nos textos realistas, e também em *O Ateneu*, posto que o passado é uma realidade imutável e invariável, sendo sempre fonte de uma felicidade plena que escapa ao fingimento e à hipocrisia do presente.

(08) o narrador, Sérgio, não participa dos relatos aos quais faz referência.

**(PUC-RJ – adaptada)** Para responder às questões **21** e **22**, leia o excerto a seguir.

"Vais encontrar o mundo, disse-me meu pai, à porta do Ateneu. Coragem para a luta." Bastante experimentei depois a verdade deste aviso, que me despia, num gesto, das ilusões de criança educada exoticamente na estufa de carinho que é o regime do amor doméstico, diferente do que se encontra fora, tão diferente, que parece o poema dos cuidados maternos um artifício sentimental, com a vantagem única de fazer mais sensível a criatura à impressão rude do primeiro ensinamento, têmpera brusca da vitalidade na influência de um novo clima rigoroso. Lembramo-nos, entretanto, com saudade hipócrita, dos felizes tempos; como se a mesma incerteza de hoje, sob outro aspecto, não nos houvesse perseguido outrora e não viesse de longe a enfiada das decepções que nos ultrajam.

Eufemismo, os felizes tempos, eufemismo apenas, igual aos outros que nos alimentam, a saudade dos dias que correram como melhores. Bem considerando, a atualidade é a mesma em todas as datas. Feita a compensação dos desejos que variam, das aspirações que se transformam, alentadas perpetuamente do mesmo ardor, sobre a mesma base fantástica de esperanças, a atualidade é uma. Sob a coloração cambiante das horas, um pouco de ouro mais pela manhã, um pouco mais de púrpura ao crepúsculo – a paisagem é a mesma de cada lado beirando a estrada da vida.

Eu tinha onze anos.

POMPEIA, Raul. *O Ateneu:* crônica de saudades. São Paulo: Ática, 1979. p. 11.

**21.** A estética realista-naturalista se caracteriza no texto:

a) pela louvação da infância e das memórias como forma de reconstrução do real idealizado.

b) pela temática voltada para as classes sociais desfavorecidas.

c) pela linguagem simples adotada como forma de reprodução da fala do protagonista.

d) pela escolha de um narrador de primeira pessoa que reforça a verossimilhança do narrado.

e) pela figura do protagonista, narrador de primeira pessoa, que traça para si mesmo um perfil heroico, contestador e revolucionário.

**22.** Só **não** podemos dizer que o texto:

a) apresenta uma visão melancólica e dolorosa sobre a vida.

b) destrói a ingênua ilusão romântica de tempos felizes passados.

c) sofre influência da estética impressionista vigente no final do século XIX.

d) estabelece com o leitor um pacto de cumplicidade através da utilização da primeira pessoa do plural.

e) inaugura uma temática intimista precursora da narrativa proposta pela Semana de 22.

**23.** (Fuvest-SP)

E Jerônimo via e escutava, sentindo ir-se-lhe toda a alma pelos olhos enamorados.

Naquela mulata estava o grande mistério, a síntese das impressões que ele recebeu chegando aqui: ela era a luz ardente do meio-dia; ela era o calor vermelho das sestas da fazenda; era o aroma quente dos trevos e das baunilhas, que o atordoara nas matas brasileiras; era a palmeira virginal e esquiva que se não torce a nenhuma outra planta; era o veneno e era o açúcar gostoso; era o sapoti mais doce que o mel e era a castanha do caju, que abre feridas com o seu azeite de fogo; ela era a cobra verde e traiçoeira, a lagarta viscosa, a muriçoca doida, que esvoaçava havia muito tempo em torno do corpo dele, assanhando-lhe os desejos, acordando-lhe as fibras embambecidas pela saudade da terra, picando-lhe as artérias, para lhe cuspir dentro do sangue uma centelha daquele amor setentrional, uma nota daquela música feita de gemidos de prazer, uma larva daquela nuvem de cantáridas que zumbiam em torno da Rita Baiana e espalhavam-se pelo ar numa fosforescência afrodisíaca.

ALUÍSIO AZEVEDO, *O cortiço*.

Em que pese a oposição programática do Naturalismo ao Romantismo, verifica-se no excerto – e na obra a que pertence – a presença de uma linha de continuidade entre o movimento romântico e a corrente naturalista brasileira, a saber, a

a) exaltação patriótica da mistura de raças.

b) necessidade de autodefinição nacional.

c) aversão ao cientificismo.

d) recusa dos modelos literários estrangeiros.

e) idealização das relações amorosas.

# Parnasianismo e Simbolismo

## Parnasianismo: contexto histórico e cultural

A segunda metade do século XIX é marcada pela consolidação da **Segunda Revolução Industrial**, que, entre outras mudanças, traz grande prosperidade econômica a uma parcela da burguesia. Nas últimas décadas do século, tal prosperidade dá origem à ***Belle Époque*** ("bela época") – uma era de otimismo e aumento do conforto material –, berço da ***Art Nouveau*** ("arte nova"), movimento artístico que pratica o gosto pela ornamentação.

Muitos dos ideais da *Art Nouveau* são partilhados pelo Parnasianismo, tendência literária exclusivamente poética daquele período. A principal convergência com a *Art Nouveau* diz respeito à **supervalorização do aspecto formal**, porém, ao contrário dela, o Parnasianismo rejeita a adaptação da arte à vida cotidiana. A proposta do movimento é uma criação poética que retoma o **modelo estético clássico**, com sua busca pela beleza e precisão, a "**arte pela arte**" – sem finalidades práticas ou crítica social e com extremo **preciosismo linguístico**. Cria-se a imagem do "**poeta artesão**". Devido a essa ausência de propósitos político-sociais, é incorreto afirmar que o Parnasianismo seja a expressão poética do Realismo e do Naturalismo. Contrário ao egocentrismo ultrarromântico, o Parnasianismo foi buscar na Antiguidade greco-romana uma ampla gama de temas, dos elevados aos mais prosaicos. Esses temas, porém, não raro se intercruzam, como evidencia o soneto abaixo, do brasileiro Alberto de Oliveira, em que o culto a um vaso contém referências à mitologia grega.

**Vaso grego**

Esta de áureos relevos, trabalhada
De divas mãos, brilhante copa, um dia,
Já de aos deuses servir como cansada,
Vinda do Olimpo, a um novo deus servia.

Era o poeta de Teos que a suspendia
Então, e, ora repleta ora esvazada,
A taça amiga aos dedos seus tinia,
Toda de roxas pétalas colmada.

Depois... Mas o lavor da taça admira,
Toca-a, e, do ouvido aproximando-a, às bordas
Finas hás de lhe ouvir, canora e doce,

Ignota voz, qual se da antiga lira
Fosse a encantada música das cordas,
Qual se essa voz de Anacreonte fosse.

Oliveira, Alberto de. In: Moisés, Massaud. *A literatura brasileira através dos textos*. 22. ed. São Paulo: Cultrix, 2006. p. 241.

**Glossário**

**canoro**: sonoro, harmonioso, melodioso
**colmado**: repleto, coberto
**esvazado**: esvaziado, vazio
**ignoto**: desconhecido
**Olimpo**: morada dos deuses, de acordo com a mitologia grega
**Teos**: cidade em que nasceu o poeta grego Anacreonte (século VI a.C.)

Mas isso não significa que a poesia parnasiana se limite ao descritivismo. Temas como o amor e o sofrimento também aparecem, mas nunca sob a perspectiva sentimentalista do ultrarromantismo.

## Parnasianismo no Brasil

A **Abolição da Escravatura** (1888) e a **Proclamação da República** (1889) marcam o final do século XIX no país. A **produção cafeeira** trouxe melhorias socioeconômicas, e o capital acumulado passou a ser investido em outras áreas. Similarmente ao que ocorria na Europa, a aristocracia brasileira, beneficiada pelos lucros do café, valorizou o luxo e o requinte. As obras de arte passaram então a ser símbolo de opulência reservada a uma elite financeira e cultural, o que favoreceu o preciosismo da poesia parnasiana, que logo adquiriu o mesmo *status*.

## A tríade parnasiana

Os poetas **Olavo Bilac**, **Raimundo Correia** e **Alberto de Oliveira** formaram a chamada "tríade parnasiana". Mas foi o primeiro que obteve maior notoriedade, tornando-se o autor mais importante do Parnasianismo brasileiro. A fidelidade ao princípio de "arte pela arte" é flagrante em seu primeiro livro, *Poesias*, no qual buscou esvaziar os poemas de qualquer subjetividade em favor do rigor estético. Nos versos a seguir, extraídos do poema "Profissão de fé", o eu lírico destaca a concentração necessária ao fazer poético, que deve evitar tanto questões sociais quanto manifestações de qualquer estado de espírito, tudo em prol da forma.

E horas sem conta passo, mudo,
A olhar atento,
A trabalhar longe de tudo
O pensamento.

Porque o escrever – tanta perícia,
Tanta requer,
Que ofício tal... Nem há notícia
De outro qualquer.

Assim procedo. Minha pena
Segue esta norma,
Por te servir, Deusa serena,
Serena Forma!

BILAC, Olavo. *Antologia da poesia parnasiana brasileira*. São Paulo: Companhia Editora Nacional/Lazuli Editora, 2007. p. 151.

Mas Bilac também se entregou ao lirismo, principalmente na obra *Via láctea*. No soneto abaixo, presente no livro, o eu lírico atribui ao amor a sua capacidade de ouvir e entender as estrelas. Bem diferente, portanto, do eu lírico de "Profissão de fé".

### Soneto XIII, "Via láctea"

"Ora (direis) ouvir estrelas! Certo
Perdeste o senso!" E eu vos direi, no entanto,
Que, para ouvi-las, muita vez desperto
E abro as janelas, pálido de espanto...

E conversamos toda a noite, enquanto
A via láctea, como um pálio aberto,
Cintila. E, ao vir do sol, saudoso e em pranto,
Inda as procuro pelo céu deserto.

Direis agora: "Tresloucado amigo!
Que conversas com elas? Que sentido
Tem o que dizem, quando estão contigo?"

E eu vos direi: "Amai para entendê-las!
Pois só quem ama pode ter ouvido
Capaz de ouvir e de entender estrelas".

BILAC, Olavo. *Poesia*. Rio de Janeiro: Livraria Agir Editora, 1957. p. 47.

Esse contraste com os princípios da estética parnasiana em parte se deve ao fato de se acolher, na época, diversas correntes estrangeiras, de modo que o Romantismo e o Simbolismo possivelmente influenciaram os parnasianos em alguma medida. Esses resquícios da subjetividade romântica também estão presentes nos quadros naturais da poesia de **Vicente de Carvalho** e na sensibilidade e no tom sombrio que **Raimundo Correia** acrescenta ao objetivismo parnasiano.

No entanto, mais estritamente parnasiano foi **Alberto de Oliveira**, em cuja obra nota-se o empenho pela impessoalidade e pelo culto à forma, como evidenciam os poemas dedicados à descrição minuciosa de artefatos como vasos, taças e estátuas.

## Contexto histórico e cultural do Simbolismo

Durante a passagem do século XIX para o século XX, os efeitos negativos da industrialização suscitaram questionamentos do modelo socioeconômico vigente e da visão de mundo centrada no positivismo. Em decorrência desse descontentamento, jovens artistas reunidos em torno da figura do poeta Charles Baudelaire (autor de *As flores do mal*, de 1857) buscaram formas de expressão que privilegiassem a sugestão e a subjetividade, o que culminou no **Simbolismo**. Os pressupostos do movimento simbolista eram claramente **antinaturalistas** e **antiparnasianos**: busca pelo **mundo impalpável**; uso de símbolos para **evocar o inefável**; **musicalidade** e **sinestesia** para estimular os sentidos; temáticas **religiosas** e **místicas**; valorização da **subjetividade** sem o sentimentalismo romântico; valorização do **inconsciente** e do **sonho.**

## Simbolismo em Portugal

Não bastassem os reflexos da crise do racionalismo que se instaurou na Europa, Portugal vivia ainda sob grande **turbulência política** e **econômica**. A campanha expansionista na África, vista pela monarquia como alternativa para amenizar a crise, foi um verdadeiro fracasso. Isso porque a proposta portuguesa de domínio das colônias de Angola e Moçambique foi veementemente rejeitada pela Inglaterra, que exigiu a retirada imediata das tropas portuguesas daqueles territórios. Esse episódio ficou conhecido como **Ultimato Inglês**. Portugal retirou suas tropas e tamanha humilhação culminou com a queda da já decadente monarquia em 1910. Na arte, essa crise inspirou o negativismo e saudosismo característicos das obras do Simbolismo português.

As revistas acadêmicas responsáveis por divulgar produções simbolistas francesas e portuguesas impulsionaram o movimento em Portugal. Entre seus colaboradores, estavam os poetas **Eugênio de Castro**, **Antônio Nobre** e **Camilo Pessanha**, o nome mais expressivo do Simbolismo português.

Em seu único livro, *Clepsidra*, Camilo Pessanha revela um lirismo em que musicalidade, imagens do inconsciente, valorização da dor e do êxtase simbolizam a recusa do eu lírico à realidade material. No poema abaixo, intitulado "Ao longe os barcos de flores", há uma intensa valorização dos sentidos: as referências objetivas aos poucos cedem lugar para imagens oníricas em que sensualidade, dor e música se fundem. No plano formal, a musicalidade é produzida principalmente por meio das aliterações em "s".

### Ao longe os barcos de flores

Só, incessante, um som de flauta chora,
Viúva, grácil, na escuridão tranquila,
– Perdida voz que de entre as mais se exila,
– Festões de som dissimulando a hora.

Na orgia, ao longe, que em clarões cintila
E os lábios, branca, do carmim desflora...
Só, incessante, um som de flauta chora,
Viúva, grácil, na escuridão tranquila.

E a orquestra? E os beijos? Tudo a noite, fora,
Cauta, detém. Só modulada trila
A flauta flébil... Quem há-de remi-la?
Quem sabe a dor que sem razão deplora?

Só, incessante, um som de flauta chora.

PESSANHA, Camilo. *Clepsidra*. São Paulo: Princípio, 1989. p. 59.

**Glossário**

**carmim**: substância corante em vermelho vivo
**cauto**: cauteloso
**deplorar**: lamentar
**flébil**: choroso, frágil
**grácil**: delicado, leve
**orgia**: festividade na qual se sobressaem atos de euforia e desregramento
**remir**: libertar
**trilar**: cantar, gorjear

## Simbolismo no Brasil

A poesia parnasiana teve destaque no início da República, quando a elite brasileira, entusiasmada com o progresso nacional e indiferente às condições de vida da população, buscou um modelo de "civilidade" e de distanciamento da realidade nacional.

Mas, na década de 1890, poetas de várias partes do país identificaram-se com a estética simbolista. Embora partilhassem de ideais parnasianos como o apuro formal e a rejeição ao sentimentalismo romântico, esses artistas buscavam ampliar a percepção na poesia, resistindo, portanto, ao culto da objetividade e do materialismo.

A publicação dos livros *Missal* e *Broquéis* (1893), de **Cruz e Sousa**, representa o marco inicial do Simbolismo no Brasil. Ainda que pouco conhecido em sua época, Cruz e Sousa é considerado o principal simbolista brasileiro. Sua obra conjuga o **rigor formal** típico do Parnasianismo com a valorização da **subjetividade**, da **espiritualidade** e dos **sentidos**. Destaca-se também uma **dualidade** constante, representada pelo conflito entre o plano material e o desejo de alcançar o plano transcendental em busca da purificação, como exemplificam os versos a seguir.

### Siderações

Para as Estrelas de cristais gelados
As ânsias e os desejos vão subindo,
Galgando azuis e siderais noivados
De nuvens brancas a amplidão vestindo...

Num cortejo de cânticos alados
Os arcanjos, as cítaras ferindo,
Passam, das vestes nos troféus prateados,
As asas de ouro finamente abrindo...
[...]

Cruz e Sousa, João da. *Missal/Broquéis*. São Paulo: Martins Fontes, 1993. p. 139.

**Glossário**

**alado**: dotado de asas
**cítara**: instrumento de cordas parecido com a lira
**cortejo**: procissão
**sideral**: pertencente aos astros, celeste

Outro expoente é **Alphonsus de Guimaraens**. Em sua poesia, notam-se elementos formais tipicamente simbolistas, como o trabalho intenso da musicalidade. O eu lírico de vários de seus poemas é melancólico e inadaptado ao mundo, o que o leva a evadir-se na **espiritualidade** e no **plano das essências**, outros traços marcadamente simbolistas. No plano temático, o assunto mais recorrente é a **morte da amada**:

### Ismália

Quando Ismália enlouqueceu,
Pôs-se na torre a sonhar...
Viu uma lua no céu,
Viu outra lua no mar.

[...]

As asas que Deus lhe deu
Ruflaram de par em par...
Sua alma subiu ao céu,
Seu corpo desceu ao mar...

Guimaraens, Alphonsus de. In: Ricieri, F. (Org.). *Antologia da poesia simbolista e decadente brasileira*. São Paulo: Companhia Editora Nacional/Lazuli, 2007. p. 99.

Podemos, então, organizar as literaturas parnasiana (no Brasil) e simbolista (em Portugal e no Brasil) da seguinte forma:

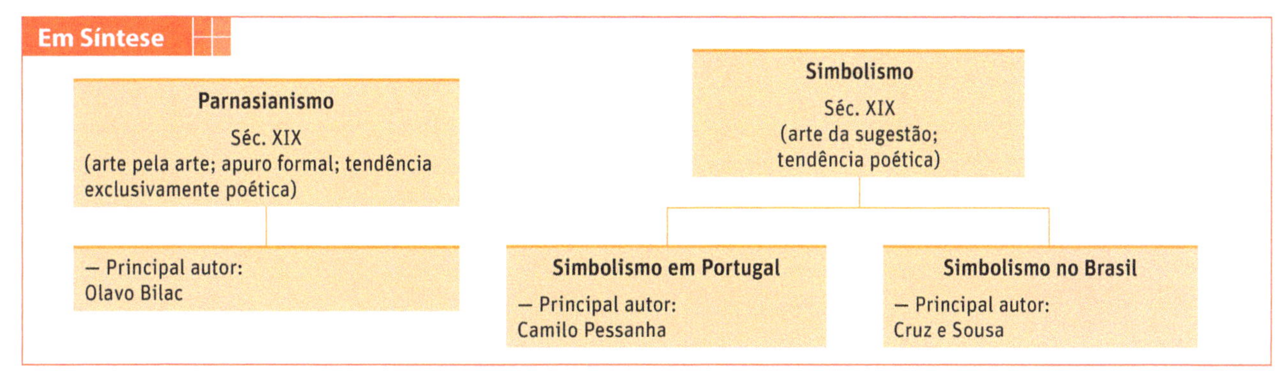

## Atividades

1. **(FMTM-MG)** Para responder a esta questão, considere os versos.

> Longe do estéril turbilhão da rua,
> Beneditino, escreve! No aconchego,
> Do claustro, na paciência e no sossego,
> Trabalha, e teima, e lima, e sofre, e sua!
>
> Mas que na forma se disfarce o emprego
> Do esforço; e a trama viva se construa
> De tal modo, que a imagem fique nua,
> Rica mas sóbria, como um templo grego.
>
> BILAC, Olavo. *Antologia de poesia brasileira*. São Paulo: Ática, 1998. p. 48.

Pelas características desse texto, é correto afirmar que pertence à estética

a) simbolista; seu tema é a entrega às sensações geradas pela poesia; o trabalho do poeta é suscitar imagens fortes.
b) romântica; seu tema é a evasão no espaço; o trabalho do poeta é visto como extravasamento da emoção.
c) parnasiana; seu tema é a própria poesia; o trabalho do poeta é visto como busca da perfeição formal.
d) modernista; seu tema é a agitação da vida moderna; o trabalho do poeta é visto como registro dessa agitação.
e) barroca; seu tema é a religiosidade; o trabalho do poeta é visto como sacrifício.

2. **(ITA-SP)** Leia os seguintes versos:

> Mais claro e fino do que as finas pratas
> O som da tua voz deliciava...
> Na dolência velada das sonatas
> Como um perfume a tudo perfumava.
>
> Era um som feito luz, eram volatas
> Em lânguida espiral que iluminava,
> Brancas sonoridades de cascatas...
> Tanta harmonia melancolizava.
>
> SOUSA, Cruz e. "Cristais". In: *Obras completas*. Rio de Janeiro: Nova Aguilar, 1995. p. 86.

Assinale a alternativa que reúne as características simbolistas presentes no texto:

a) Sinestesia, aliteração, sugestão.
b) Clareza, perfeição formal, objetividade.
c) Aliteração, objetividade, ritmo constante.
d) Perfeição formal, clareza, sinestesia.
e) Perfeição formal, objetividade, sinestesia.

3. **(UFSCar-SP)** Para responder a próxima questão leia os dois sonetos de Olavo Bilac, que fazem parte de um conjunto de poemas chamado *Via láctea*.

> **XII**
>
> Sonhei que me esperavas. E, sonhando,
> Saí, ansioso por te ver: corria...
> E tudo, ao ver-me tão depressa andando,
> Soube logo o lugar para onde eu ia.
>
> E tudo me falou, tudo! Escutando
> Meus passos, através da ramaria,
> Dos despertados pássaros o bando:
> "Vai mais depressa! Parabéns!" dizia.

Disse o luar: "Espera! Que eu te sigo:
Quero também beijar as faces dela!"
E disse o aroma: "Vai que eu vou contigo!"

E cheguei. E, ao chegar, disse uma estrela:
"Como és feliz! como és feliz, amigo,
Que de tão perto vais ouvi-la e vê-la!"

### XIII

"Ora (direis) ouvir estrelas! Certo
Perdeste o senso!" E eu vos direi, no entanto,
Que, para ouvi-las, muita vez desperto
E abro as janelas, pálido de espanto...

E conversamos toda a noite, enquanto
A via láctea, como um pálio aberto,
Cintila. E, ao vir do sol, saudoso e em pranto,
Inda as procuro pelo céu deserto.

Direis agora: "Tresloucado amigo!
Que conversas com elas? Que sentido
Tem o que dizem, quando estão contigo?"

E eu vos direi: "Amai para entendê-las!
Pois só quem ama pode ter ouvido
Capaz de ouvir e de entender estrelas".

a) A que movimento literário pertencem esses poemas?
b) Quais são as principais características desse movimento?

4. (Uesc-BA)

Ah! lilásis de Ângelus harmoniosos,
Neblinas vesperais, crepusculares,
Guslas gementes, bandolins saudosos,
Plangências magoadíssimas dos ares...
Serenidades etereais d'incensos,
De salmos evangélicos, sagrados,
Saltérios, harpas dos Azuis imensos,
Névoas de céus espiritualizados.
[...]
É nas horas dos Ângelus, nas horas
Do claro-escuro emocional aéreo,
Que surges, Flor do Sol, entre as sonoras
Ondulações e brumas do Mistério.
[...]
Apareces por sonhos neblinantes
Com requintes de graça e nervosismos,
fulgores flavos de festins flamantes,
como a Estrela Polar dos Simbolismos.

Cruz e Sousa, João da. Broquéis. *Obra completa*. Rio de Janeiro: Nova Aguilar, 1995. p. 90.

Marque V ou F, conforme sejam as afirmativas verdadeiras ou falsas.
Os versos de Cruz e Sousa traduzem a estética simbolista, pois apresentam:
( ) descrição sintética do mundo imediato.
( ) uso de recursos estilísticos criando imagens sensoriais.
( ) enfoque de uma realidade transfigurada pelo transcendente.
( ) apreensão de um dado da realidade sugestivamente ambígua.
( ) imagens poéticas que tematizam o amor em sua dimensão física.

A alternativa que contém a sequência correta, de cima para baixo, é a:

01. F – V – V – V – F.
02. V – F – F – V – F.
03. V – F – V – V – F.
04. V – F – V – F – F.
05. V – F – V – F – V.

**5.** **(Ibmec-RJ)** Considere os versos que seguem.

> Chorai, arcadas
> Do violoncelo!
> Convulsionadas
> Pontes aladas
> De pesadelo ...
>
> Trêmulos astros...
> Solidões lacustres...
> – Lemes e mastros...
> E os alabastros
> Dos balaústres!
>
> Pessanha, Camilo.

Indique a alternativa **correta**.

a) Valoriza recursos estilísticos como o ritmo e a sonoridade, características da poesia simbolista.

b) Retoma da poesia palaciana a redondilha maior, os versos brancos e a estrutura paralelística.

c) Apresenta nítida influência da poesia modernista, por causa da presença de versos curtos e da temática onírica.

d) Reforça a ideia do sofrimento amoroso, de nítida influência romântica.

e) Verificam-se características típicas do estilo neoclássico com a presença de linguagem rebuscada.

**6.** **(Ufla-MG)**

> **Os rios**
>
> Magoados, ao crepúsculo dormente,
> Ora em rebojos galopantes, ora
> Em desmaios de pena e de demora,
> Rios, chorais amarguradamente...
>
> Desejais regressar... Mas, leito em fora,
> Correis... E misturais pela corrente
> Um desejo e uma angústia, entre a nascente
> De onde vindes, e a foz que vos devora.
>
> Sofreis da pressa, e, a um tempo, da lembrança...
> Pois no vosso clamor, que a sombra invade,
> No vosso pranto, que no mar se lança,
>
> Rios tristes! agita-se a ansiedade
> De todos os que vivem de esperança,
> De todos os que morrem de saudade...
>
> Bilac, Olavo. *Antologia poética*. Porto Alegre: L&PM, 1997.

O poema pertence à estética parnasiana que prima pela objetividade e pelo rigor formal nos textos. Entretanto, o eu lírico não se preocupa em descrever os rios com precisão científica. É correto afirmar sobre o poema que:

a) revela inabilidade do poeta em relação à forma parnasiana.
b) possui um forte antilirismo relacionado às propostas parnasianas.
c) contém uma forte carga lírica somada à preocupação formal do poeta.
d) demonstra preocupação com a forma apesar do desleixo com o tema.

7. **(UFMS)** Leia atentamente o soneto a seguir, extraído de *Broquéis*, de Cruz e Sousa.

**Dança do ventre**

Sorva, febril, torcicolosamente,
numa espiral de elétricos volteios,
na cabeça, nos olhos e nos seios
fluíam-lhe os venenos da serpente.

Ah! Que agonia tenebrosa e ardente!
que convulsões, que lúbricos anseios,
quanta volúpia e quantos bamboleios,
que brusco e horrível sensualismo quente.

O ventre, em pinchos, empinava todo
como réptil abjeto sobre o lodo,
espolinhando e retorcido em fúria.

Era a dança macabra e multiforme
de um verme estranho, colossal, enorme,
do demônio sangrento da luxúria!

Sousa, Cruz e.

Considerando os versos acima, assinale a(s) alternativa(s) correta(s).

(01) No primeiro verso, o poeta cria um neologismo – a palavra "torcicolosamente" – para retratar mais fielmente os movimentos da dançarina, propiciando ao leitor a chance de perceber a realidade sob um novo ângulo.

(02) Na estrutura do texto, percebe-se que o poeta não utiliza com frequência o dinamismo dos verbos, procurando produzir uma atmosfera erótica pelo uso das comparações e analogias.

(04) Os substantivos e adjetivos utilizados pelo poeta procuram ordenar a realidade plástica da cena, na expectativa de oferecer ao leitor uma percepção perfeita da realidade.

(08) Existe, no soneto, um tom abstrato que projeta o leitor para zonas do inconsciente, sugerindo-lhe um espaço de romantismo e magia.

(16) O poeta rende tributos, ainda, a uma herança parnasiana, utilizando, como expressão poética, o soneto.

(32) As metáforas "serpente", "réptil" e "verme" se contrapõem à atmosfera erótica que perpassa o soneto, deixando no leitor uma impressão inconclusa, oscilante entre a exaltação e a degradação da dançarina.

Dê, como resposta, a soma das alternativas corretas.

8. **(UFMG)** Com base na leitura de *Broquéis*, de Cruz e Sousa, é **incorreto** afirmar que se trata de uma poesia

a) de tendência naturalista, que se compraz na descrição mórbida dos sentimentos, embora mostre otimismo em relação ao homem.
b) próxima da música, não apenas no plano temático, mas, sobretudo, no trabalho detalhista da sonoridade.
c) abstrata, pois se afasta de situações cotidianas e, além disso, exprime um intenso sentimento de dor e de angústia.
d) de atmosfera intensamente misteriosa, criada pelo forte impulso de transfiguração da realidade imediata.

# Pré-Modernismo

## Contexto histórico e cultural

O século XX inicia-se com os conflitos que, em 1914, culminam na **Primeira Guerra Mundial**. Na Europa, as **inovações tecnológicas** e **científicas** contribuem para **novas formas de ver o mundo**, inclusive na arte. Novos experimentos estéticos dão origem a movimentos artísticos denominados **vanguardas**. Mas essa efervescência internacional não teve grande impacto junto aos artistas brasileiros da época, que preferiram voltar suas atenções para a contexto nacional.

Nas primeiras décadas do século XX, houve a **consolidação da República** e da **política do café com leite**, que impôs ao país os interesses de cafeicultores paulistas e pecuaristas mineiros. Grandes cidades como São Paulo e Rio de Janeiro, em plena **industrialização**, atraíam migrantes e imigrantes em busca de novas chances, mas nelas viam-se a desigualdade e a exclusão dos escravizados libertos.

Nesse novo contexto, o nacionalismo mais superficial dá lugar ao **nacionalismo crítico**, com o questionamento das formas de modernização e urbanização do Brasil, olhando para suas contradições, inclusive para o distanciamento entre o centro e as demais regiões do país.

## Retratos de um Brasil anônimo

Dialogando com essa proposta, a literatura pré-modernista propôs **representar o brasileiro anônimo**, com distanciamento e objetividade, porém ainda com base em formas literárias do século XIX, ou seja, sem inovações estéticas. Por esse motivo, considera-se o Pré-Modernismo uma **fase de transição**, e não uma corrente literária.

Essa reorientação de perspectiva foi favorecida pelo desenvolvimento da imprensa, responsável por formar um público leitor ávido por textos vinculados à atualidade. Basta lembrar que alguns dos expoentes do Pré-Modernismo, tais como Lima Barreto e Euclides da Cunha, foram jornalistas profissionais e, muitas vezes, valeram-se da linguagem ágil e objetiva do jornalismo em suas obras.

As reflexões do Pré-Modernismo foram influenciadas pelas teorias científicas do século XIX, como o **evolucionismo** (desenvolvida por Charles Darwin e que propunha, dentre outros elementos, a seleção natural, segundo a qual o ambiente seleciona os organismos mais aptos) e o **determinismo** (que propunha ser o homem o resultado de três fatores: o meio, a raça e o momento histórico). Os escritores abordam os problemas sociais levando em consideração a influência da história, do meio e da raça, mas em geral rejeitando o determinismo fatalista dos naturalistas. Retomam, igualmente, os princípios de **observação** e **análise** do Realismo, que possibilitam o retrato dos cidadãos comuns em sua rotina e situação social.

Algumas obras desse período ainda apresentam certa **influência da estética parnasiana**, embora os autores em geral tenham optado por se aproximar da **linguagem real** do brasileiro médio, afastando-se da padronização e do formalismo parnasianos bem quistos pelas elites, e buscando linguagem semelhante à jornalística.

Essa variedade é evidente quando são comparados os estilos dos mais importantes autores pré-modernistas:

- **Lima Barreto** e **Monteiro Lobato** optam por uma linguagem mais direta;
- **Euclides da Cunha** emprega um registro formal e rebuscado, embora muito diferente da estética parnasiana;
- o poeta **Augusto dos Anjos** é um caso ainda mais atípico, pois mesclou o apuro formal do Parnasianismo com elementos simbolistas e vocabulário do universo científico.

Como se vê, a designação "pré-modernismo" deve-se muito mais à semelhança de enfoque dado pelos autores do que à forma utilizada por eles.

### Lima Barreto

O trabalho de Lima Barreto como jornalista contribuiu para que ele transportasse para a literatura as cenas rotineiras, a linguagem objetiva e as personagens cotidianas, que deram à sua produção muito do universo da crônica. Artistas, militares, burocratas, entre tantos outros que conheceu ao longo da vida, foram fontes de inspiração para a vasta galeria de **tipos sociais** que perpassa seus contos e romances.

O nacionalismo crítico define seu principal romance, *Triste fim de Policarpo Quaresma*, em que o protagonista prevê um futuro de abundância para o Brasil e envolve-se em diversos projetos com o intuito de convencer as pessoas do potencial do país, porém fracassa.

O livro traz ainda outro tema bastante abordado em seus escritos: a burocracia que o Brasil enfrenta no período da Primeira República. No trecho abaixo, o narrador escancara o carreirismo de alguns funcionários:

Dona Quinota retirou-se. Este Genelício era o seu namorado. Parente ainda de Caldas, tinha-se como certo o seu casamento na família. A sua candidatura era favorecida por todos. Dona Maricota e o marido enchiam-no de festas. Empregado do Tesouro, já no meio da carreira, moço de menos de trinta anos, ameaçava ter um grande futuro. Não havia ninguém mais bajulador e submisso do que ele. Nenhum pudor, nenhuma vergonha! Enchia os chefes e os superiores de todo incenso que podia. Quando saía, remancheava, lavava três ou quatro vezes as mãos, até poder apanhar o diretor na porta. Acompanhava-o, conversava com ele sobre o serviço, dava pareceres e opiniões, criticava este ou aquele colega, e deixava-o no bonde, se o homem ia para casa. Quando entrava um ministro, fazia-se escolher como intérprete dos companheiros e deitava um discurso; nos aniversários de nascimento, era um soneto que começava sempre por – "Salve" – e acabava também por – "Salve! Três vezes Salve!".

LIMA BARRETO, A. H. de. *Triste fim de Policarpo Quaresma*. São Paulo: Ateliê Editorial, 2001. p. 53-54.

**Glossário**

**incenso**: bajulação, homenagem

**remanchear/ remanchar**: demorar-se, fazer algo muito lentamente

A questão racial também marca presença em muitas das suas narrativas, inspiradas pela própria condição do autor, que, negro, fora vítima do preconceito ao longo da vida.

No conto "O pecado", por exemplo, São Pedro acredita ter se equivocado ao condenar um homem de bom caráter, fiel e caridoso. No entanto, ao descobrir que se tratava de um negro ele o condena:

Acompanhado de dolorosos rangidos da mesa, o guarda-livros foi folheando o enorme *Registro* até encontrar a página própria, onde, com certo esforço, achou a linha adequada e com o dedo afinal apontou o assentamento e leu alto:

– P. L. C., filho de... neto de... bisneto de... – Carregador. 48 anos. Casado. Honesto. Caridoso. Leal. Pobre de espírito. Ignaro. Bom como são Francisco de Assis. Virtuoso como são Bernardo e meigo como o próprio Cristo. É um justo.

Depois com o dedo pela pauta horizontal e nas *Observações*, deparou qualquer coisa que o fez dizer de súbito:

– Esquecia-me... Houve engano. É! Foi bom você falar. Essa alma é a de um negro. Vai pro purgatório.

LIMA BARRETO, A. H. de. *Contos completos de Lima Barreto*. Org. SCHWARCZ, Lilia Moritz. São Paulo: Companhia das Letras, 2014.

## Euclides da Cunha

Assim como Lima Barreto, o também jornalista Euclides da Cunha expôs críticas ao Brasil da Primeira República. Em 1897, Euclides foi incumbido de fazer a cobertura jornalística do combate militar ao arraial de Canudos e deparou com a verdadeira face de desamparo dos sertanejos, que enfrentavam a seca e a difícil subsistência no sertão, sem qualquer apoio do Estado.

Da reportagem, nasceu sua obra-prima, *Os sertões*. A obra lança um olhar crítico sobre a atuação do governo e do Exército no episódio, ressaltando as diferenças entre a vida dos brasileiros nas regiões rurais e urbanas e condenando a organização social brasileira.

Como outras obras do período, *Os sertões* mantêm alguns traços da produção literária do século XIX, especialmente a **posição determinista**, evidenciada na análise da influência do meio físico sobre a raça miscigenada, reforçando seus defeitos.

A linguagem, por outro lado, faz de *Os sertões* uma obra à parte, já que é mais formal e estilizada e o autor se vale, frequentemente, de termos técnicos.

No trecho a seguir notamos a perspectiva determinista adotada pelo autor ao descrever Antônio Conselheiro:

Da mesma forma que o geólogo interpretando a inclinação e a orientação dos estratos truncados de antigas formações esboça o perfil de uma montanha extinta, o historiador só pode avaliar a altitude daquele homem, que por si nada valeu, considerando a psicologia da sociedade que o criou. Isolado, ele se perde na turba dos nevróticos vulgares. Pode ser incluído numa modalidade qualquer de psicose progressiva. Mas, posto em função do meio, assombra. É uma diátese, e é uma síntese. As fases singulares da sua existência não são, talvez, períodos sucessivos de uma moléstia grave, mas são, com certeza, resumo abreviado dos aspectos predominantes de mal social gravíssimo. Por isto o infeliz destinado à solicitude dos médicos veio, impelido por uma potência superior, bater de encontro a uma civilização, indo para a história como poderia ter ido para o hospício. Porque ele para o historiador não foi um desequilibrado. Apareceu como integração de caracteres diferenciais – vagos, indecisos, mal percebidos quando dispersos na multidão, mas enérgicos e definidos, quando resumidos numa individualidade.

Todas as crenças ingênuas, do fetichismo bárbaro às aberrações católicas, todas as tendências impulsivas das raças inferiores, livremente exercitadas na indisciplina da vida sertaneja, se condensaram no seu misticismo feroz e extravagante. Ele foi, simultaneamente, o elemento ativo e passivo da agitação de que surgiu. O temperamento mais impressionável apenas fê-lo absorver as crenças ambientes, a princípio numa quase passividade pela própria receptividade mórbida do espírito torturado de reveses, e elas refluíram, depois, mais fortemente, sobre o próprio meio de onde haviam partido, partindo da sua consciência delirante.

É difícil traçar no fenômeno a linha divisória entre as tendências pessoais e as tendências coletivas: a vida resumida do homem é um capítulo instantâneo da vida de sua sociedade...

Acompanhar a primeira é seguir paralelamente e com mais rapidez a segunda: acompanhá-las juntas é observar a mais completa mutualidade de influxos.

[...]

Cunha, Euclides da. *Os sertões*: campanha de Canudos. 2. ed. São Paulo: Ateliê Editorial/Imprensa Oficial do Estado, Arquivo do Estado, 2001. p. 252.

## Monteiro Lobato

A crítica social está presente também na obra de Monteiro Lobato, voltada, em grande parte, ao retrato do interior do estado de São Paulo em tempos de declínio da economia cafeeira. **Jeca Tatu**, um de seus tipos mais conhecidos, personifica a figura do caboclo – trabalhador rural mestiço de índio com branco –, que vive em isolamento, sem acesso à educação e aos demais serviços públicos.

O trecho a seguir, do artigo "Urupês" – retomado como título do livro posteriormente lançado, com 14 contos de mesmo tema –, explicita o uso da sátira para reforçar aspectos caricaturescos na descrição do caboclo, mostrado como figura quase selvagem, que se adapta à natureza em lugar de moldá-la para sua comodidade. Tal abordagem repete certas considerações acerca da degeneração racial promovida pela miscigenação em vigor no século XIX.

### Urupês

[...] Começa na morada. Sua casa de sapé e lama faz sorrir aos bichos que moram em toca e gargalhar ao joão-de-barro. Pura biboca de bosquímano. Mobília, nenhuma. A cama é uma espipada esteira de peri posta sobre o chão batido. Às vezes se dá ao luxo de um banquinho de três pernas – para os hóspedes. Três pernas permitem equilíbrio; inútil, portanto, meter a quarta, o que ainda o obrigaria a nivelar o chão. Para que assentos, se a natureza os dotou de sólidos, rachados calcanhares sobre os quais se sentam?

Nenhum talher. Não é a munheca um talher completo – colher, garfo e faca a um tempo?

No mais, umas cuias, gamelinhas, um pote esbeiçado, a pichorra e a panela de feijão.

Nada de armários ou baús. A roupa, guarda-a no corpo. Só tem dois parelhos; um que traz no uso e outro na lavagem.

[...]

Seus remotos avós não gozaram maiores comodidades. Seus netos não meterão quarta perna ao banco. Para quê? Vive-se bem sem isso.

[...]

Monteiro Lobato, J. B. R. *Urupês*. São Paulo: Brasiliense, 2004. p. 168-169.

## Augusto dos Anjos

Embora não tenha feito da literatura um instrumento de crítica social – como em algum momento o fizeram os demais expoentes do Pré-Modernismo –, Augusto dos Anjos foi autor de uma poesia singular, moderna, o que o filia a esse período de transição da literatura brasileira.

O poeta Augusto dos Anjos aliou o cuidado formal típico do Parnasianismo a influências diversas, trazendo a dor de existir simbolista mesclada ao materialismo e ao vocabulário do cientificismo naturalista.

Em sua lírica, a existência perde o valor diante da inevitabilidade da morte e da podridão, que é o destino de todos, e o prazer é visto somente como um alívio temporário para a angústia existencial. O uso de imagens repulsivas e incomuns confere à sua poética um caráter inusitado e, por vezes, chocante, como pode ser observado no soneto abaixo.

### Versos íntimos

Vês! Ninguém assistiu ao formidável
Enterro de tua última quimera.
Somente a Ingratidão – esta pantera –
Foi tua companheira inseparável!

Acostuma-te à lama que te espera!
O Homem, que, nesta terra miserável,
Mora, entre feras, sente inevitável
Necessidade de também ser fera.

Toma um fósforo. Acende teu cigarro!
O beijo, amigo, é a véspera do escarro,
A mão que afaga é a mesma que apedreja.

Se a alguém causa inda pena a tua chaga,
Apedreja essa mão vil que te afaga,
Escarra nessa boca que te beija!

ANJOS, Augusto dos. Disponível em: <http://www.releituras.com/aanjos_versos.asp>. Acesso em: 9 abr. 2015.

Podemos, dessa forma, organizar esquematicamente o Pré-Modernismo brasileiro da seguinte maneira:

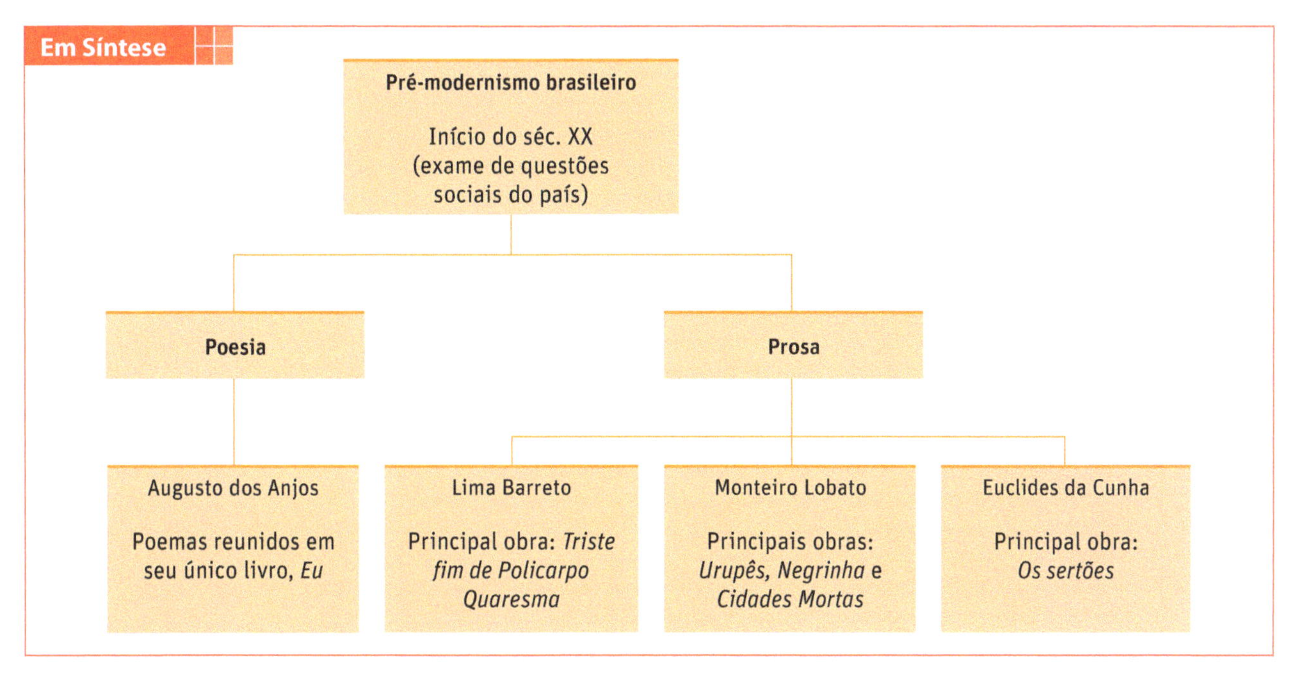

**(Uema)** Texto para as questões de **1** a **3**.

> Assim se apresentou o Conselheiro, em 1876, na vila do Itapicuru de Cima. Já tinha grande renome.
>
> Di-lo documento expressivo publicado aquele ano, na Capital do Império.
>
> "Apareceu no norte um indivíduo que se diz chamar Antônio Conselheiro, e que exerce grande influência no espírito das classes populares, servindo-se de seu exterior misterioso e costumes ascéticos, com que impõe à ignorância e à simplicidade.
>
> Deixou crescer a barba e cabelos, veste uma túnica de algodão e alimenta-se tenuemente, sendo quase uma múmia. Acompanhado de duas professas, vive a rezar terços e ladainhas e a pregar e a dar conselhos às multidões, que reúne, onde lhe permitem os párocos; e, movendo sentimentos religiosos, vai arrebanhando o povo e guiando-o a seu gosto. Revela ser homem inteligente, mas sem cultura."
>
> CUNHA, Euclides da. *Os sertões*. São Paulo: Círculo do Livro, 1979. p. 218-219 (Coleção Os Grandes Clássicos).

**1.** Considerando que o texto transcrito é um documento publicado na capital do Império sobre Antônio Conselheiro, segundo Euclides da Cunha, acerca da passagem "... e, movendo sentimentos religiosos, vai arrebanhando o povo e guiando-o a seu gosto" pode-se inferir que o processo histórico vivido pelas sociedades humanas é quase sempre traduzido ou revelado pelo(a)(s):

a) respeito total do governo a manifestações populares.
b) identificação cultural satisfatória entre governo e povo.
c) linguagem da supremacia, revelada com ironia.
d) discurso dos mandatários, de teor técnico e impessoal.
e) documentos éticos marcantes em defesa dos não esclarecidos.

**2.** Figurativamente, o termo múmia está apoiado em trechos citados anteriormente, marcado, sobretudo, por:

a) alimenta-se tenuemente.
b) deixou crescer a barba.
c) veste uma túnica de algodão.
d) vive a rezar.
e) deixou crescer a barba e o cabelo.

**3.** Considere as seguintes afirmativas sobre o trecho transcrito:

I. É tipicamente dissertativo, analisando com argumentação o retrato de um fanático, construindo uma tese sobre o assunto.
II. Caracteriza-se como narrativo posto que relata ações do protagonista, utilizando um foco descritivo em que apresenta aspectos físicos do protagonista.
III. O narrador apresenta fatos que determinam as ações dos personagens, de modo discursivo, sem caracterizações pessoais ou ambientais.
IV. O narrador, ao fazer uso de aspectos descritivos, escolhe aspectos físicos relacionados a aspectos psicológicos, que marcam as ações comportamentais dos personagens.

Está **correto** o que se afirma em:

a) IV, apenas.
b) III, apenas.
c) II, apenas.
d) II e IV, apenas.
e) II e III, apenas.

**(Unifesp)** Leia o trecho de *Triste fim de Policarpo Quaresma*, de Lima Barreto, para responder à questão de número **4**.

> Durante os lazeres burocráticos, estudou, mas estudou a Pátria, nas suas riquezas naturais, na sua história, na sua geografia, na sua literatura e na sua política. Quaresma sabia as espécies de minerais, vegetais e animais que o Brasil continha; sabia o valor do ouro, dos diamantes exportados por Minas, as guerras holandesas, as batalhas do Paraguai, as nascentes e o curso de todos os rios. [...]
>
> Havia um ano a esta parte que se dedicava ao tupi-guarani. Todas as manhãs, antes que a "Aurora com seus dedos rosados abrisse caminho ao louro Febo", ele se atracava até ao almoço com o Montoya, *Arte y diccionario de la lengua guarani ó más bien tupi*, e estudava o jargão caboclo com afinco e paixão. Na repartição, os pequenos empregados, amanuenses e escreventes, tendo notícia desse seu estudo do idioma tupiniquim, deram não se sabe por que em chamá-lo – Ubirajara. Certa vez, o escrevente Azevedo, ao assinar o ponto, distraído, sem reparar quem lhe estava às costas, disse em tom chocarreiro: "Você já viu que hoje o Ubirajara está tardando?".
>
> Quaresma era considerado no Arsenal: a sua idade, a sua ilustração, a modéstia e honestidade do seu viver impunham-no ao respeito de todos. Sentindo que a alcunha lhe era dirigida, não perdeu a dignidade, não prorrompeu em doestos e insultos. Endireitou-se, consertou o seu *pince-nez*, levantou o dedo indicador no ar e respondeu:
>
> – Senhor Azevedo, não seja leviano. Não queira levar ao ridículo aqueles que trabalham em silêncio, para a grandeza e a emancipação da Pátria.

**4.** Analise a frase:

> ... deram não se sabe por que em chamá-lo – Ubirajara.

a) Supondo-se que houvesse uma explicação de natureza literária para o apelido, a que obra estariam os empregados da repartição fazendo referência? Por quê?

b) Explique em que consiste a discriminação sofrida por Policarpo Quaresma, tomando como referência o apelido e a resposta dada por ele a Azevedo.

**5.** **(Unemat-MT)** Sobre *Triste fim de Policarpo Quaresma,* de Lima Barreto, pode-se afirmar:

a) é um poema épico que conta a história de Marechal Floriano.
b) é uma narrativa de ficção que conta a história de Brás Cubas.
c) é um livro de memórias escrito por Riobaldo Tatarana.
d) é um conto que narra a história de amor de Olga e Marechal Floriano.
e) é um romance em que é narrada a história de um brasileiro visionário.

**6.** **(Ufop-MG)** Leia com atenção o seguinte texto:

> Como uma cascavel que se enroscava,
> A cidade dos lázaros dormia...
> Somente, na metrópole vazia,
> Minha cabeça autônoma pensava!
>
> Mordia-me a obsessão má de que havia,
> Sob os meus pés, na terra onde eu pisava,
> Um fígado doente que sangrava
> E uma garganta de órfã que gemia!

Tentava compreender com as conceptivas
Funções do encéfalo as substâncias vivas
Que nem Spencer, nem Haeckel compreenderam...

E via em mim, coberto de desgraças,
O resultado de bilhões de raças
Que há muitos anos desapareceram!

ANJOS, Augusto dos. *Eu:* poesias. Porto Alegre: Mercado Aberto, 1998. p. 61.

Assinale a alternativa **incorreta**.

a) É possível observar, na construção desse texto, uma tal concentração no conteúdo que faz com que a forma fique bastante negligenciada.
b) Observa-se uma tendência bastante forte para a exploração de temas mórbidos e patológicos como nos demais poemas de Augusto dos Anjos.
c) Apresenta o poema um pendor para a representação de um cientificismo, mesmo que o impulso lírico seja uma constante presença.
d) Faz-se notar um pessimismo que, na sua exacerbação, acaba caminhando para um quase total aniquilamento.
e) Justificando a obra a que pertence, há, no poema, um individualismo bem nítido.

**7.** **(ESPM-SP)** Examine os textos:

[...] Há uma parada instantânea. Entrebatem-se, enredam-se, trançam-se e alteiam-se fisgando vivamente o espaço, e inclinam-se, embaralham-se milhares de chifres. Vibra uma trepidação no solo; e a boiada estoura...

A boiada arranca.

(*Os sertões*, de Euclides da Cunha)

As ancas balançam e as vagas de dorsos, das vacas e touros, batendo com as caudas, mugindo no meio, na massa embolada, com atritos de couros, estalos de guampas, estrondos de baques, e o berro queixoso do gado Junqueira, de chifres imensos, com muita tristeza, saudade dos campos, querência dos pastos, de lá do sertão...

(*O burrinho Pedrês*, de Guimarães Rosa)

Marque a afirmação **incorreta** sobre os textos apresentados:

a) Um elemento comum em ambos os fragmentos é a enumeração das ações do rebanho durante a condução da boiada.
b) Há recursos de musicalidade (aliterações) nas palavras ("milhares de chifres. Vibra uma trepidação", "dos pastos, de lá do sertão").
c) Guimarães Rosa preocupa-se com o ritmo e a reorganização da linguagem no fragmento.
d) O interesse principal na obra de Euclides da Cunha é a apresentação lírica dos hábitos sertanejos e a denúncia do sofrimento pelo trabalho exaustivo de vaqueiro.
e) A ambientação sertaneja e seus elementos caracterizadores estão presentes em ambos os fragmentos, sem preocupação com juízos sociais.

**8.** **(Mackenzie-SP)** A estrofe que **não** apresenta elementos típicos da produção poética de Augusto dos Anjos é:

a) Eu, filho do carbono e do amoníaco,
Monstro de escuridão e rutilância,
Sofro, desde a epigênese da infância,
A influência má dos signos do zodíaco.

b) Se a alguém causa inda pena a tua chaga,
Apedreja a mão vil que te afaga,
Escarra nessa boca que te beija!

c) Meia-noite. Ao meu quarto me recolho.
Meu Deus! E este morcego! E, agora, vede:
Na bruta ardência orgânica da sede,
Morde-me a goela ígneo e escaldante molho.

d) Beijarei a verdade santa e nua,
Verei cristalizar-se o sonho amigo...
Ó minha virgem dos errantes sonhos,
Filha do céu, eu vou amar contigo!

e) Agregado infeliz de sangue e cal,
Fruto rubro de carne agonizante,
Filho da grande força fecundante
De minha brônzea trama neuronial.

**(Unifesp)** Instrução: Leia o texto para responder às questões de números **9** e **10**.

### Apóstrofe à carne

Quando eu pego nas carnes do meu rosto,
Pressinto o fim da orgânica batalha:
– Olhos que o húmus necrófago estraçalha,
Diafragmas, decompondo-se, ao sol-posto.

E o Homem – negro e heteróclito composto,
Onde a alva flama psíquica trabalha,
Desagrega-se e deixa na mortalha
O tacto, a vista, o ouvido, o olfato e o gosto!

Carne, feixe de mônadas bastardas,
Conquanto em flâmeo fogo efêmero ardas,
A dardejar relampejantes brilhos,

Dói-me ver, muito embora a alma te acenda,
Em tua podridão a herança horrenda,
Que eu tenho de deixar para os meus filhos!

(Anjos, Augusto dos. *Obra completa*, 1994.)

**9.** No soneto de Augusto dos Anjos, é evidente:

a) a visão pessimista de um "eu" cindido, que desiste de conhecer-se, pelo medo de constatar o já sabido de sua condição humana transitória.

b) o transcendentalismo, uma vez que o "eu" desintegrado objetiva alçar voos e romper com um projeto de vida marcado pelo pessimismo e pela tortura existencial.

c) a recorrência a ideias deterministas que impulsionam o "eu" a superar seus conflitos, rompendo um ciclo que naturalmente lhe é imposto.

d) a vontade de se conhecer e mudar o mundo em que se vive, o que só pode ser alcançado quando se abandona a desintegração psíquica e se parte para o equilíbrio do "eu".

e) o uso de conceitos advindos do cientificismo do século XIX, por meio dos quais o poeta mergulha no "eu", buscando assim explorar seu ser biológico e metafísico.

**10.** No plano formal, o poema é marcado por:

a) versos brancos, linguagem obscena, rupturas sintáticas.

b) vocabulário seleto, rimas raras, aliterações.

c) vocabulário antilírico, redondilhas, assonâncias.

d) assonâncias, versos decassílabos, versos sem rimas.

e) versos livres, rimas intercaladas, inversões sintáticas.

# Vanguardas europeias e Modernismo português

## Contexto histórico e cultural

O século XX inicia-se com o agravamento das disputas entre os países da Europa, eclodindo a **Primeira Guerra Mundial** (1914-1918), conflito que vitimou mais de 20 milhões de pessoas, tendo sido um dos mais violentos da História. Nesse momento histórico, duas potências se consolidaram no cenário internacional: Estados Unidos e Rússia.

Na arte europeia, **novas experiências estéticas** motivadas pelo contexto sociocultural deram origem a diferentes correntes que, por **romperem radicalmente** com os padrões anteriores, chamaram-se **vanguardas**. As principais vanguardas europeias são:

- **Cubismo** (1907): reconstrução das imagens rompendo com os conceitos tradicionais de perspectiva e proporção, atribuindo ao observador o papel de decodificá-las.
- **Futurismo** (1909): inspirado pelas inovações tecnológicas, propunha forte rejeição às tradições e convenções.
- **Expressionismo** (1910): deformação da realidade para fazer uma leitura trágica e crítica do contexto social.
- **Dadaísmo** (1916): uso do *nonsense* (falta de sentido; absurdo) para criticar radicalmente a sociedade, propondo uma ruptura com a lógica e com a realidade e opondo-se a uma arte refletida e premeditada.
- **Surrealismo** (1924): surgiu no pós-guerra e, assim como o dadaísmo, rebelou-se contra a lógica, porém, voltando-se para o inconsciente, a loucura, os sonhos e os impulsos, motivado pelo advento da psicanálise.

Embora tenham surgido nas artes plásticas, as vanguardas europeias não tardaram a influenciar a literatura, dada a convivência entre pintores e escritores. A recusa à organização lógica passa então a ser aplicada à linguagem textual, como nos versos abaixo, do poeta francês Guillaume Apollinaire, nos quais a sequência de fragmentos revela a influência **cubista**:

[...]
Esta manhã vi uma rua cujo nome esqueci
Limpa e nova parecia o clarim do sol
Diretores operários e belas estenodatilógrafas
A percorrem quatro vezes por dia de segunda a sábado
De manhã três vezes ouve-se a sirene e seu gemido
E ao meio-dia o sino raivoso num ladrido
as placas, os anúncios, com seus gritos
Inscrições nos muros tabuletas ruidosos periquitos
sou sensível à graça desta rua industrial
Entre uma avenida e uma rua da França

APOLLINAIRE, Guillaume. In: FRIEDRICH, Hugo. *Estrutura da lírica moderna* (da metade do século XIX a meados do século XX). Trad. Dora F. da Silva. 2. ed. São Paulo: Duas Cidades, 1991. p. 217.

**Glossário**

**clarim**: espécie de corneta (no texto, em sentido figurado)
**estenodatilógrafo**: profissional que transcreve rapidamente textos falados
**ladrido**: latido, ruído estridente

A julgar pelos versos acima, a literatura das vanguardas é marcada por características como:

- **ausência de sinais de pontuação**;
- **elipses** (supressão de termos).

Além disso, o encadeamento lógico do texto é preterido em favor do **princípio da livre associação**, em que esse recurso deixa de ser oferecido ao leitor para apoiar a reconstrução dos sentidos.

No Surrealismo, tais características destacam-se ainda mais, pois o texto é regido por imagens oníricas, ilógicas, numa completa **espontaneidade**, como revelam os versos extraídos do poema “A união livre”, de André Breton, um dos principais representantes desse movimento, tendo sido, inclusive, o responsável por escrever o *Manifesto do Surrealismo* (1924).

### A união livre

Minha mulher com a cabeleira de fogo de lenha
Com pensamentos de relâmpagos de calor
Com a cintura de ampulheta
Minha mulher com a cintura de lontra entre os dentes de tigre
Minha mulher com a boca de emblema e de buquê de estrelas de primeira grandeza
Com dentes de rastros de rato branco sobre a terra branca
Com a língua de âmbar e vidro friccionado
Minha mulher com a língua de hóstia apunhalada
Com a língua de boneca que abre e fecha os olhos
Com a língua de pedra inacreditável
Minha mulher com cílios de lápis de cor para crianças
Com sobrancelhas de borda de ninho de andorinha
Minha mulher com têmporas de ardósia de teto de estufa
E de vapor nos vidros
Minha mulher com ombros de champanhe
E de fonte com cabeças de golfinhos sob o gelo
Minha mulher com pulsos de palitos de fósforo
Minha mulher com dedos de acaso e ás de copas
Com dedos de feno ceifado
Minha mulher com as axilas de marta e faia
De noite de São João
De ligustro e de ninho de carás
Com braços de espuma de mar e de eclusa
E mistura do trigo e do moinho
Minha mulher com pernas de foguete
Com movimentos de relojoaria e desespero
[...]

Breton, André. Trad. Claudio Willer. Disponível em: <https://claudiowiller.wordpress.com/tag/andre-breton/>. Acesso em: 2 abr. 2015.

## Modernismo em Portugal

Em Portugal, as disputas políticas continuaram após a **Proclamação da República** em 1910, e em 1926 um **governo direitista** chegou ao poder por meio de um golpe militar apoiado pela burguesia. Sete anos mais tarde, teve início a **ditadura** de Antonio de Oliveira Salazar, denominada **Estado Novo**, que perduraria até a **Revolução dos Cravos** (1974).

O nacionalismo português que marcou o início da República deu origem ao movimento do **saudosismo**, que se propôs a devolver aos portugueses o ânimo da gloriosa época da expansão marítima, mas visando novas realizações em vez da simples nostalgia. Do grupo de saudosistas vieram os artistas da **primeira geração** modernista portuguesa: Fernando Pessoa, Almeida Negreiros, Mário de Sá-Carneiro e o brasileiro Ronald de Carvalho.

Lançada em 1915, a revista *Orpheu*, apesar de ter se limitado a dois números, foi decisiva para a divulgação da nova consciência estética proposta por esses artistas, alinhada às inovações das vanguardas europeias. Embora sem uma orientação estética definida, o grupo que se reuniu em torno de sua publicação tinha o objetivo comum de balançar os alicerces da cultura de Portugal, então estacionada, com uma produção literária combativa e irreverente. Um de seus organizadores, Mário de Sá-Carneiro, apostava na rebeldia contra a estética vigente e, para isso, valia-se de recursos do Cubismo e do Futurismo, que o ajudaram a formular uma obra focada na modernidade em crise.

Já a **segunda geração** apoiou-se na publicação da revista *Presença*, lançada em 1927. A exemplo da geração anterior, os autores José Régio, João Gaspar Simões, Branquinho da Fonseca, Adolfo Casais Monteiro e Miguel Torga defenderam a originalidade e a inovação estética, sob o enfoque das incertezas da vida moderna. Uma das marcas dessa geração foi a recusa em imprimir um caráter social na literatura. Seu principal representante, José Régio, compôs uma obra caracterizada pela introspecção e tom dramático, mostrando o homem moderno em conflito, carente do absoluto e incompatível com a sociedade.

## Fernando Pessoa e os heterônimos

Fernando Pessoa é certamente o autor de maior destaque do Modernismo português. Além da literatura publicada em seu nome, é autor de obras assinadas por mais de setenta **heterônimos** com **características próprias**. Os principais são **Alberto Caeiro**, **Ricardo Reis** e **Álvaro de Campos**, que têm não só estilo próprio, mas também biografia e convicções ideológicas.

### Fernando Pessoa

A **obra lírica** assinada pelo próprio Fernando Pessoa, reunida em *Cancioneiro*, retoma a **tradição portuguesa** e tem duas inclinações. Uma delas é o **sensacionismo**, segundo o qual as experiências conscientes provêm de sensações, que podem ser expressas nas estruturas do poema. A outra é o **interseccionismo**, que invoca tais sensações para relacionar o mundo interior com o exterior, gerando um novo ambiente em que essas duas esferas são inseparáveis, como revela a estrofe a seguir, retirada do poema "Chuva oblíqua":

[...]
O porto que sonho é sombrio e pálido
E esta paisagem é cheia de sol deste lado...
Mas no meu espírito o sol deste dia é porto sombrio
E os navios que saem do porto são estas árvores ao sol...
[...]

Pessoa, Fernando. In: *Obra poética*. Rio de Janeiro: Nova Aguilar, 1986. p. 47.

A **metalinguagem** também se faz presente na obra do autor, que reflete sobre a vida e a arte e, frequentemente, aborda o tema da criação literária, principalmente a questão da **sinceridade** na literatura, como revelam os versos do célebre poema "Autopsicografia":

**Autopsicografia**

O poeta é um fingidor.
Finge tão completamente
Que chega a fingir que é dor
A dor que deveras sente.

E os que leem o que escreve,
Na dor lida sentem bem,
Não as duas que ele teve,
Mas só a que eles não têm.

E assim nas calhas de roda
Gira, a entreter a razão,
Esse comboio de corda
Que se chama coração.

Pessoa, Fernando. *O poeta fingidor*. São Paulo: Globo, 2009. p. 89.

**Glossário**

**calhas de roda**: trilhos
**comboio de corda**: trem de brinquedo

Pessoa também é autor de *Mensagem*, **obra épica** que escreveu ao longo da vida, em que narra a história e as glórias de Portugal, dialogando com *Os Lusíadas*, de Camões. *Mensagem* é associada ao movimento **saudosista**, mas também é marcada pela **ironia** com que retrata o desequilíbrio de heróis portugueses, como dom Sebastião. É uma obra **inovadora**, cujos temas recorrentes são a saudade e a melancolia, distanciando-se da estrutura rigorosa dos poemas épicos. O poema abaixo, "Mar portuguez", trata da forte relação entre a história portuguesa e o mar:

**Mar portuguez**

Ó mar salgado, quanto do teu sal
São lágrimas de Portugal!
Por te cruzarmos, quantas mães choraram,
Quantos filhos em vão resaram!
Quantas noivas ficaram por casar
Para que fosses nosso, ó mar!

Valeu a pena? Tudo vale a pena
Se a alma não é pequena.
Quem quer passar além do Bojador
Tem que passar além da dor.
Deus ao mar o perigo e o abismo deu,
Mas nelle é que espelhou o céu.

Pessoa, Fernando. *O poeta fingidor*. São Paulo: Globo, 2009. p. 33.

### Alberto Caeiro

A obra assinada por esse heterônimo tem caráter intelectual, abstrato e filosófico, e aborda o pensamento e o conhecimento. Apesar disso, defende a **simplicidade** no contato com as coisas, sem a interferência da racionalização, e o **uso dos sentidos** para viver o momento com **espontaneidade**, longe de idealizações e teorias. Por isso, Pessoa e os outros heterônimos o viam como seu mestre. No plano formal, sua poesia é caracterizada pela **simplicidade**: versos livres e brancos, linguagem simples e repetições, como se pode notar nos versos a seguir:

[...]
O mistério das cousas? Sei lá o que é mistério!
O único mistério é haver quem pense no mistério.
Quem está ao sol e fecha os olhos,
Começa a não saber o que é o sol
E a pensar muitas cousas cheias de calor.
Mas abre os olhos e vê o sol,
E já não pode pensar em nada,
Porque a luz do sol vale mais que os pensamentos
De todos os filósofos e de todos os poetas.
A luz do sol não sabe o que faz
E por isso não erra e é comum e boa.
[...]

Pessoa, Fernando. *O poeta fingidor*. São Paulo: Globo, 2009. p. 80.

## Ricardo Reis

Inspirado por Alberto Caeiro, Ricardo Reis exalta a **vida no campo** como forma de se aproximar da simplicidade e da espontaneidade, empregando a tradição do **Arcadismo**, que também influencia os aspectos formais de sua obra, haja vista o vocabulário erudito e a predileção por **odes**, forma poética da Antiguidade destinada ao canto. Trata-se do mais clássico dos heterônimos de Fernando Pessoa. Em seus versos, os temas mais presentes são a **inevitabilidade da morte**, a **moderação**, além de clichês árcades como ***carpe diem*** (viver o momento) e ***aurea mediocritas*** (felicidade no campo). Alguns desses temas estão presentes na ode a seguir, em que o eu lírico diz preferir passar a vida "silenciosamente" a viver "desassossegos grandes":

Vem sentar-te comigo, Lídia, à beira do rio.
Sossegadamente fitemos o seu curso e aprendamos
Que a vida passa, e não estamos de mãos enlaçadas.
(Enlacemos as mãos).

Depois pensemos, crianças adultas, que a vida
Passa e não fica, nada deixa e nunca regressa,
Vai para um mar muito longe, para ao pé do Fado,
Mais longe que os deuses.

Desenlacemos as mãos, porque não vale a pena cansarmo-nos.
Quer gozemos, quer não gozemos, passamos como o rio.
Mais vale saber passar silenciosamente
E sem desassossegos grandes.

PESSOA, Fernando. *O eu profundo e os outros eus*. Rio de Janeiro: Nova Fronteira, 1980. p. 185.

## Álvaro de Campos

O último heterônimo contrapõe-se aos demais por ser um **homem urbano**, influenciado pelo **Futurismo** em sua exaltação da técnica e da modernidade. Os poemas dessa vertente são caracterizados, entre outros aspectos, por onomatopeias (representação gráfica de ruídos) e frases exclamativas (a fim de expressar a euforia diante do progresso). Tais características podem ser notadas neste excerto de "Ode triunfal":

### Ode triunfal

À dolorosa luz das grandes lâmpadas elétricas da fábrica
Tenho febre e escrevo.
Escrevo rangendo os dentes, fera para a beleza disto,
Para a beleza disto totalmente desconhecida dos antigos.

Ó rodas, ó engrenagens, *r-r-r-r-r-r* eterno!
Forte espasmo retido dos maquinismos em fúria!
Em fúria fora e dentro de mim,
Por todos os meus nervos dissecados fora,
Por todas as papilas fora de tudo com que eu sinto!
Tenho os lábios secos, ó grandes ruídos modernos,
De vos ouvir demasiadamente de perto,
E arde-me a cabeça de vos querer cantar com um excesso
De expressão de todas as minhas sensações,
Com um excesso contemporâneo de vós, ó máquinas!
[...]

CAMPOS, Álvaro de. In: PESSOA, Fernando. *Obra poética*. Rio de Janeiro: Nova Aguilar, 1986. p. 240.

Todavia, a **postura entusiástica** é somente uma de suas fases. Há, por exemplo, uma vertente **pessimista**, cujos poemas refletem a **descrença** nessa mesma modernidade e a **crítica** à decadência das **relações humanas**, que causam amargura e vazio no eu lírico, como revelam estes versos de "Poema em linha reta":

**Poema em linha reta**

Nunca conheci quem tivesse levado porrada.
Todos os meus conhecidos têm sido campeões em tudo.

E eu, tantas vezes reles, tantas vezes porco, tantas vezes vil,
Eu tantas vezes irrespondivelmente parasita,
Indesculpavelmente sujo,
Eu, que tantas vezes não tenho tido paciência para tomar banho,
Eu, que tantas vezes tenho sido ridículo, absurdo,
Que tenho enrolado os pés publicamente nos tapetes das etiquetas,
Que tenho sido grotesco, mesquinho, submisso e arrogante,
Que tenho sofrido enxovalhos e calado,
Que quando não tenho calado, tenho sido mais ridículo ainda;
Eu, que tenho sido cômico às criadas de hotel,
Eu, que tenho sentido o piscar de olhos dos moços de fretes,
Eu, que tenho feito vergonhas financeiras, pedido emprestado sem pagar,
Eu, que, quando a hora do soco surgiu, me tenho agachado

Para fora da possibilidade do soco;
Eu, que tenho sofrido a angústia das pequenas coisas ridículas,
Eu verifico que não tenho par nisto tudo neste mundo.

Toda a gente que eu conheço e que fala comigo
Nunca teve um ato ridículo, nunca sofreu um enxovalho,
Nunca foi senão príncipe – todos eles príncipes – na vida...
[...]

Pessoa, Fernando. *Obra poética*. Rio de Janeiro: Nova Fronteira, 1986. p. 352-353.

Podemos, então, organizar o Modernismo português (cuja expressão maior é Fernando Pessoa) da seguinte forma:

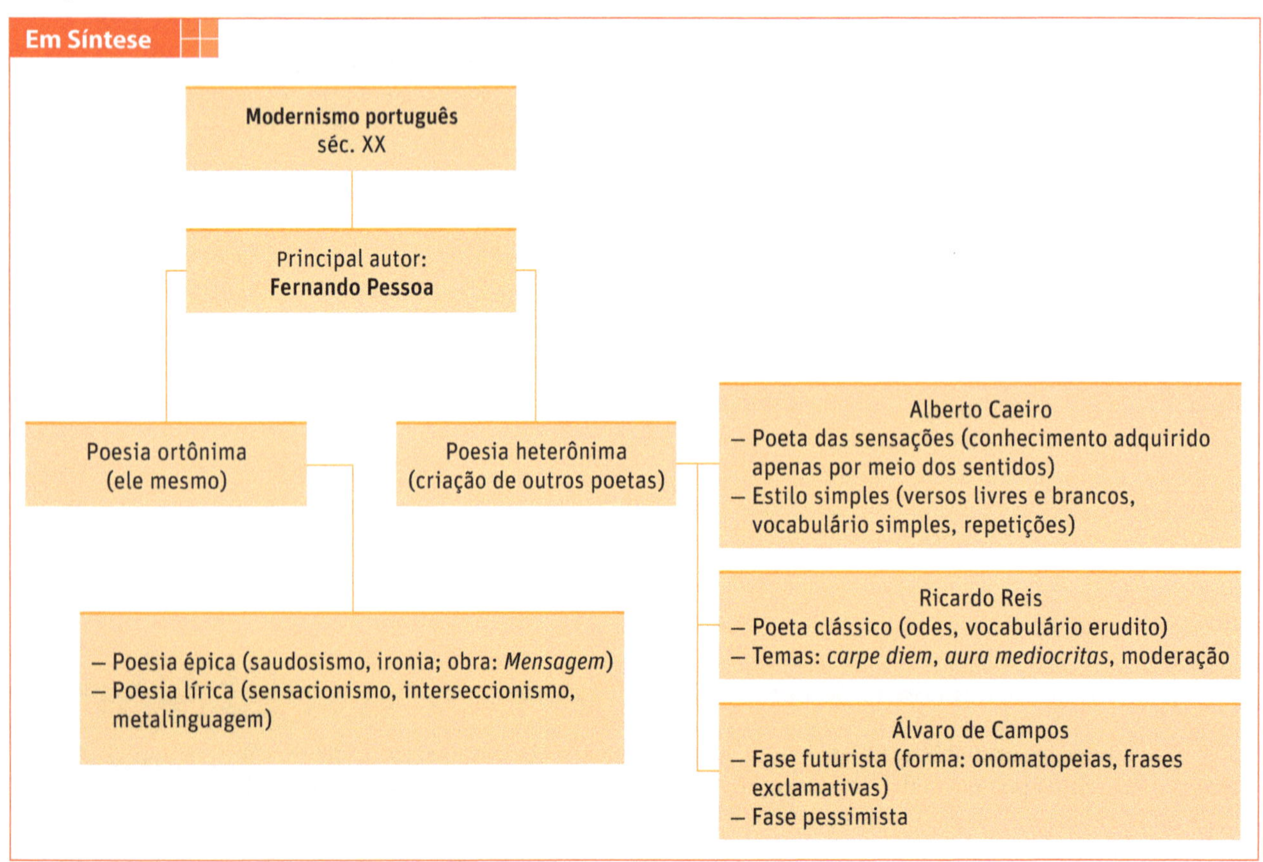

## Atividades

(Mackenzie-SP) Texto para as questões de 1 a 3.

> 1 O essencial é saber ver,
> 2 Saber ver sem estar a pensar,
> 3 Saber ver quando se vê,
> 4 E nem pensar quando se vê,
> 5 Nem ver quando se pensa.
> 6 Mas isso (triste de nós que trazemos a alma vestida!)
> 7 Isso exige um estudo profundo,
> 8 Uma aprendizagem de desaprender [...].
>
> Alberto Caeiro, heterônimo de Fernando Pessoa.

**1.** No contexto da obra do poeta, a imagem alma vestida (verso 6) pode ser **corretamente** compreendida assim:

a) Desde a infância o indivíduo incorpora valores culturais com os quais define sua percepção de mundo e de vida.

b) O ser humano é fundamentalmente mesquinho: nunca se revela sincero nos relacionamentos.

c) Porque nascemos com o pecado original, a realização religiosa estará sempre comprometida.

d) A essência da alma humana é inatingível.

e) Nosso espírito está sempre protegido dos apelos mundanos.

**2.** As estrofes confirmam a ideia de que, para Caeiro, o homem deve estabelecer com o mundo uma relação eminentemente:

a) metafísica.

b) emotiva.

c) racional.

d) sensorial.

e) espiritual.

**3.** Considere os seguintes aspectos da poesia de Caeiro: a liberdade formal, o vocabulário simples e a tendência ao discurso redundante. No contexto da obra do poeta esses traços:

a) são coerentes com o modo de ser despojado de um eu que busca integrar-se plenamente na natureza, avesso, portanto, a requintes estéticos.

b) são índices da relevante influência que o movimento futurista exerceu sobre Fernando Pessoa, criador do heterônimo.

c) são reflexos do equilíbrio interior de Caeiro, coerente, pois, com uma concepção clássica de vida.

d) revelam certa falta de maturidade estética do próprio Fernando Pessoa, já que Caeiro foi seu primeiro heterônimo.

e) são contrários a uma proposta modernista e, por isso, coerentes com o fato de esse heterônimo, segundo seu criador, ter vivido em época muito antiga.

**4.** (Uepa)

> Como aludido, Ricardo Reis é um poeta doutrinário. Ele considera a existência humana um jogo em que, por definição, sairemos derrotados – o xeque-mate nos é aplicado pelas mãos hábeis e insondáveis do Destino.
>
> Oliveira, Paulo. Revista *Discutindo Literatura*, ano 1, 2. ed.

Segundo a citação, Ricardo Reis — heterônimo pagão de Fernando Pessoa — põe a existência humana nas mãos das forças irrevogáveis do Destino. Há momentos em que seus versos inflamam-se de tamanha consciência da brevidade da vida, que beiram a um pessimismo esnobe por considerar-se único sabedor de que tudo passa. Deste modo investe-se de certo didatismo e convida o

leitor a atentar para a consciência de que nada somos, de que nada sabemos. Com base na citação e nessa afirmação, interprete os versos em que o poeta, afastando-se dessa linha, propõe uma meta apenas para si próprio.

a) "Ninguém, na vasta selva virgem
Do mundo inumerável, finalmente
Vê o Deus que conhece."

b) "Seja qual for o certo,
Mesmo para com esses
Que cremos sejam deuses, não sejamos
Inteiros numa fé talvez sem causa."

c) "Deixemos, Lídia, a ciência que não põe
Mais flores do que a Flora pelos campos
Nem dá de Apolo ao carro
Outro curso que Apolo."

d) "Quero ignorado, e calmo
Por ignorado, e próprio
Por calmo encher meus dias.
De não querer mais deles."

e) "Não te destines que não és futura.
Quem sabe se, entre a taça que esvazias,
E ela de novo enchida, não te há sorte
Interpõe o abismo?"

5. **(Unicamp-SP)** No poema abaixo, Alberto Caeiro compara o trabalho do poeta com o do carpinteiro.

### XXXVI

E há poetas que são artistas
E trabalham nos seus versos
Como um carpinteiro nas tábuas! ...

Que triste não saber florir!
Ter que pôr verso sobre verso, como quem constrói um muro
E ver se está bem, e tirar se não está! ...
Quando a única casa artística é a Terra toda
Que varia e está sempre bem e é sempre a mesma.

Penso nisto, não como quem pensa, mas como quem respira,
E olho para as flores e sorrio...
Não sei se elas me compreendem
Nem se eu as compreendo a elas,
Mas sei que a verdade está nelas e em mim
E na nossa comum divindade
De nos deixarmos ir e viver pela Terra
E levar ao colo pelas Estações contentes
E deixar que o vento cante para adormecermos
E não termos sonhos no nosso sono.

Poemas completos de Alberto Caeiro. In: Pessoa, Fernando. *Obra poética*. Rio de Janeiro: Nova Aguilar, 1983. p. 156.

a) Por que tal comparação é feita? Por que ela é rejeitada pelo eu lírico na segunda estrofe do poema? Justifique sua resposta.

b) Identifique duas características próprias da visão de mundo de Alberto Caeiro presentes na terceira estrofe. Justifique sua resposta.

6. (ESPM-SP)

### Dactilografia

Traço, sozinho, no meu cubículo de engenheiro, o plano,
Firmo o projecto, aqui isolado,
Remoto até de quem eu sou.

Ao lado, acompanhamento banalmente sinistro,
O tic-tac estalado das máquinas de escrever.

Que náusea da vida!
Que abjecção esta regularidade!
Que sono este ser assim!
Outrora, quando fui outro, eram castelos e cavalarias

Outrora, quando fui verdadeiro ao meu sonho,
Eram grandes paisagens do Norte, explícitas de neve,
Eram grandes palmares do Sul, opulentos de verdes.

Outrora...

Ao lado, acompanhamento banalmente sinistro,
O tic-tac estalado das máquinas de escrever.

Temos todos duas vidas:
A verdadeira, que é a que sonhamos na infância,
E que continuamos sonhando, adultos, num substracto de névoa;
A falsa, que é a que vivemos em convivência com outros,
Que é a prática, a útil,
Aquela em que acabam por nos meter num caixão.
Na outra não há caixões, nem mortes.
Há só ilustrações de infância:
Grandes livros coloridos, para ver mas não ler;
Grandes páginas de cores para recordar mais tarde.
Na outra somos nós,
Na outra vivemos;
Nesta morremos, que é o que viver quer dizer.
Neste momento, pela náusea, vivo na outra...

Mas ao lado, acompanhamento banalmente sinistro,
Se, desmeditando, escuto,
Ergue a voz o tic-tac estalado das máquinas de escrever.

PESSOA, Fernando. *Poesia completa de Álvaro de Campos*. São Paulo: Companhia das Letras, 2010. p. 438-439.

Álvaro de Campos, um dos heterônimos de Fernando Pessoa, é o poeta angustiado do século XX, urbano, descrente dos valores tradicionais. Sobre o poema acima, assinale a afirmação **não** condizente:

a) Nos primeiros versos, o trabalho em seu escritório é realçado pela solidão e perda da identidade.
b) Há uma oposição básica no texto entre a vida anterior, da infância, onírica, verdadeira e feliz, e a vida adulta presente, falsa e infeliz.
c) De teor niilista ou profundamente pessimista, o "eu" poético aponta o aspecto angustiante de uma existência repetitiva e enfadonha.
d) Ressalta a infeliz necessidade de se viver de aparências na sociedade, fato que aprisiona e mata o ser humano.
e) Lamenta o fato de não ter conseguido ler os "grandes livros coloridos" da infância, apenas visto suas ilustrações.

# Modernismo no Brasil – Primeira geração

## Contexto histórico e cultural

O século XX começou no Brasil com governos que contribuíam para a manutenção dos interesses das oligarquias rurais dada a relevância da exportação cafeeira para a economia.

Com o avanço do processo de **industrialização**, a necessidade de novos profissionais especializados criou oportunidades para as **classes não dominantes**. A migração interna, motivada pela crise da cultura canavieira, alterou a estrutura social, que se transformou ainda mais com o grande contingente de **imigrantes europeus** que chegou ao país.

A experiência política e sindical dos imigrantes contribuiu para a difusão de **ideias socialistas** e para a luta por melhores condições de trabalho. Nesse contexto cresceram as **tensões políticas**, também impulsionadas pela fundação do **Partido Comunista Brasileiro** e pelo **movimento tenentista**.

A **burguesia industrial** em ascensão, que alçou **São Paulo** à condição de **estado líder**, ganhou destaque nesse momento de mudanças. A cidade tornou-se propícia para ser o berço da **vanguarda intelectual** que surgia. O projeto modernista então concebido não visava, contudo, o envolvimento político: sua proposta era derrubar os padrões estéticos conservadores e expressar a **nova realidade cosmopolita** e **industrializada**, em harmonia com as aspirações da **nova burguesia**.

## Semana de Arte Moderna de 1922 e seus desdobramentos

Em fevereiro de 1922, ocorreu, no Teatro Municipal de São Paulo, a **Semana de Arte Moderna**, uma mostra de artes plásticas, acompanhada por apresentações literárias e musicais. De caráter contestador, o evento contribuiu para a consolidação do Modernismo, por ter promovido a reunião da produção artística de vanguarda e a discussão das novas tendências.

Nos anos seguintes, várias publicações e manifestos alimentaram tal discussão, dentre as quais destacam-se dois movimentos liderados por Oswald de Andrade:

- ***Manifesto da poesia Pau-Brasil*** (1924), que propunha o resgate das raízes das culturas indígena e africana e sua incorporação a uma poesia sem preconceito linguístico, que valorizasse a produção cultural brasileira;
- ***Manifesto antropófago*** (1928), cuja proposta era a de que o artista brasileiro "devorasse" as tendências europeias e, ao digeri-las, criasse uma nova arte nacional.

## Arte da primeira geração

Uma das propostas fundamentais da primeira geração do Modernismo foi a valorização da cultura nacional. Esta deveria ser a base da produção artística, que deveria incorporar influências modernas do exterior, sem abrir mão da autenticidade brasileira. Em sua reflexão sobre a formação da cultura local, os modernistas reconheceram a mistura de fatores culturais nacionais e estrangeiros, recuperando, inclusive, conteúdos da cultura nativa nacional, porém, de forma crítica.

O movimento em direção ao universo nacional evidenciou-se, igualmente, na **inclusão da fala popular** nos experimentos estéticos dessa geração, que se distanciava radicalmente dos recursos formais consagrados por parnasianos e simbolistas.

Essas inovações acabaram confrontando o gosto da burguesia, que compunha a maior parte do público com acesso à nova produção. A preferência pela estética mais conservadora persistia, já que a maioria não compreendia a ruptura brusca com os padrões anteriores e, por isso, acabou, inclusive, tornando-se alvo da crítica dos artistas, independentemente de estes precisarem dos recursos burgueses para viabilizar sua arte.

A primeira geração do Modernismo retratou **temas do cotidiano**, como o **movimento das metrópoles** e os **acontecimentos prosaicos**. No plano formal, destacou-se o **experimentalismo com a linguagem**, visando, entre outros aspectos, aproximar-se da fala simples do **brasileiro comum**.

Ao buscarem a afirmação da **identidade nacional**, os modernistas dialogaram com o Romantismo; porém, ao contrário daquele movimento artístico, rejeitaram mitos heroicos, optando por um **retrato não idealizado** do nativo brasileiro. Nota-se, portanto, uma reflexão crítica sobre o **ser brasileiro**. Os principais nomes da primeira geração do Modernismo brasileiro foram Mário de Andrade, Oswald de Andrade, Manuel Bandeira, Alcântara Machado e Raul Bopp.

## Mário de Andrade

Artista muito produtivo, Mário de Andrade foi uma das fontes da inquietação e da inventividade que marcaram o Modernismo brasileiro. Foi poeta, romancista, contista, músico, agitador cultural e um dos mais importantes pesquisadores da cultura nacional. Sua poesia múltipla e complexa exemplifica os caminhos que a literatura modernista percorreu. No "Prefácio interessantíssimo" de seu livro *Pauliceia desvairada* (1921), Mário explicou a relação de sua obra poética com as tendências tradicionais e vanguardistas. Entre essas últimas, defendia o uso da língua brasileira (próxima ao registro falado pelo povo), do verso livre e da escrita automática, recurso popular entre os surrealistas. Esse trânsito permanente entre cultura popular e cultura erudita, algo tão marcante em sua carreira, pode ser sintetizado no verso final do poema "O trovador", no qual se diz um "tupi" (indígena) "tangendo um alaúde" (instrumento de cordas que remete à cultura europeia):

### O trovador

Sentimentos em mim do asperamente
dos homens das primeiras eras...
As primaveras de sarcasmo
intermitentemente no meu coração arlequinal...
Intermitentemente...
Outras vezes é um doente, um frio
na minha alma doente como um longo som redondo...
Cantabona! Cantabona!
Dlorom...

Sou um tupi tangendo um alaúde!

ANDRADE, Mário de. *Poesias completas*. São Paulo: Edusp, 1987. p. 83.

*Macunaíma: o herói sem nenhum caráter*, de 1928, é o grande destaque de sua prosa. A metamorfose do "herói de nossa gente" – que dá nome à obra – em negro, branco e indígena ao longo da narrativa torna-o uma representação do povo brasileiro. A obra evidencia traços do Modernismo no Brasil, como a ruptura com a tradição dos heróis idealizados e o retrato de nossa cultura nativa, além de se valer da linguagem inventiva, com recursos como a **omissão de pontuação** e o **uso de termos coloquiais**. Veja o trecho inicial da obra.

No fundo do mato-virgem nasceu Macunaíma, herói da nossa gente. Era preto retinto e filho do medo da noite. Houve um momento em que o silêncio foi tão grande escutando o murmurejo do Uraricoera, que a índia tapanhumas pariu uma criança feia. Essa criança é que chamaram de Macunaíma.

Já na meninice fez coisas de sarapantar. De primeiro passou mais de seis anos não falando. Si o incitavam a falar exclamava:

— Ai! que preguiça!...

e não dizia mais nada. Ficava no canto da maloca, trepado no jirau de paxiúba, espiando o trabalho dos outros e principalmente os dois manos que tinha, Maanape já velhinho e Jiguê na força do homem. O divertimento dele era decepar cabeça de saúva. Vivia deitado mas si punha os olhos em dinheiro, Macunaíma dandava pra ganhar vintém. E também espertava quando a família ia tomar banho no rio, todos juntos e nus. Passava o tempo do banho dando mergulho, e as mulheres soltavam gritos gozados por causa dos guaiamuns diz-que habitando a água-doce por lá.

ANDRADE, Mário de. *Macunaíma*: o herói sem nenhum caráter. Rio de Janeiro: Agir, 2008. p. 13-14.

## Oswald de Andrade

Oswald de Andrade ajudou a dar forma ao Modernismo com seus manifestos e seu livro de poemas *Pau-Brasil*, marcado por **experimentos de linguagem** e irreverência, como evidencia o poema "Relicário". Nele, um nobre de nome "Conde d'Eu" valoriza, em português coloquial, produtos brasileiros:

**Relicário**

No baile da Corte
Foi o Conde d'Eu quem disse
Pra Dona Benvinda
Que farinha de Suruí
Pinga de Parati
Fumo de Baependi
É comê bebê pitá e caí

ANDRADE, Oswald de. *Pau-Brasil*. 5. ed. São Paulo: Globo, 1991. p. 88.

Sua linguagem sintética e prosaica é também explorada na prosa. Em *Memórias sentimentais de João Miramar* e *Serafim Ponte Grande*, obras fundamentais do Modernismo, Oswald ora satiriza por meio da paródia a linguagem pomposa combatida pelos modernistas, ora empreende uma linguagem ágil, responsável pela libertação da sintaxe tradicional. No excerto abaixo, extraído de *Serafim Ponte Grande*, as falas curtas e sem mediação promovem essa agilidade narrativa:

[...]
— Como são finas as tuas meias!
— Malha 2360.
— São duráveis?
— Duram três, quatro horas...

*O mar lá fora urra querendo entrar em Guanabara.*

— Não. Lindas são as minhas calças. Olha, ninguém tem este recortezinho... Mas como estás mudo... sem espírito...
— Comovido porque te conquistei...
— Não. Não é uma conquista...
— Que é então?
— Uma revanche...
— De quê?
— Da vida.

ANDRADE, Oswald de. *Serafim Ponte Grande*. 9. ed. São Paulo: Globo, 2007. p. 106.

## Manuel Bandeira

Um dos poetas brasileiros de maior relevância, Manuel Bandeira fez experimentos com as estéticas romântica e simbolista antes de chegar ao **lirismo prosaico** de **linguagem coloquial** que se tornaria sua marca registrada. Entre suas obras mais representativas estão *Libertinagem* e *Estrela da manhã*. A aproximação com Mário de Andrade o levou a compor poemas mais espontâneos, em **versos livres**, afinados com os ideais do Modernismo, movimento que defendeu ardorosamente, como revelam os versos combativos do poema "Poética":

**Poética**

Estou farto do lirismo comedido
do lirismo bem comportado
Do lirismo funcionário público com livro de ponto
[expediente protocolo e manifestações
[de apreço ao Sr. diretor
Estou farto do lirismo que para e vai averiguar no
[dicionário o cunho vernáculo de um
[vocábulo
Abaixo os puristas.

Todas as palavras sobretudo os barbarismos
[universais
Todas as construções sobretudo as sintaxes de
[exceção
Todos os ritmos sobretudo os inumeráveis
[...]

BANDEIRA, Manuel. *Poesia completa e prosa*. Rio de Janeiro: Nova Aguilar, 1996. p. 207.

Sem abandonar os elementos dos primeiros anos do Modernismo, Bandeira foi estabelecendo uma **poética própria** ao longo dos anos. Temas como a infância, acontecimentos rotineiros, o erotismo e a vida nas ruas aparecem muitas vezes conjugados com a **ausência** e a **morte**, marcas de sua poesia.

Nos versos abaixo, extraídos do poema "Profundamente", a rememoração da infância é carregada de melancolia pois leva o eu lírico a relembrar entes queridos já falecidos:

[...]
Quando eu tinha seis anos
Não pude ver o fim da festa de São João
Porque adormeci

Hoje não ouço mais as vozes daquele tempo
Minha avó
Meu avô
Totônio Rodrigues
Tomásia
Rosa
Onde estão todos eles?

— Estão todos dormindo
Estão todos deitados
Dormindo
Profundamente.

BANDEIRA, Manuel. *Estrela da vida inteira*. Rio de Janeiro: Nova Fronteira, 1999. p. 139.

Em outro poema célebre de Bandeira, o eu lírico busca na mítica "Pasárgada" o refúgio para sua vida triste.

**Vou-me embora pra Pasárgada**

Vou-me embora pra Pasárgada
Lá sou amigo do rei
Lá tenho a mulher que eu quero
Na cama que escolherei

Vou-me embora pra Pasárgada
Vou-me embora pra Pasárgada
Aqui eu não sou feliz
Lá a existência é uma aventura
De tal modo inconsequente
Que Joana a Louca de Espanha
Rainha e falsa demente
Vem a ser contraparente
Da nora que eu nunca tive

E como farei ginástica
Andarei de bicicleta
Montarei em burro brabo
Subirei no pau de sebo
Tomarei banhos de mar!
E quando estiver cansado
Deito na beira do rio
Mando chamar a mãe-d'água
Pra me contar as histórias
Que no tempo de eu menino
Rosa vinha me contar
Vou-me embora pra Pasárgada

Em Pasárgada tem tudo
É outra civilização
Tem um processo seguro
De impedir a concepção
Tem telefone automático
Tem alcaloide à vontade
Tem prostitutas bonitas
Para a gente namorar

E quando eu estiver mais triste
Mas triste de não ter jeito
Quando de noite me der
Vontade de me matar
– Lá sou amigo do rei –
Terei a mulher que eu quero
Na cama que escolherei
Vou-me embora pra Pasárgada

BANDEIRA, Manuel. *Poesia completa e prosa*. Rio de Janeiro: Nova Aguilar, 1996. p. 222.

**Glossário**

**alcaloide**: tipo de substância química presente em algumas drogas, tanto medicinais quanto psicotrópicas

**contraparente**: parente distante

**Joana a Louca de Espanha**: rainha espanhola que viveu de 1479 a 1555, e que recebeu o epíteto "a Louca"

Em oposição à triste vida cotidiana do eu lírico ("Aqui eu não sou feliz"), a imaginária Pasárgada é um lugar de aventuras, de excessos, onde convivem o passado longínquo das histórias de cavalaria ("Lá sou amigo do rei"), as brincadeiras da infância ("Montarei em burro brabo / Subirei no pau de sebo") e a modernidade ("É outra civilização [...] Tem telefone automático"). Importante ressaltar que essa simultaneidade entre a cultura popular (brincadeira do pau de sebo, a personagem folclórica "mãe-d'água") e a modernidade ("É outra civilização / Tem um processo seguro / De impedir a concepção / Tem telefone automático") é uma das principais características do Modernismo. Quanto à forma, Bandeira emprega a redondilha maior, ou seja, versos de sete sílabas poéticas, o que dá musicalidade ao poema. Trata-se, portanto, de um poema em que Bandeira conjuga ideais modernistas e marcas de poética própria.

## Alcântara Machado

A vida dos imigrantes, principalmente os italianos, foi o principal universo da **prosa** de Antônio de Alcântara Machado. Um dos primeiros grandes autores do Modernismo paulista, retratou como ninguém a **agitação da metrópole** nas primeiras décadas do século XX. O **estilo cinematográfico** e a **linguagem coloquial** e **concisa**, assim como as **onomatopeias**, os **estrangeirismos** e a **sintaxe inovadora**, são recursos por meio dos quais representa um **período de profundas mudanças** na sociedade brasileira. Boa parte dessas características podem ser notadas no fragmento a seguir, extraído de seu livro de contos *Brás, Bexiga e Barra Funda*:

[...]

O esperado grito do cláxon fechou o livro de Henri Ardel e trouxe Teresa Rita do escritório para o terraço.

O Lancia passou como quem não quer. Quase parando. A mão enluvada cumprimentou com o chapéu Borsalino. Uiiiiia–uiiiiia! Adriano Melli calcou o acelerador. Na primeira esquina fez a curva. Veio voltando. Passou de novo. Continuou. Mais duzentos metros. Outra curva. Sempre na mesma rua. Gostava dela. Era a Rua da Liberdade. Pouco antes do número 259-C já sabe: uiiiiia-uiiiiia!

[...]

MACHADO, Antonio de Alcântara. *Novelas paulistanas*. Rio de Janeiro: Ediouro, 2005. p. 38-39.

**Glossário**

**calcar**: pisar com força

**cláxon**: buzina

**Henri Ardel**: pseudônimo de uma autora francesa que escrevia romances sentimentais

## Raul Bopp

O poeta gaúcho Raul Bopp empenhou-se em retomar mitos e lendas das **culturas negra** e **indígena** e em fazer um panorama da **situação dos negros** no Brasil. Sua obra mais importante é o poema narrativo *Cobra Norato*, cujo enredo narra a história de uma jovem que, após estrangular a Cobra Norato em plena Amazônia, entra no corpo do animal, onde vive aventuras repletas de referências mitológicas. Dividido em 33 partes, o poema possui imagens justapostas, técnica semelhante a uma montagem cinematográfica.

XI

Acordo
A lua nasceu com olheiras
O silêncio dói dentro do mato

Abriram-se as estrelas
As águas grandes se encolheram com sono

A noite cansada parou

Ai compadre!

Tenho vontade de ouvir uma música mole
que se estire por dentro do sangue;
música com gosto de lua
e do corpo da filha da rainha Luzia

Levei puçanga de cheiro
e casca de tinhorão
fanfan com folhas de trevo
e raiz de mucura-cáa.

Mas nada deu certo...

Ando com uma jurumenha
que faz um doizinho na gente
e morde o sangue devagarinho.
[...]

Bopp, Raul. *Poesia completa de Raul Bopp*. Rio de Janeiro: José Olympio; São Paulo: Edusp, 1998. p. 160-165.

Podemos, então, organizar a primeira fase do Modernismo brasileiro da seguinte forma:

Todas as questões foram reproduzidas das provas originais de que fazem parte.

## Atividades

1. (PUC-RS) Para responder, ler o trecho de *Memórias sentimentais de João Miramar*, de Oswald de Andrade.

> A costa brasileira depois de um pulo de farol sumiu como um peixe. O mar era um oleado azul. O sol afogado queimava arranha-céus de nuvens.
>
> Dois pontos sujaram o horizonte faiscando longínquos bons dias sem fio.
>
> Os olhos hipócritas dos viajantes andavam longe dos livros – agora polichinelos sentados nas cadeiras vazias.

A aproximação do texto literário à prosa cinematográfica, caracterizada pela ________, permite afirmar que o fragmento acima, de autoria de Oswald de Andrade, enquadra-se na estética ________ .

a) simultaneidade de imagens — modernista
b) exaltação de objetos — romântica
c) presença da ironia — realista
d) idealização da paisagem — pós-moderna
e) exploração do local — simbolista

**(Udesc)** De acordo com a leitura do excerto da obra *Macunaíma*, de Mário de Andrade, responda à questão **2**.

> **Vei, a Sol**
>
> [...]
>
> Quando Vei com suas filhas chegaram do dia e era boca da noite as moças que vinham na frente e encontraram Macunaíma e a portuguesa brincando mais. Então as três filhas de luz se zangaram:
>
> — Então é assim que se faz, herói! Pois nossa mãe Vei não falou pra você não sair da jangada e não ir brincar com outras cunhãs por aí?!
>
> — Estava muito tristinho! o herói fez.
>
> — Não tem que tristinho nem mané tristinho, herói! Agora que você vai tomar um pito de nossa mãe Vei!
>
> E viraram muito zangadas pra velha:
>
> — Veja, nossa mãe Vei, o que vosso genro fez! Nem bem a gente foi no cerradão que ele escapuliu, deu em cima duma boa, trouxe ela na vossa jangada e brincaram até mais não! Agora estão se rindo um pro outro!
>
> Então a Sol se queimou e ralhou assim:
>
> — Ara ara, ara, meus cuidados! Pois não falei pra você não dar em cima de nenhuma cunhã não!... Falei sim! E inda por cima você brinca com ela na jangada minha e agora estão se rindo um pro outro!
>
> — Estava muito tristinho! Macunaíma repetiu.
>
> — Pois si você tivesse me obedecido casava com uma de minhas filhas e havia de ser sempre moço e bonitão. Agora você fica pouco tempo moço tal-qualmente os outros homens e depois vai ficando mocetudo e sem graça nenhuma. Macunaíma sentiu vontade de chorar. Suspirou.
>
> — Si eu soubesse...
>
> ANDRADE, Mário de. *Macunaíma*: o herói sem nenhum caráter. p. 56-57.

2. Assinale a alternativa **correta**:

a) Macunaíma trai o pacto que fizera com Vei e, por isso, perde a imortalidade bem como a oportunidade de iniciar uma nova família: casar-se com uma das filhas de Vei.
b) Quando as filhas da luz encontraram Macunaíma brincando com outras cunhãs, justificaram a atitude dele pela tristeza em que se encontrava.
c) A mãe Vei, que era mensageira da luz, zangara-se com a portuguesa ao encontrá-la brincando com Macunaíma, pois tencionava transformá-la em uma cunhã.

d) As expressões “E inda por cima...” e “Si eu soubesse...” constituem infrações ao padrão formal da língua escrita, em relação à ortografia, o que fere um dos objetivos da nova proposta da corrente modernista.

e) Da oração “Estava muito tristinho! o herói fez” infere-se que Macunaíma, ardiloso como era, tentava arranjar argumentos para convencer a cunhã a brincar com ele novamente.

**(UFPel-RS – adaptada)** Os textos a seguir servirão de suporte para as questões **3** e **4**.

Malba, Buenos Aires. Fotografia: ID/BR

Tarsila do Amaral. **Abaporu** – 1928.

Em fins de 1927, Oswald e Tarsila foram, acompanhados de amigos, para o bairro de Santana, a fim de comer rã. Enquanto esperavam, imaginavam teorias acerca da rã, e alguém disse, em tom jocoso, que a história da evolução humana passava pela rã. Quando o prato chegou, Tarsila comentou que eles, naquele momento, poderiam ser uns ‘quase antropófagos’. O assunto ainda reverberou, como brincadeira, em várias rodas de conversação, até que, no aniversário de Oswald, Tarsila o presenteou com o quadro: ‘o homem plantado na terra’. Consultaram o dicionário de tupi-guarani de Montoya, e chegaram a um nome para a tela: *Abaporu*. *Aba*: homem; *poru*: que come. Nascia o movimento da Antropofagia, radicalmente primitivista.

Oliveira, Clenir Bellezi de. *Arte literária: Portugal – Brasil*. São Paulo: Moderna, 1999.

Uma das melhores interpretações da Semana ainda é a que fez Mário de Andrade, em conferência pronunciada no Ministério das Relações Exteriores do Brasil, em abril de 1942. [...] Segundo o autor, o que caracterizou o movimento — e o que foi dito é uma verdade inegável — foram os três princípios que ele impôs ao quadro cultural brasileiro: ‘o direito permanente à pesquisa estética, a atualização da inteligência artística brasileira e a estabilização de uma consciência criadora nacional’.

Miranda, José Américo. Os dias mais polêmicos da inteligência nacional. *Ciência Hoje*, Rio de Janeiro, v. 31, n. 182, maio 2002.

3. De acordo com os textos e seus conhecimentos, marque a alternativa **correta**.

a) Nomear a tela de *Abaporu* também é uma forma de valorizar a cultura da terra — o que foi prática dos intelectuais do Modernismo brasileiro —, uma vez que há o resgate de um costume banal dos habitantes primitivos do Brasil.

b) O Modernismo brasileiro sofreu forte influência do Simbolismo, daí sua preocupação em resgatar os símbolos da cultura brasileira, como a figura do índio antropófago do Brasil seiscentista.

c) O *Manifesto antropofágico* pode ser considerado pensamento-chave do Modernismo, e, tal como a simbologia do nome do quadro de Tarsila, remonta principalmente à ideia de absorver de outras culturas apenas o que interessa para a afirmação de uma identidade nacional, em resposta à influência europeia.

d) Aos moldes do Parnasianismo, que procurou instaurar "uma língua portuguesa tipicamente brasileira", os modernistas buscavam as raízes da cultura e da língua nacional, dando ênfase ao vocabulário indígena, como, por exemplo, no batismo do quadro de *Abaporu*.

e) O Modernismo, embora busque resgatar a consciência nacional, não é o primeiro movimento a fazê-lo, pois, antes dele, o Romantismo já havia instaurado, por exemplo, o nacionalismo ufanista, que apoiava o lusitanismo, representado pela figura dos imperadores do Brasil.

4. De acordo com os textos da questão anterior e seus conhecimentos, analise as afirmativas.

I. Ao enfatizar "o direito permanente à pesquisa estética", Mário de Andrade demonstrou que o Modernismo estava em consonância com os ideais democráticos, praticados à época da conferência, no Brasil e no Ocidente, no contexto de expansão industrial.

II. A imagem do *Abaporu*, feita no período modernista brasileiro, retrata uma paisagem tipicamente nordestina, indicada pelo cacto — planta que apresenta folhas modificadas na forma de espinhos, e que é adaptada ao clima seco, característico do bioma da caatinga.

III. A teoria imaginada acerca da rã — animal pertencente ao grupo dos anfíbios, que surgiram antes dos mamíferos — levou a pintora a uma associação de ideias com a antropofagia, ato que era praticado ritualisticamente por alguns grupos indígenas brasileiros.

IV. A desproporção do pé de *Abaporu* justifica a primeira denominação dada ao quadro — nome que está relacionado à ideia de que a evolução humana passava pela rã, uma vez que os anfíbios foram os primeiros animais a conquistar plenamente o ambiente terrestre, em todas as etapas de seu desenvolvimento.

Estão corretas

a) II e III.
b) II e IV.
c) I e II.
d) III e IV.
e) I e IV.

5. **(Fuvest-SP)** A presença da temática indígena em *Macunaíma*, de Mário de Andrade, tanto participa ______ , quanto representa uma retomada, com novos sentidos, ______.

Mantida a sequência, os trechos pontilhados serão preenchidos **corretamente** por

a) do movimento modernista da Antropofagia / do Regionalismo da década de 30.
b) do interesse modernista pela arte primitiva / do Indianismo romântico.
c) do movimento modernista da Antropofagia / do Condoreirismo romântico.
d) da vanguarda estética do Naturalismo / do Indianismo romântico.
e) do interesse modernista pela arte primitiva / do Regionalismo da década de 30.

6. **(UEL-PR)** A Semana de Arte Moderna de 1922 tinha como principal objetivo:

a) A convicção estética e política de modernizar a arte brasileira, livrando-a da influência europeia e buscando criar uma cultura nacional pura.

b) Celebrar a cultura nacional como base ideológica e romper com as correntes artísticas europeias que dominavam a arte brasileira, assimilando e reelaborando alguns de seus aspectos.

c) Retomar a arte acadêmica como forma de oposição ao barroco, celebrado até então como verdadeira arte nacional.

d) Usar o nacionalismo romântico com sua busca por uma "cor local" como principal referência para se criar uma arte nacional.

e) Romper com a influência das culturas "primitivas" dos trópicos (ameríndias e africanas), buscando aliar a nossa arte à vanguarda europeia.

7. **(UEL-PR)** Observe a figura.

Palácio dos Bandeirantes, São Paulo. Fotografia: ID/BR

Fonte: AMARAL, T. do. **Religião Brasileira** (1927).

Com base na imagem e nos conhecimentos sobre o modernismo brasileiro no período de 1920 a 1930, é **correto** afirmar:

a) O movimento modernista propõe a releitura de temas retratados por pintores europeus do final do século XIX, especialmente paisagens e alegorias históricas, como fator de ruptura aos princípios acadêmicos.

b) Incorporando técnicas de deformação da figura e estilização das linhas, o modernismo brasileiro introduz o prosaico como pilar da nacionalidade, conceito este discutido paralelamente ao movimento artístico.

c) A pintura no modernismo brasileiro destaca personagens urbanos com características do realismo, influenciando, assim, os primeiros pintores do movimento.

d) O interesse por temas populares e folclóricos do Brasil, paralelamente à incorporação de novas tendências da arte, propiciou campo fértil à execução de trabalhos plásticos pelos artistas.

e) Impulsionada pelos modernistas, a escultura congrega as principais características do movimento, reproduzindo os modismos e integrando vários estilos em suas peças.

8. (Unifesp)

> Um dos maiores benefícios que o movimento moderno nos trouxe foi justamente esse: tornar alegre a literatura brasileira. Alegre quer dizer saudável, viva, consciente de sua força, satisfeita com seu destino. Até então no Brasil a preocupação de todo escritor era parecer grave e severo. O riso era proibido. A pena molhava-se no tinteiro da tristeza e do pessimismo. O papel servia de lenço. De tal forma que os livros espremidos só derramavam lágrimas. Se alguma ideia caía vinha num pingo delas. A literatura nacional não passava de uma queixa gemebunda.
>
> Por isso mesmo o segundo tranco da reação foi mais difícil: integração no ambiente. Fazer literatura brasileira mas sem choro. Disfarçando sempre a tristeza do motivo quando inevitável. Rindo como um moleque.
>
> (Antonio de Alcântara Machado, *Cavaquinho e saxofone*.)

Entre os textos de Manuel Bandeira (de *O ritmo dissoluto*), transcritos nas cinco alternativas, aquele que comprova a opinião de Alcântara Machado é

a) E enquanto a mansa tarde agoniza,
Por entre a névoa fria do mar
Toda a minhalma foge na brisa;
Tenho vontade de me matar.

b) A beleza é um conceito.
E a beleza é triste.
Não é triste em si,
Mas pelo que há nela de fragilidade e de incerteza.

c) Sorri mansamente... em um sorriso pálido... pálido
Como o beijo religioso que puseste
Na fronte morta de tua mãe... sobre a sua fronte
morta...

d) Noite morta.
Junto ao poste de iluminação
Os sapos engolem mosquitos.

e) A meiga e triste rapariga
Punha talvez nessa cantiga
A sua dor e mais a dor de sua raça...
Pobre mulher, sombria filha da desgraça!

9. (Fuvest-SP)

> **Poema tirado de uma notícia de jornal**
>
> João Gostoso era carregador de feira livre e morava no morro da
> [Babilônia num barracão sem número.
>
> Uma noite ele chegou no bar Vinte de Novembro
> Bebeu
> Cantou
> Dançou
> Depois se atirou na Lagoa Rodrigo de Freitas e morreu afogado.
>
> Manuel Bandeira, *Libertinagem*.

a) Relacione o título do poema à corrente estética da qual o texto participa.

b) O poema adota o procedimento de relatar os acontecimentos sem comentá-los ou interpretá-los diretamente. Que atitude esse procedimento pede ao leitor? Explique brevemente.

# Modernismo no Brasil – Segunda geração

## Contexto histórico e cultural

A subida de Getúlio Vargas ao poder, na década de 1930, marcou o **fim da República Velha** no Brasil e a inauguração de uma fase de **modernização** do país com vistas a assumir uma posição mais relevante no contexto internacional. Foi um período de grande **desenvolvimento industrial**, mas também de atenção aos **atrasos sociais** que o interior do país sofria.

O mundo presenciava o enfrentamento de duas ideologias opostas: o **socialismo/comunismo**, consolidado pela Revolução Russa (1917), e o **liberalismo**, abalado pela Crise de 1929. Tendências totalitárias também cresciam internacionalmente, como o **nazismo** alemão e o **fascismo** italiano. No Brasil, Vargas gradativamente passou a imitar o modelo do fascismo, implantando aos poucos um **governo totalitarista**, com o apoio da burguesia média, da Igreja, das classes latifundiária e industrial e também dos militares.

No campo das artes e da cultura, o advento do **cinema comercial** contribuiu para a **popularização da arte**, que ganhou público por se tornar acessível às massas. A **música** ganhou espaço paralelamente, também em sua vertente mais **popular**.

Por terem se tornado mais acessíveis, os **meios de comunicação** também passaram a ser usados para a **propaganda política** e a **divulgação das ideologias** correntes.

Diante desse cenário político-social, cresceu a cobrança aos intelectuais por uma **orientação ideológica**: entre a perspectiva de igualdade e transformação social do comunismo e a estabilidade promovida pelo paternalismo fascista, que também poderia reduzir as **desigualdades sociais**.

## A segunda geração modernista

Nesse contexto, nascia nos anos 1930 a segunda geração do Modernismo brasileiro, que se dividiu em diferentes correntes. Na prosa, o destaque foi o **romance regionalista** e, na poesia, a **corrente espiritualista**.

## O romance regionalista

Além de abordar os efeitos negativos da modernidade sobre o homem, a arte dos escritores da nova geração, comprometida politicamente, foi usada para refletir sobre a condição nacional e as contradições do Brasil: rural e urbano, artesanal e industrial – moderno, porém desigual.

Associando as propostas modernistas ao regionalismo do período romântico, os autores procuraram determinar os tipos brasileiros, abordando a identidade nacional sob o prisma das facetas regionais. No Nordeste, uma relevante geração de escritores produziu obras de denúncia – conhecidas como **Romance de 30** –, tendo por foco os problemas da sociedade patriarcal, da seca, da cultura do açúcar em decadência e do modelo latifundiário. Paralelamente, autores do Sul do Brasil, dentre os quais Érico Veríssimo e Dyonélio Machado, expuseram o contexto histórico e político de sua região e a luta por dinheiro.

### Jorge Amado

Um dos autores brasileiros mais lidos no país e no exterior, Jorge Amado representou como poucos o **cotidiano** e os **costumes da Bahia**, sua terra natal.

Suas primeiras obras, como *Cacau* (1933), *Mar morto* (1936) e *Capitães da areia* (1937), narram as **dificuldades** das classes baianas mais pobres, tanto na zona rural quanto nas grandes cidades. Elas revelam a **orientação comunista** do autor: personagens como trabalhadores, prostitutas e meninos de rua são retratadas como **estereótipos** para denunciar a **luta de classes** e as relações de **exploração** e **opressão** na sociedade. Essa tendência, segundo alguns críticos, confere às obras um caráter maniqueísta: explorados (bons) × exploradores (maus).

Já a segunda e mais conhecida fase de sua obra abrange títulos como *Gabriela, cravo e canela* (1958), *Dona Flor e seus dois maridos* (1966) e *Tieta do agreste* (1977). Esse período traz um rico **painel da cultura baiana** e seus costumes, deixando de lado o caráter de denúncia que marca a primeira fase de sua produção. No fragmento abaixo, extraído do romance *Gabriela, cravo e canela*, a narração é construída com base em elementos do cotidiano da cidade de Ilhéus: arrebatado pela sensualidade de Gabriela, Nacib, dono de um bar, serve uma dose de cachaça em troca de um broche que daria de presente a ela.

> [...] Os olhos do árabe fitavam Gabriela dobrar a esquina por detrás da Igreja. Mirou a sereia, seu rabo de peixe. Assim era a anca de Gabriela. Mulher tão de fogo no mundo não havia, com aquele calor, aquela ternura, aqueles suspiros, aquele langor. Quanto mais dormia com ela, mais tinha vontade. Parecia feita de canto e dança, de sol e luar, era de cravo e canela. Nunca mais lhe dera um presente, uma tolice de feira. Tomou da garrafa da cachaça, encheu um copo grosso de vidro, o marinheiro suspendeu o braço, saudou em sueco, emborcou dois tragos, cuspiu. Nacib guardou no bolso a sereia dourada, sorrindo. Gabriela riria contente, diria a gemer: "precisava não, moço bonito..."
>
> E aqui termina a história de Nacib e Gabriela quando renasce a chama do amor de uma brasa dormida nas cinzas do peito.
>
> AMADO, Jorge. *Gabriela, cravo e canela*. 53. ed. Rio de Janeiro: Record, 1977. p. 357.

## José Lins do Rego

Na obra de José Lins do Rego, a biografia do autor e a decadência das fazendas de cana-de-açúcar no Nordeste se confundem. Neto de fazendeiro e nascido em um engenho, o paraibano José Lins traçou um painel daquele período de transição, em que a antiga estrutura fundiária e patriarcal das fazendas foi substituída pelas modernas usinas. Sua obra alia **memória** e **pesquisa histórica** e apresenta um estilo **fluente**, **marcado pela oralidade**.

Foi o próprio autor que dividiu sua produção literária em três fases: o **ciclo da cana-de-açúcar**, considerado o mais relevante, inclui obras como *Menino de engenho* e *Fogo morto*; o **ciclo do cangaço,** do qual fazem parte *Pedra bonita* e *Cangaceiros*; e os **romances independentes**, com destaque para *Riacho doce*.

A cena abaixo, extraída de *Fogo morto*, seu romance mais celebrado, evidencia a decadência da família do engenho Santa Fé, que, a despeito do declínio econômico, esforçava-se para manter as aparências:

> A família do Santa Fé não ia mais à missa aos domingos. A princípio correra que era doença no velho. Depois inventaram que o carro não podia mais rodar, de podre que estava. Os cavalos não aguentavam mais com o peso do corpo. [...] a tristeza e o desânimo haviam tomado conta até de D. Amélia. Não tinha coragem de sair de casa com aquela afronta, ali a dois passos, com um morador atrevido sem levar em conta as ordens do senhor de engenho.
>
> REGO, José Lins do. Fogo morto. In: *Ficção completa*. Rio de Janeiro: Nova Aguilar, 1976. p. 694.

## Graciliano Ramos

Graciliano Ramos está entre os maiores prosadores da literatura brasileira. Sua obra transcende engajamento político e maniqueísmos ao apresentar personagens complexas, em **conflito** com a **natureza**, a **sociedade** e também consigo mesmos (**tensão psicológica**). Seus quatro primeiros romances são os mais relevantes: *Caetés* (1933), *São Bernardo* (1934), *Angústia* (1935) e *Vidas secas* (1938).

Entre eles, o mais afinado com a proposta do Romance de 30 é *Vidas secas*. Narrado em terceira pessoa, o romance conta a saga de uma família de retirantes no semiárido nordestino. Os miseráveis Fabiano, Sinhá Vitória e os dois filhos do casal são representados não apenas como vítimas da seca (que os força ao deslocamento), mas também da exploração do trabalho e da opressão do Estado. Basta lembrar que Fabiano é explorado pelo patrão e agredido por um soldado em um contexto em que sobressaem autoritarismo e abuso de poder.

Mas em momento algum o narrador manifesta compadecimento em relação aos retirantes. A forma escolhida por Graciliano para representá-los é enxuta, com poucos adjetivos, poucos diálogos, em consonância com a penúria social e linguística das personagens. A incomunicabilidade é tamanha que muitas vezes suas falas se confundem com as do narrador, característica do **discurso indireto livre**, técnica muito presente em *Vidas secas*.

No trecho a seguir, narra-se a indignação de Fabiano ao receber o salário. Algumas das frases que expressam esse sentimento combinam as vozes de Fabiano e do narrador, como em: "Passar a vida inteira assim no toco, entregando o que era dele de mão beijada!", em que o adjetivo possessivo "dele" indica a fala do narrador para se referir a Fabiano.

> Não se conformou: devia haver engano. Ele era bruto, sim senhor, via-se perfeitamente que era bruto, mas a mulher tinha miolo. Com certeza havia um erro no papel do branco. Não se descobriu o erro, e Fabiano perdeu os estribos. Passar a vida inteira assim no toco, entregando o que era dele de mão beijada! Estava direito aquilo? Trabalhar como negro e nunca arranjar carta de alforria!
>
> O patrão zangou-se, repeliu a insolência, achou bom que o vaqueiro fosse procurar serviço noutra fazenda.
>
> Aí Fabiano baixou a pancada e amunhecou. Bem, bem. Não era preciso barulho não. Se havia dito palavra à toa, pedia desculpa. Era bruto, não fora ensinado. Atrevimento não tinha, conhecia o seu lugar. Um cabra. Ia lá puxar questão com gente rica? Bruto, sim senhor, mas sabia respeitar os homens.
>
> RAMOS, Graciliano. *Vidas secas*. Rio de Janeiro: Record, 1985. p. 93.

## Rachel de Queiroz

Rachel de Queiroz é autora de uma das obras mais importantes do Romance de 30, *O quinze* (1930). O livro narra **duas histórias paralelas** que acabam por se cruzar: a primeira, sobre o amor fracassado de Vicente, criador de gado, e sua prima, a professora Conceição; a segunda, sobre a da família de Chico Bento, que vive o **drama da seca** e a **miséria dos retirantes**.

Ao mesmo tempo que retrata a vida no sertão, com foco no contraste econômico, o romance revela traços psicológicos das personagens. No trecho reproduzido a seguir, o narrador tem acesso aos pensamentos e sentimentos de Conceição quando ela se lembra da ocasião em que recebera o convite para ser madrinha de Duquinha. Agora, evita tomar o próprio afilhado no colo, impressionada com o estado em que se encontra.

### O quinze

> Foi Conceição quem os descobriu, sentados pensativamente debaixo do Cajueiro: Chico Bento com os braços cruzados, e o olhar vago, Cordulina de cócoras segurando um filho, e um outro menino mastigando uma folha, deixando escorrer-lhe pelo canto da boca um fio de saliva esverdeada.
>
> [...]
>
> Afinal ali estavam. Foi realmente com dificuldade que os identificou, apesar de seus olhos já se terem habituado a reconhecer as criaturas através da máscara costumeira com que as disfarçava a miséria.
>
> E marchou para eles, com o coração estalando de pena, lembrando-se da última vez em que os vira, num passeio às Aroeiras feito em companhia do pessoal de Dona Idalina: Chico Bento, chegando do campo, todo encourado, e Cordulina muito gorda, muito pesada, servindo café às visitas em tigelinhas de louça.
>
> Por sinal, nesse dia, Cordulina pedira a Conceição e a Vicente que aceitassem ser padrinhos da criança que estava por nascer.
>
> Conceição, porém, nunca vira o afilhado. Já estava na cidade, ao tempo do batizado.
>
> E lembrara-se de ter achado graça ao ver, na procuração que enviara, seu nome junto ao de Vicente, num papel sério, eclesiástico, em que eles se tratavam mutuamente por nós, bem expresso na fórmula final: "reservando para nós o parentesco espiritual"... Conceição gostara daquele nós de bom agouro, que simbolizava suas mãos juntas, unidas, colocadas protetoramente, pela autoridade da Igreja, sobre a cabeça do neófito...
>
> Enfim, ali estavam.
>
> E a criança que outro tempo trazia Cordulina tão gorda, era de certo aquela que lhe pendia do colo, e que agora a trazia tão magra, tão magra que nem uma visagem, que nem a morte, que só talvez um esqueleto fosse tão magro...

[...]
A moça dirigiu-se a Cordulina.
— E você, comadre, como vai? Tão fraquinha, hein?
A mulher respondeu tristemente:
— Ai, minha comadre, eu sei lá como vou!... Parece que ainda estou viva...
— É este, o meu afilhado?
Mas Conceição, que tivera a intenção de o tomar ao colo, recuou ante a asquerosa imundície da criança, contentando-se em lhe pegar a mão – uma pequenina garra seca, encascada, encolhida...

Queirós, Rachel de. *O quinze*. São Paulo: Siciliano, 1993. p. 88-89.

## O ciclo do Sul: Érico Veríssimo

Principal representante da literatura gaúcha da segunda fase modernista, Érico Veríssimo notabilizou-se por narrativas envolventes escritas de modo direto, com linguagem simples e períodos curtos. Sua obra está dividida em três fases: **urbana**, **histórica** e **política**.

Na primeira, da década de 1930, os romances aliam a reflexão sobre a sociedade burguesa à elaboração psicológica das personagens. Destaca-se a trilogia *Clarissa*, *Música ao longe* e *Um lugar ao sol*. Já na fase histórica, das décadas de 1940-1950, a trilogia *O tempo e o vento*, sua obra mais importante, retoma a história do Rio Grande do Sul desde seus primórdios. Por fim, nas décadas de 1960-1970, *Incidente em Antares* e *O senhor embaixador* tratam de temas políticos, influenciados pela vigência de governos ditatoriais na América do Sul.

No excerto abaixo, extraído de *O tempo o vento*, nota-se o viés histórico da narrativa:

### Um certo capitão Rodrigo

O ano de 1833 aproximava-se do fim. A população de Santa Fé estava alvoroçada, pois confirmara-se a notícia de que em 1834 o povoado seria elevado a vila. No entanto o assunto preferido de todas as rodas era a política. Gente bem informada, vinda de Porto Alegre e do Rio Pardo, contava histórias sombrias. Depois da abdicação de d. Pedro I, as coisas na corte andavam confusas. [...] Muitas vezes o pe. Lara ia conversar com o cel. Ricardo no casario de pedra e vinha de lá com "notícias frescas", que transmitia a alguns amigos na venda do Nicolau ou na do cap. Rodrigo. O cel. Amaral inclinava-se ora para o lado do Partido Restaurador, que desejava a volta de d. Pedro I ao trono, ora para o Partido Liberal de Bento Gonçalves, que se opunha àquele. [...]

Veríssimo, Érico. *O tempo e o vento*: parte I: O continente. 3. ed. São Paulo: Companhia das Letras, 2004. p. 328-329.

# A poesia de 30

A poesia da segunda geração modernista foi influenciada pelas conquistas estéticas dos autores da geração anterior, como o **verso livre** e a **linguagem mais cotidiana**. No entanto, essa herança moderna passa a conviver com resquícios de movimentos artísticos do fim do século XIX, como formas poéticas fixas.

As imagens sugestivas e a utilização de sinestesias, que caracterizam a poesia simbolista, aparecem principalmente na poesia de tendência espiritualista, que tem por foco o confronto do homem com a realidade por meio da perspectiva espiritual. Essa tendência alcança também a prosa, em sua versão mais intimista.

## Murilo Mendes

A obra do inquieto poeta mineiro é tão múltipla e variada quanto sua vida; de início, carregou o **nacionalismo irônico** da primeira geração, para depois conquistar mais liberdade e se tornar uma poesia **transformadora da realidade**, de **traços surrealistas**, revelando também seu **engajamento socialista**.

Em 1934 – abalado com a morte do amigo, poeta e pintor, Ismael Nery – converteu-se ao **catolicismo** e logo lançou o livro *Tempo e eternidade*, em conjunto com Jorge de Lima. A partir de então, a **religiosidade** marcou presença em sua literatura, paralelamente à **angústia existencial** de antes. Na década de 1950 aproximou-se ainda dos experimentos da **poesia concreta**. O poema a seguir é um exemplo de sua vertente surrealista, como evidencia o gosto pelas imagens insólitas:

**Pré-história**

Mamãe vestida de rendas
Tocava piano no caos.
Uma noite abriu as asas
Cansada de tanto som,
Equilibrou-se no azul,
De tonta não mais olhou
Para mim, para ninguém:
Cai no álbum de retratos.

Mendes, Murilo. *Poesia completa e prosa*. Rio de Janeiro: Nova Aguilar, 1994. p. 209.

## Jorge de Lima

Antes mesmo de o Modernismo sacudir a arte nacional, o poeta alagoano Jorge de Lima já fazia sucesso em 1914 com seu livro de estreia, *XIV poemas alexandrinos*, de **orientação parnasiana**.

Tempos depois, a adesão ao Modernismo trouxe o **verso livre**, a **linguagem coloquial** e os **temas cotidianos** para sua poesia, como revela o livro *O mundo do menino impossível*.

Na década de 1930, porém, a conversão ao catolicismo promoveu outra guinada em sua obra, que passou a privilegiar a tradição cristã em detrimento da expressão regional nordestina. A obra que simboliza essa vertente é *Tempo e eternidade*, escrita em parceria com o amigo Murilo Mendes. Ao final da década, porém, voltou a questões sociais em *Poemas negros*, no qual trabalha o tema da marginalização sofrida pelos negros no Brasil.

Uma nova mudança pode ser notada em *Livro de sonetos* (1949), que passou a usar procedimentos de criação **surrealistas**.

O ponto alto de sua poesia viria anos mais tarde, com a *Invenção de Orfeu* (1952), livro que propõe a inovação da épica tanto ao abrir mão de marcas temporais e espaciais quanto ao considerar o sobrenatural e os sonhos. Os traços do Surrealismo são claros já no soneto de abertura da obra.

**Invenção de Orfeu**

**Canto I – Fundação da ilha**

A garupa da vaca era palustre e bela,
uma penugem havia em seu queixo formoso;
e na fronte lunada onde ardia uma estrela
pairava um pensamento em constante repouso.

Esta a imagem da vaca, a mais pura e singela
que do fundo do sonho eu às vezes esposo
e confunde-se à noite à outra imagem daquela
que ama me amamentou e jaz no último pouso.

Escuto-lhe o mugido – era o meu acalanto,
e seu olhar tão doce inda sinto no meu:
o seio e o ubre natais irrigam-me em seus veios.

Confundo-os nessa ganga informe que é meu canto:
semblante e leite, a vaca e a mulher que me deu
o leite e a suavidade a mamar de dois seios.

Lima, Jorge de. Invenção de Orfeu. In: *Poesia*. Rio de Janeiro: Agir, 1963. p. 88.

**Glossário**

**acalanto**: consolo, conforto
**ganga**: coisa inútil e sem valor
**informe**: que não tem forma acabada, grosseiro, tosco
**lunado**: que tem chifres em forma de meia-lua
**palustre**: alagadiço, encharcado
**ubre**: mama de animal, com vários mamilos
**veio**: duto, canal

## Cecília Meireles

Órfã de pai e mãe aos três anos de idade e viúva em decorrência de um suicídio, Cecília Meireles trouxe para a poesia as inquietações que tanto marcaram sua vida. A morte, a solidão, a efemeridade e o mistério da vida são alguns dos temas mais recorrentes em seus versos. Aparecem ainda símbolos da natureza, como o mar, o ar, o vento e a flor, que se misturam à experiência melancólica do eu lírico. No plano formal, destacam-se a **musicalidade** e o **gosto por metáforas incomuns**, características que levaram críticos a considerá-la neossimbolista. Mas Cecília Meireles tinha uma poética muito particular, que não se enquadrava nem nessa tendência nem nos ideais do primeiro modernismo. No poema abaixo, chamam a atenção a instabilidade do eu lírico metaforizada nos elementos da natureza e a intensa musicalidade dos versos:

### Inscrição

Sou entre flor e nuvem,
estrela e mar.
Por que havemos de ser unicamente humanos,
limitados em chorar?

Não encontro caminhos
fáceis de andar.
Meu rosto vário desorienta as firmes pedras
que não sabem de água e de ar.

E por isso levito.
É bom deixar
um pouco de ternura e encanto indiferente
de herança, em cada lugar.

Rastro de flor e estrela,
nuvem e mar.
Meu destino é mais longe e meu passo mais rápido:
a sombra é que vai devagar.

MEIRELES, Cecília. Inscrição. In: *Mar absoluto/Retrato natural*. Rio de Janeiro: Nova Fronteira, 1983. p. 124.

A poeta, no entanto, também se debruçou sobre questões sociais, aspecto marcante de um de seus livros mais celebrados, *Romanceiro da Inconfidência*, sobre a Inconfidência Mineira. Nos versos a seguir, o tema é a criação da bandeira do movimento:

[...]
LIBERDADE AINDA QUE TARDE
ouve-se em redor da mesa.
E a bandeira já está viva,
e sobe, na noite imensa.
E os seus tristes inventores
já são réus – pois se atreveram
a falar em Liberdade
(que ninguém sabe o que seja).
[...]

MEIRELES, Cecília. Romance XXIV ou Da bandeira da Inconfidência. In: *Romanceiro da Inconfidência*. 3. ed. Rio de Janeiro: Nova Fronteira, 2005. p. 75.

## Vinicius de Moraes

Embora mais conhecido como compositor, Vinicius de Moraes foi um grande poeta.

O próprio autor distinguiu as **duas fases** de sua obra lírica ao lançar sua *Antologia poética* (1955): **a primeira**, **mística**, marcada pela **religiosidade** de um eu lírico desesperado e angustiado diante de seu pecado e sua **culpa**, tem como traços característicos a **linguagem solene** e os **temas espirituais**, expressos em **versos longos**, como se pode notar no fragmento abaixo, extraído do poema "A vida vivida":

Quem sou eu senão um grande sonho obscuro em [face do Sonho
Senão uma grande angústia obscura em face da [Angústia
Quem sou eu senão a imponderável árvore dentro [da noite imóvel
E cujas presas remontam ao mais triste fundo da [terra?
[...]

MORAES, Vinicius de. A vida vivida. In: *Poesia completa e prosa*. Rio de Janeiro: Nova Aguilar, 2008. p. 273.

Na **segunda fase**, predomina o tema do **amor** e do **erotismo**, abordado em diversas formas poéticas – algumas clássicas, como o **soneto**. O **desejo**, antes a mácula da alma, agora é a inspiração maior do poeta, que passa a **renegar a religiosidade** dos primeiros anos. No entanto, a **temática social** também é frequentemente abordada, como a **guerra** e as **desigualdades sociais** no Brasil. Um dos exemplos mais célebres dessa vertente é o poema "A rosa de Hiroshima", transcrito a seguir:

### A rosa de Hiroshima

Pensem nas crianças
Mudas telepáticas
Pensem nas meninas
Cegas inexatas
Pensem nas mulheres
Rotas alteradas
Pensem nas feridas
Como rosas cálidas
Mas oh não se esqueçam
Da rosa da rosa
Da rosa de Hiroshima
A rosa hereditária
A rosa radioativa
Estúpida e inválida
A rosa com cirrose
A antirrosa atômica
Sem cor sem perfume
Sem rosa sem nada.

MORAES, Vinicius de. *Antologia poética*. São Paulo: Companhia das Letras, 2001. p. 196.

## Carlos Drummond de Andrade

Carlos Drummond de Andrade é considerado por muitos o maior poeta brasileiro. Iniciou sua carreira ainda na década de 1920, quando participou ativamente de *A Revista*, publicação que apresentou aos mineiros os ideais do Modernismo. Em seu primeiro livro, *Alguma poesia*, o poeta mineiro mostrou adesão às ideias modernistas da primeira geração: **verso livre**, **coloquialismo** e **irreverência**, às vezes em forma de **humor ácido**.

Mas àquela altura já apresentava traços da obra que produziria mais tarde (mais alinhada à **segunda fase modernista**), como o distanciamento do nacionalismo característico da geração de 22. Os temas de sua poesia são muitos, como **questões metalinguísticas**, **sociais**, **filosóficas** e **existenciais**. Além disso, sua obra apresenta uma maior **liberdade**, criando novos caminhos e, eventualmente, recuperando **elementos da tradição** que a primeira geração repudiava, como o uso de formas fixas de composição.

O crítico Affonso Romano de Sant'Anna propõe a divisão da obra de Drummond em três fases.

- **Eu maior que o mundo:** *Alguma poesia* (1930) e *Brejo das almas* (1934). O eu lírico "*gauche*" (desajeitado) mostra-se em desacerto com o mundo, do qual se distancia, como indica a estrofe abaixo, retirada do "Poema das sete faces":

> Mundo mundo vasto mundo,
> se eu me chamasse Raimundo
> seria uma rima, não seria uma solução.
> Mundo mundo vasto mundo,
> mais vasto é meu coração.
>
> ANDRADE, Carlos Drummond de. Alguma poesia. In: *Sentimento do mundo*. Rio de Janeiro: Record, 2000. p. 12.

- **Eu menor que o mundo:** *Sentimento do mundo* (1940), *José* (1942), *A rosa do povo* (1945). O eu lírico se aproxima do mundo, motivado por um sentimento de solidariedade; porém, a gravidade do momento histórico (Estado Novo de Vargas e a Segunda Guerra Mundial) é tamanha que ultrapassa a crise individual do eu lírico. Nas estrofes a seguir, retiradas do poema "A flor e a náusea", nota-se a pequenez do eu lírico em seu contato com o mundo:

> Preso à minha classe e a algumas roupas, vou de branco pela rua cinzenta.
> Melancolias, mercadorias, espreitam-me.
> Devo seguir até o enjoo?
> Posso, sem armas, revoltar-me?
> [...]
> Em vão me tento explicar, os muros são surdos.
> Sob a pele das palavras há cifras e códigos.
> O sol consola os doentes e não os renova.
> As coisas. Que tristes são as coisas, consideradas sem ênfase.
>
> ANDRADE, Carlos Drummond de. *A rosa do povo*. Rio de Janeiro: Record, 1987. p. 15-16.

- **Eu igual ao mundo:** *Novos poemas* (1948), *Claro enigma* (1951), *Fazendeiro do ar* (1955), *A vida passada a limpo* (1959), *Lição de coisas* (1962). O eu lírico mostra-se decepcionado com a experiência histórica, o que o leva, resignado, a questões filosófico-existenciais, em que se reflete sobre temas como a memória, o amor, a família e o envelhecimento. Esse viés está presente, por exemplo, no poema "Memória", publicado no livro *Claro enigma*:

> Amar o perdido
> deixa confundido
> este coração.
>
> Nada pode o olvido
> contra o sem sentido
> apelo do Não.

As coisas tangíveis
tornam-se insensíveis
à palma da mão.

Mas as coisas findas,
muito mais que lindas,
essas ficarão.

ANDRADE, Carlos Drummond de. *Claro enigma*. Rio de Janeiro: Record, 1991. p. 27.

**Glossário**

**olvido**: esquecimento

Outra questão central que atravessa todas essas fases é a **metalinguagem**. Em diversos poemas, Drummond discute não apenas o papel da poesia como também mergulha a fundo no ato da criação poética, como em "Procura da poesia":

[...]
Penetra surdamente no reino das palavras.
Lá estão os poemas que esperam ser escritos.
Estão paralisados, mas não há desespero,
há calma e frescura na superfície intata.
Ei-los sós e mudos, em estado de dicionário.
Convive com teus poemas, antes de escrevê-los.
Tem paciência, se obscuros. Calma, se te provocam.
Espera que cada um se realize e consume
com seu poder de palavra
e seu poder de silêncio.
Não forces o poema a desprender-se do limbo.
Não colhas no chão o poema que se perdeu.
Não adules o poema. Aceita-o
como ele aceitará sua forma definitiva e concentrada
no espaço.

Chega mais perto e contempla as palavras.
Cada uma
tem mil faces secretas sob a face neutra
e te pergunta, sem interesse pela resposta,
pobre ou terrível que lhe deres:
Trouxeste a chave?
[...]

ANDRADE, Carlos Drummond de. *A rosa do povo*. Rio de Janeiro: Record, 1987. p. 14-15.

Podemos, então, organizar a segunda fase do Modernismo brasileiro da seguinte forma:

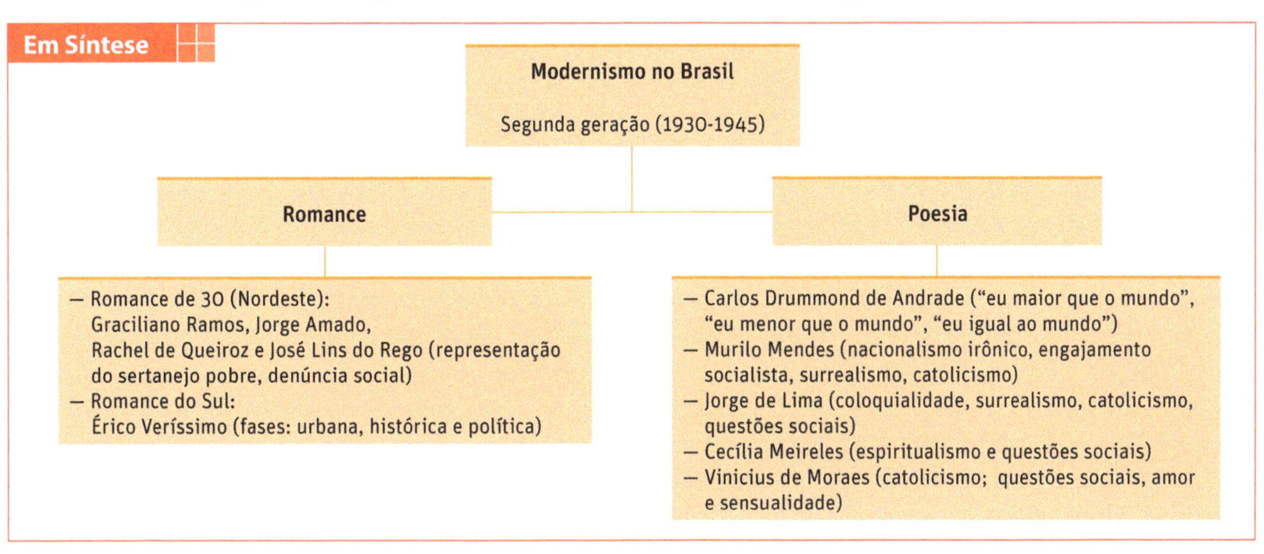

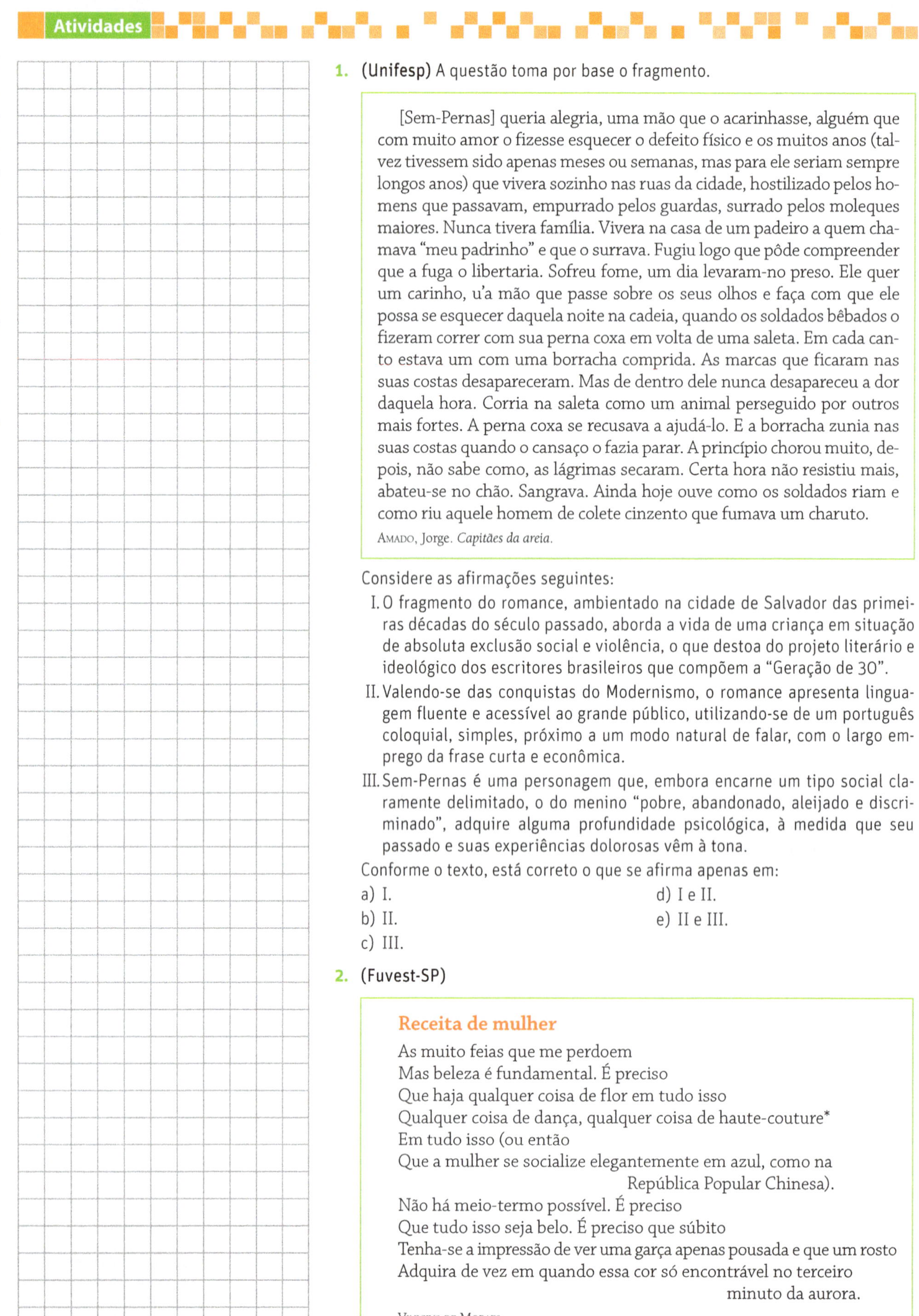

1. **(Unifesp)** A questão toma por base o fragmento.

> [Sem-Pernas] queria alegria, uma mão que o acarinhasse, alguém que com muito amor o fizesse esquecer o defeito físico e os muitos anos (talvez tivessem sido apenas meses ou semanas, mas para ele seriam sempre longos anos) que vivera sozinho nas ruas da cidade, hostilizado pelos homens que passavam, empurrado pelos guardas, surrado pelos moleques maiores. Nunca tivera família. Vivera na casa de um padeiro a quem chamava "meu padrinho" e que o surrava. Fugiu logo que pôde compreender que a fuga o libertaria. Sofreu fome, um dia levaram-no preso. Ele quer um carinho, u'a mão que passe sobre os seus olhos e faça com que ele possa se esquecer daquela noite na cadeia, quando os soldados bêbados o fizeram correr com sua perna coxa em volta de uma saleta. Em cada canto estava um com uma borracha comprida. As marcas que ficaram nas suas costas desapareceram. Mas de dentro dele nunca desapareceu a dor daquela hora. Corria na saleta como um animal perseguido por outros mais fortes. A perna coxa se recusava a ajudá-lo. E a borracha zunia nas suas costas quando o cansaço o fazia parar. A princípio chorou muito, depois, não sabe como, as lágrimas secaram. Certa hora não resistiu mais, abateu-se no chão. Sangrava. Ainda hoje ouve como os soldados riam e como riu aquele homem de colete cinzento que fumava um charuto.
>
> AMADO, Jorge. *Capitães da areia*.

Considere as afirmações seguintes:

I. O fragmento do romance, ambientado na cidade de Salvador das primeiras décadas do século passado, aborda a vida de uma criança em situação de absoluta exclusão social e violência, o que destoa do projeto literário e ideológico dos escritores brasileiros que compõem a "Geração de 30".

II. Valendo-se das conquistas do Modernismo, o romance apresenta linguagem fluente e acessível ao grande público, utilizando-se de um português coloquial, simples, próximo a um modo natural de falar, com o largo emprego da frase curta e econômica.

III. Sem-Pernas é uma personagem que, embora encarne um tipo social claramente delimitado, o do menino "pobre, abandonado, aleijado e discriminado", adquire alguma profundidade psicológica, à medida que seu passado e suas experiências dolorosas vêm à tona.

Conforme o texto, está correto o que se afirma apenas em:

a) I.
b) II.
c) III.
d) I e II.
e) II e III.

2. **(Fuvest-SP)**

> **Receita de mulher**
>
> As muito feias que me perdoem
> Mas beleza é fundamental. É preciso
> Que haja qualquer coisa de flor em tudo isso
> Qualquer coisa de dança, qualquer coisa de haute-couture*
> Em tudo isso (ou então
> Que a mulher se socialize elegantemente em azul, como na
> República Popular Chinesa).
> Não há meio-termo possível. É preciso
> Que tudo isso seja belo. É preciso que súbito
> Tenha-se a impressão de ver uma garça apenas pousada e que um rosto
> Adquira de vez em quando essa cor só encontrável no terceiro
> minuto da aurora.
>
> VINICIUS DE MORAES.

* haute-couture: alta-costura

No conhecido poema "Receita de mulher", de que se reproduziu aqui um excerto, o tratamento dado ao tema da beleza feminina manifesta a:

a) oscilação do poeta entre a angústia do pecador (tendo em vista sua educação jesuítica) e o impudor do libertino.
b) conjugação, na sensibilidade do poeta, de interesse sexual e encantamento estético, expresso de modo provocador e bem-humorado.
c) idealização da mulher a que chega o poeta quando, na velhice, arrefeceu-lhe o desejo sexual.
d) crítica ao caráter frívolo que, por associar-se ao consumo, o amor assume na contemporaneidade.
e) síntese, pela via do erotismo, das tendências europeizantes e nacionalistas do autor.

**(Fuvest-SP)** Texto para questões **3** e **4**.

### A rosa de Hiroshima

Pensem nas crianças
Mudas telepáticas
Pensem nas meninas
Cegas inexatas
5 Pensem nas mulheres
Rotas alteradas
Pensem nas feridas
Como rosas cálidas
Mas oh não se esqueçam
10 Da rosa da rosa
Da rosa de Hiroshima
A rosa hereditária
A rosa radioativa
Estúpida e inválida
15 A rosa com cirrose
A antirrosa atômica
Sem cor sem perfume
Sem rosa sem nada.

MORAES, Vinicius de. *Antologia poética*.

**3.** Neste poema,

a) a referência a um acontecimento histórico, ao privilegiar a objetividade, suprime o teor lírico do texto.
b) parte da força poética do texto provém da associação da imagem tradicionalmente positiva da rosa a atributos negativos, ligados à ideia de destruição.
c) o caráter politicamente engajado do texto é responsável pela sua despreocupação com a elaboração formal.
d) o paralelismo da construção sintática revela que o texto foi escrito originalmente como letra de canção popular.
e) o predomínio das metonímias sobre as metáforas responde, em boa medida, pelo caráter concreto do texto e pelo vigor de sua mensagem.

**4.** Os aspectos expressivo e exortativo do texto conjugam-se, de modo mais evidente, no verso:

a) "Mudas telepáticas". (v. 2)
b) "Mas oh não se esqueçam". (v. 9)
c) "Da rosa da rosa". (v. 10)
d) "Estúpida e inválida". (v. 14)
e) "A antirrosa atômica". (v. 16)

**(UFABC-SP – adaptada)** A temática da fome está presente em um dos mais expressivos romances de Graciliano Ramos, *Vidas secas*. Leia um trecho dessa obra.

> Entrava dia e saía dia. As noites cobriam a terra de chofre. A tampa anilada baixava, escurecia, quebrada apenas pelas vermelhidões do poente.
>
> Miudinhos, perdidos no deserto queimado, os fugitivos agarraram-se, somaram as suas desgraças e os seus pavores. O coração de Fabiano bateu junto do coração de Sinhá Vitória, um abraço cansado aproximou os farrapos que os cobriam. Resistiram à fraqueza, afastaram-se envergonhados, sem ânimo de afrontar de novo a luz dura, receosos de perder a esperança que os alentava.
>
> Iam-se amodorrando e foram despertados por Baleia, que trazia nos dentes um preá. Levantaram-se todos gritando. O menino mais velho esfregou as pálpebras, afastando pedaços de sonho. Sinhá Vitória beijava o focinho de Baleia, e como o focinho estava ensanguentado, lambia o sangue e tirava proveito do beijo.
>
> Aquilo era caça bem mesquinha, mas adiaria a morte do grupo. E Fabiano queria viver. Olhou o céu com resolução. A nuvem tinha crescido, agora cobria o morro inteiro. Fabiano pisou com segurança, esquecendo as rachaduras que lhe estragavam os dedos e os calcanhares.
>
> RAMOS, Graciliano. *Vidas secas*.

**5.** Assinale a alternativa **correta.**

a) A escolha dessa temática, no quadro do romance regionalista de 1930, destaca a tensão das relações do homem com o ambiente em que vive.

b) A linguagem do romance é marcada por referências simbólicas, adotando sintaxe de períodos longos, com predomínio de subordinação.

c) Esse romance rompe com a tradição do Regionalismo de 30, ao optar pela ambientação do romance no espaço urbano.

d) No trecho transcrito mostra-se a predileção do autor pela expressão de juízos de valor acerca dos fatos narrados.

e) A técnica de narração em primeira pessoa, adotada no romance, com um narrador personagem, produz, para o leitor, o efeito de sentido de objetividade.

**6.** Assinale a alternativa em que é empregada linguagem figurada.

a) Iam-se amodorrando e foram despertados por Baleia, que trazia nos dentes um preá.

b) Sinhá Vitória beijava o focinho de Baleia, e como o focinho estava ensanguentado, lambia o sangue e tirava proveito do beijo.

c) A tampa anilada baixava, escurecia, quebrada apenas pelas vermelhidões do poente.

d) Aquilo era caça bem mesquinha, mas adiaria a morte do grupo.

e) Fabiano pisou com segurança, esquecendo as rachaduras que lhe estragavam os dedos e os calcanhares.

**7.** **(UFV-MG)** Leia as passagens abaixo, extraídas de "Sentimento do mundo", de Carlos Drummond de Andrade:

I. Os camaradas não disseram
que havia uma guerra
e era necessário
trazer fogo e alimento.
("Sentimento do mundo")

II. Tive ouro, tive gado, tive fazendas.
Hoje sou funcionário público.
Itabira é apenas uma fotografia na parede.
Mas como dói.
("Confidência do itabirano")

III. Não, meu coração não é maior que o mundo.
É muito menor.
Nele não cabem nem as minhas dores.
Por isso gosto de me contar.
Por isso me dispo, por isso grito,
por isso frequento os jornais, me exponho cruamente nas livrarias
preciso de todos.
("Mundo grande")

IV. Trabalhas sem alegria para um mundo caduco,
onde as formas e as ações não encerram nenhum exemplo.
Praticas laboriosamente os gestos universais,
sentes de calor e frio, falta dinheiro, fome e desejo sexual.
("Elegia 1938")

V. Não serei o cantor de uma mulher, de uma história,
não direi os suspiros ao anoitecer, a paisagem vista da janela,
não distribuirei entorpecentes ou cartas de suicida,
não fugirei para as ilhas nem serei raptado por serafins.
("Mãos dadas")

Apesar do tom intimista e quase confessional da poesia de Carlos Drummond de Andrade, podemos encontrar alguns traços em que se desenvolve certa experiência histórica. Assinale a alternativa em que as três passagens ilustram a vivência das transformações sociais e econômicas por parte do sujeito lírico.

a) I, III e IV.
b) I, III e V.
c) II, III e V.
d) II, III e IV.
e) I, II e IV.

**8.** **(Fuvest-SP)** Leia este trecho do poema de Vinicius de Moraes.

### Mensagem à poesia

Não posso
Não é possível
Digam-lhe que é totalmente impossível
Agora não pode ser
É impossível
Não posso.

Digam-lhe que estou tristíssimo, mas não posso ir esta noite ao seu encontro.
Contem-lhe que há milhões de corpos a enterrar
Muitas cidades a reerguer, muita pobreza pelo mundo
Contem-lhe que há uma criança chorando em alguma parte do mundo
E as mulheres estão ficando loucas, e há legiões delas carpindo
A saudade de seus homens: contem-lhe que há um vácuo
Nos olhos dos párias, e sua magreza é extrema; contem-lhe
Que a vergonha, a desonra, o suicídio rondam os lares, e é preciso reconquistar a vida.
Façam-lhe ver que é preciso eu estar alerta, voltado para todos os caminhos
Pronto a socorrer, a amar, a mentir, a morrer se for preciso.

MORAES, Vinicius de. *Antologia poética*.

a) No trecho, o poeta expõe alguns dos motivos que o impedem de ir ao encontro da poesia. A partir da observação desses motivos, procure deduzir a concepção dessa poesia ao encontro da qual o poeta não poderá ir: como se define essa poesia? Quais suas características principais? Explique sucintamente.

b) Na "Advertência", que abre sua Antologia poética, Vinicius de Moraes declarou haver "dois períodos distintos", ou duas fases, em sua obra. Considerando-se as características dominantes do trecho, a qual desses períodos ele pertence? Justifique sua resposta.

**(Fatec-SP)** Texto I, para responder às questões de **9** e **10**.

### Romance XXXIV ou de Joaquim Silvério

Melhor negócio que Judas
fazes tu, Joaquim Silvério:
que ele traiu Jesus Cristo,
tu trais um simples Alferes.
Recebeu trinta dinheiros...
– e tu muitas coisas pedes:
pensão para toda a vida,
perdão para quanto deves,
comenda para o pescoço,
honras, glória, privilégios.
E andas tão bem na cobrança
que quase tudo recebes!
Melhor negócio que Judas
fazes tu, Joaquim Silvério!
Pois ele encontra remorso,
coisa que não te acomete.
Ele topa uma figueira,
tu calmamente envelheces,
orgulhoso impenitente,
com teus sombrios mistérios.
(Pelos caminhos do mundo,
nenhum destino se perde:
há os grandes sonhos dos homens,
e a surda força dos vermes.)

(Cecília Meireles, Romanceiro da Inconfidência.)

Considere as seguintes afirmações sobre o texto.

I. O emissor assume postura argumentativa ao exprimir juízos de valor sobre as ações de ambos os traidores célebres.

II. A significação do texto constrói-se com base numa ampla comparação, na qual se destaca crítica mais contundente à traição praticada por Joaquim Silvério.

III. O emissor enfatiza as vantagens obtidas pelos atos de Joaquim Silvério, como forma de expor sua vileza.

IV. Os versos finais, postos entre parênteses, contêm um comentário de natureza ética e generalizante que expressa o tema do texto.

**9.** Estão **corretas** as afirmações:

a) I e III, apenas.
b) II e IV, apenas.
c) I, III e IV, apenas.
d) II, III e IV, apenas.
e) I, II, III e IV.

**10.** À vista dos traços estilísticos, é **correto** afirmar que o texto de Cecília Meirelles

a) representa grande inovação na construção dos versos, marcando-se sua obra por experimentalismo radical da linguagem e referência a fontes vivas da língua popular.

b) é despida de sentimentalismo e pautada pelo culto formal expresso na riqueza das rimas e na temática de cunho social.

c) simula um diálogo, adotando linguagem na qual predomina a função apelativa, e opta por versos brancos, de ritmo popular (caso dos versos de sete sílabas métricas).

d) expressa sua eloquência na escolha de temática greco-romana e nas tendências conservadoras típicas do rigor formal de sua linguagem.
e) é de tendência descritiva e heroica, adotando a sátira para expressar a crítica às instituições sociais falidas.

11. (Unifesp)

Direito de reprodução gentilmente cedido por João Candido Portinari. Fotografia: ID/BR

A tela de Portinari – *A criança morta* – tematiza aspecto marcante da vida no sertão nordestino, frequentemente castigado pelas secas, pela miséria e pela fome. Os escritores que se dedicaram também a esse tema foram

a) Graciliano Ramos e José de Alencar.
b) Hilda Hilst e Jorge Amado.
c) Rachel de Queiroz e João Cabral de Melo Neto.
d) José Lins do Rego e Carlos Drummond de Andrade.
e) Guimarães Rosa e Cecília Meireles.

**(Fatec-SP)** Leia o texto abaixo, para responder à questão de número **12**.

**Mãos dadas**

Não serei o poeta de um mundo caduco.
Também não cantarei o mundo futuro.
Estou preso à vida e olho meus companheiros.
Estão taciturnos mas nutrem grandes esperanças.
Entre eles, considero a enorme realidade.
O presente é tão grande, não nos afastemos.
Não nos afastemos muito, vamos de mãos dadas.
Não serei o cantor de uma mulher, de uma história,
não direi os suspiros ao anoitecer, a paisagem vista da janela,
não distribuirei entorpecentes ou cartas de suicida,
não fugirei para as ilhas nem serei raptado por serafins.
O tempo é minha matéria, o tempo presente, os homens presentes,
a vida presente.

ANDRADE, Carlos Drummond de. *Sentimento do mundo*. Rio de Janeiro: Record, 2000. p. 161.

12. Considerando o poema "Mãos dadas", no conjunto da obra a que pertence (*Sentimento do mundo*), é **correto** afirmar que Carlos Drummond de Andrade:

a) recusa os princípios temáticos do primeiro Modernismo.
b) tematiza o lugar da poesia num momento histórico caracterizado por graves problemas mundiais.
c) vale-se de temas que valorizam aspectos recalcados da cultura brasileira.
d) alinha-se à poética que critica as técnicas do verso livre.
e) relativiza sua adesão à poesia comprometida com os dilemas históricos, pois a arte deve priorizar o tema da união entre os homens.

# Modernismo no Brasil – Terceira geração

## Contexto histórico e cultural

Durante a **Segunda Guerra Mundial**, o Brasil enviara tropas para combater na frente antifascista, composta dos Estados Unidos e de outros países democráticos. Com o fim da guerra, o retorno dos combatentes causou comoção e intensificou as pressões pelo restabelecimento da **democracia**, culminando com a **renúncia de Vargas** em outubro de 1945. Em seu lugar, foi eleito o general Eurico Gaspar Dutra, que promulgou a nova Constituição nacional em 1946.

Durante o governo de **Dutra**, o Brasil alinhou-se aos estadunidenses na **Guerra Fria** – período de disputa entre os Estados Unidos da América e a União das Repúblicas Socialistas Soviéticas por áreas de influência no globo. Como consequência, os **partidos de esquerda** passam a ser **proibidos** e perseguidos no país.

Em 1951, contudo, **Getúlio Vargas** foi eleito por voto direto e voltou ao poder, dando continuidade à sua **política nacionalista** e **populista**. Mas não cumpriu todo o mandato, pois, pressionado, cometeu suicídio em 1954, abrindo o caminho para a **eleição de Juscelino Kubitschek**. O governo de Juscelino foi de grande crescimento urbano, marcado pelo avanço dos transportes, da energia e da indústria de base, bem como pela construção de Brasília, fundada em 1960.

Essa euforia chegou também às artes, impulsionadas pela modernização e expansão da imprensa, que permitiu maior visibilidade para a produção cultural nacional. O Brasil começou a exportar tendências estéticas em vez de somente incorporá-las, o que se refletiu na arquitetura, na música e nas artes plásticas, por exemplo. O abstracionismo, em ascendência no exterior, ganhou espaço nas novas instituições culturais fundadas no país, como o Museu de Arte de São Paulo (Masp) e o Museu de Arte Moderna, (MAM), também na capital paulista.

## A terceira geração modernista

A produção literária da terceira fase do Modernismo aprofundou temas centrais da geração anterior: o regionalismo e a investigação psicológica. Para tanto, os autores empreenderam um **profundo trabalho com a linguagem**, criando **novos recursos linguísticos**, como ocorre, por exemplo, nas prosas de Guimarães Rosa e Clarice Lispector e na poesia de João Cabral de Melo Neto, principais expoentes desse período. No teatro, merecem destaque as produções de Nelson Rodrigues e Ariano Suassuna.

### Guimarães Rosa

Desde sua estreia na ficção em 1946, com o livro de contos *Sagarana*, o mineiro Guimarães Rosa já apresentava uma literatura singular, que deu **novos contornos ao regionalismo brasileiro**. Àquela altura, sua obra já era vista como **vanguardista**, **magistral**, **complexa**, de difícil interpretação. O interesse pelo regional reapareceu de forma totalmente nova. Seu trabalho como estudioso da língua portuguesa e de outros tantos idiomas, aliado ao interesse pela língua e cultura populares, contribuiu para uma prosa inovadora, em que se combinam a fala local do sertanejo, arcaísmos, termos eruditos e os **neologismos** (novas palavras), marca registrada de sua arte, como se pode notar no fragmento abaixo.

> [...] – o roxoxol de poente ou oriente – o deslim de um riacho. Só cismoso, ia entrado em si, em meio-sonhada ruminação. Sem dela precisar de desentreter-se, amparava o cavalo com firmeza de rédea, nas descidas, governando-o nos trechos de fofo chão arenoso, e bambeando para ceder à vontade do animal, ladeira acima, [...] e naquelas passagens sobre clara pedra escorregosa, que as ferraduras gastam em mil anos. Sua alma, sua calma.
>
> [...]
>
> Guimarães Rosa, João. *Noites do sertão*. Rio de Janeiro: José Olympio, 1976. p. 13-14.

**Glossário**

**cismoso [neologismo]**: do verbo cismar, estar absorto em pensamentos
**desentreter-se [neologismo]**: distrair-se
**deslim [neologismo]**: do substantivo deslindamento, solução de problemas
**escorregoso [neologismo]**: escorregar + oso, escorregadio
**roxoxol [neologismo]**: possível aglutinação dos vocábulos roxo e sol

Também inovadores são o narrador participante do contexto regional e as narrativas surpreendentes. Sua obra apresenta muitos "causos" que lembram a tradição oral, além de incorporar o imaginário religioso e cultural do sertão, muitas vezes assumindo um caráter fantástico. É o que vemos no romance *Grande sertão: veredas* (1956), no qual explora, entre outros, o tema do Bem e do Mal com base nas reflexões do jagunço Riobaldo, que, já idoso, é obcecado pela dúvida de ter ou não feito um pacto com o diabo.

Agora, bem: não queria tocar nisso mais – de o Tinhoso; chega. Mas tem um porém: pergunto: o senhor acredita, acha fio de verdade nessa parlanda, de com o demônio se poder tratar pacto? Não, não é não? Sei que não há. Falava das favas. Mas gosto de toda boa confirmação. Vender sua própria alma... Invencionice falsa! E, alma, o que é? Alma tem de ser coisa interna supremada, muito mais do de dentro, e é só, do que um se pensa: ah, alma absoluta! Decisão de vender alma é afoitez vadia, fantasiado de momento, não tem a obediência legal. Posso vender essas boas terras, daí de entre as Veredas-Quatro – que são dum senhor Almirante, que reside na capital federal? Posso algum!? Então, se um menino menino é, e por isso não se autoriza de negociar... E a gente, isso sei, às vezes é só feito menino. Mal que em minha vida aprontei, foi numa certa meninice em sonhos – tudo corre e chega tão ligeiro; será que se há lume de responsabilidades? Se sonha; já se fez... Dei rapadura ao jumento!

Ahã. Pois. Se tem alma, e tem, ela é de Deus estabelecida, nem que a pessoa queira ou não queira. Não é vendível. O senhor não acha? Me declare, franco, peço. Ah, lhe agradeço. Se vê que o senhor sabe muito, em ideia firme, além de ter carta de doutor. Lhe agradeço, por tanto.

Sua companhia me dá altos prazeres.

Em termos, gostava que morasse aqui, ou perto, era uma ajuda. Aqui não se tem convívio que instruir. Sertão. Sabe o senhor: sertão é onde o pensamento da gente se forma mais forte do que o poder do lugar. Viver é muito perigoso...

Eh, que se vai? Jàjá? É que não. Hoje, não. Amanhã, não. Não consinto. O senhor me desculpe, mas em empenho de minha amizade aceite: o senhor fica. Depois, quinta de-manhã-cedo, o senhor querendo ir, então vai, mesmo me deixa sentindo sua falta. Mas, hoje ou amanhã, não. Visita, aqui em casa, comigo é por três dias!

[...]

GUIMARÃES ROSA, João. *Grande sertão*: veredas. 19. ed. Rio de Janeiro: Nova Fronteira, 2001. p. 40-41.

**Glossário**

**afoitez**: atrevimento
**lume**: brilho; sinal
**parlanda**: parlenda, discussão importuna
**tinhoso**: diabo

Riobaldo conta sua vida a um "doutor", homem letrado que viera da cidade. Desse modo, confrontam-se a cultura urbana e científica à cultura regional, marcada pela religiosidade e pela crendice.

O trecho em questão exemplifica o trabalho inventivo de Guimarães Rosa com a linguagem, que procura a identificação com a **oralidade**. Nota-se também o interessante manejo da interlocução: as reações do ouvinte só são percebidas pela própria fala de Riobaldo. Sua narrativa é pontuada por interrogações, interjeições e reticências, que pedem a cumplicidade daquele. O narrador também alterna suas reflexões presentes e suas histórias passadas, criando, assim, um **jogo entre passado e presente**, além do **jogo entre narrador e interlocutor**.

Considerada sua obra-prima e uma das mais importantes da literatura brasileira, *Grande sertão: veredas* certamente ultrapassa o âmbito regionalista, dada a riqueza temática e formal: o já citado tema do Bem e do Mal, a relação do homem com a divindade, as relações de poder, bem como os muitos aforismos que perpassam a fala de Riobaldo fazem do romance uma obra de alcance universal. Por essa razão, costuma-se designar a obra de Guimarães Rosa como **regionalismo universalizante**.

## Clarice Lispector

Nascida na Ucrânia, de onde emigrou com a família quando tinha apenas dois anos, Clarice Lispector fazia questão de se afirmar enquanto brasileira. Em sua obra de estreia, *Perto do coração selvagem*, já se fazem notar as marcas de sua literatura: **intimismo**, predileção pelo **cenário urbano**, narrativa de poucos acontecimentos objetivos, dando espaço para a **dimensão psicológica** das personagens, seus **sentimentos** e **reflexões**, expressos por meio do fluxo de consciência. Para lembrar as palavras da própria autora, ela se dizia "menos interessada nos fatos em si do que na repercussão desses fatos sobre o indivíduo".

Outra marca da tensão psicológica em sua obra são as **epifanias**, isto é, revelações súbitas motivadas por acontecimentos banais. No conto "Amor", por exemplo, a vida pacata de Ana – mãe, dona de casa e mulher – é abalada pela piedade que um cego lhe inspira, contribuindo para que perceba as contradições da existência e sua própria vulnerabilidade.

### Amor

Um pouco cansada, com as compras deformando o novo saco de tricô, Ana subiu no bonde. Depositou o volume no colo e o bonde começou a andar. Recostou-se então no banco procurando conforto, num suspiro de meia satisfação.

Os filhos de Ana eram bons, uma coisa verdadeira e sumarenta. Cresciam, tomavam banho, exigiam para si, malcriados, instantes cada vez mais completos. A cozinha era enfim espaçosa, o fogão enguiçado dava estouros. O calor era forte no apartamento que estavam aos poucos pagando. Mas o vento batendo nas cortinas que ela mesma cortara lembrava-lhe que se quisesse podia parar e enxugar a testa, olhando o calmo horizonte. Como um lavrador. Ela plantara as sementes que tinha na mão, não outras, mas essas apenas. E cresciam árvores. [...]

Certa hora da tarde era mais perigosa. Certa hora da tarde as árvores que plantara riam dela. Quando nada mais precisava de sua força, inquietava-se. No entanto sentia-se mais sólida do que nunca, seu corpo engrossara um pouco e era de se ver o modo como cortava blusas para os meninos, a grande tesoura dando estalidos na fazenda. Todo o seu desejo vagamente artístico encaminhara-se há muito no sentido de tornar os dias realizados e belos; com o tempo, seu gosto pelo decorativo se desenvolvera e suplantara a íntima desordem. Parecia ter descoberto que tudo era passível de aperfeiçoamento, a cada coisa se emprestaria uma aparência harmoniosa; a vida podia ser feita pela mão do homem.

[...]

O bonde se arrastava, em seguida estacava. Até Humaitá tinha tempo de descansar. Foi então que olhou para o homem parado no ponto.

A diferença entre ele e os outros é que ele estava realmente parado. De pé, suas mãos se mantinham avançadas. Era um cego.

O que havia mais que fizesse Ana se aprumar em desconfiança? Alguma coisa intranquila estava sucedendo. Então ela viu: o cego mascava chicles... Um homem cego mascava chicles.

[...] o bonde deu uma arrancada súbita jogando-a desprevenida para trás, o pesado saco de tricô despencou-se do colo, ruiu no chão – Ana deu um grito, o condutor deu ordem de parada antes de saber do que se tratava – o bonde estacou, os passageiros olharam assustados.

Incapaz de se mover para apanhar suas compras, Ana se aprumava pálida. Uma expressão de rosto, há muito não usada, ressurgia-lhe com dificuldade, ainda incerta, incompreensível. O moleque dos jornais ria entregando-lhe o volume. Mas os ovos se haviam quebrado no embrulho de jornal. [...]

Poucos instantes depois já não a olhavam mais. O bonde se sacudia nos trilhos e o cego mascando goma ficara atrás para sempre. Mas o mal estava feito.

[...]

Ela apaziguara tão bem a vida, cuidara tanto para que esta não explodisse. [...] E um cego mascando goma despedaçava tudo isso. E através da piedade aparecia a Ana uma vida cheia de náusea doce, até a boca.

[...]

Enquanto não chegou à porta do edifício, parecia à beira de um desastre.

[...]

Não havia como fugir. [...] De que tinha vergonha? É que já não era mais piedade, não era só piedade: seu coração se enchera com a pior vontade de viver.

[...] Hoje de tarde alguma coisa tranquila se rebentara, e na casa toda havia um tom humorístico, triste. É hora de dormir, disse ele, é tarde. Num gesto que não era seu, mas que pareceu natural, segurou a mão da mulher, levando-a consigo sem olhar para trás, afastando-a do perigo de viver.

Acabara-se a vertigem de bondade.

E, se atravessara o amor e o seu inferno, penteava-se agora diante do espelho, por um instante sem nenhum mundo no coração. Antes de se deitar, como se apagasse uma vela, soprou a pequena flama do dia.

LISPECTOR, Clarice. *Laços de família*. Rio de Janeiro: Rocco, 1998. p. 19-29.

O mergulho interior deflagrado pela epifania muitas vezes instaura uma crise individual, na qual o sujeito questiona seus próprios valores morais e éticos, problematizando sua identidade e seu lugar no mundo. Essa instabilidade do sujeito é uma das marcas principais da personagem G.H., do romance *A paixão segundo G.H.*:

Perdi alguma coisa que me era essencial, e que já não me é mais. Não me é necessária, assim como se eu tivesse perdido uma terceira perna que até então me impossibilitava de andar mas que fazia de mim um tripé estável. Essa terceira perna eu perdi. E voltei a ser uma pessoa que nunca fui. Voltei a ter o que nunca tive: apenas as duas pernas. Sei que somente com duas pernas é que posso caminhar. Mas a ausência inútil da terceira me faz falta e me assusta, era ela que fazia de mim uma coisa encontrável por mim mesma, e sem sequer precisar me procurar.

LISPECTOR, Clarice. *A paixão segundo G.H.* Rio de Janeiro: Rocco, 1998. p. 11-12.

Essa crise individual, tão comum nas personagens de Clarice, muitas vezes é acompanhada da **crise da linguagem**. Na tentativa de dar forma ao desregramento interior, os narradores (personagens ou não) esbarram nas limitações impostas pela linguagem verbal, como se pode notar nas passagens abaixo, extraídas do romance *Água viva*:

"Ouve-me, ouve o silêncio. O que te falo nunca é o que eu te falo e sim outra coisa."

[...]

"Escrevo-te este fac-símile de livro, o livro de quem não sabe escrever; mas é que no domínio mais leve da fala quase não sei falar."

LISPECTOR, Clarice. *Água viva*. Rio de Janeiro: Rocco, 1998. p. 14, 50.

## João Cabral de Melo Neto

A emotividade na poesia do pernambucano João Cabral de Melo Neto é fruto do **trabalho racional e meticuloso com a palavra** e não do sentimentalismo lírico. Essa marca registrada de sua obra pode ser vista mais de perto em vários de seus poemas **metalinguísticos**, ou seja, aqueles que discutem o próprio fazer poético.

Para Cabral, a escrita poética está posta, exclusivamente, no âmbito do trabalho intelectual e a ideia de inspiração é rejeitada. Tal despersonalização explica a frequência com que o escritor foi associado às figuras do arquiteto e do engenheiro. Aliás, cabe a essa última imagem representar a figura do poeta em seu projeto de escrita em "O engenheiro", um de seus poemas mais famosos.

**O engenheiro**

A luz, o sol, o ar livre
envolvem o sonho do engenheiro.
O engenheiro sonha coisas claras:
Superfícies, tênis, um copo de água.

O lápis, o esquadro, o papel;
o desenho, o projeto, o número:
o engenheiro pensa o mundo justo,
mundo que nenhum véu encobre.

(Em certas tardes nós subíamos
ao edifício. A cidade diária,
como um jornal que todos liam,
ganhava um pulmão de cimento e vidro.)

A água, o vento, a claridade,
de um lado o rio, no alto as nuvens,
situavam na natureza o edifício
crescendo de suas forças simples.

Melo Neto, João Cabral de. O engenheiro. In: *Os melhores poemas de João Cabral de Melo Neto*. São Paulo: Global, 1998. p. 19.

Além da metalinguagem, outro tema marcante de sua poesia é **o drama do Nordeste**. Esse tema perpassa os livros *O cão sem plumas* e *O rio* e sobretudo *Morte e vida severina*, no qual a miséria e a exclusão social de que padecem os sertanejos pobres são representadas na história do retirante Severino.

Ao longo de sua jornada do sertão árido ao litoral pernambucano, Severino encontra a morte diversas vezes, contrariando a motivação de sua viagem, a busca por uma vida melhor e longeva. Desiludido, pretende cometer suicídio atirando-se da ponte do rio Capibaribe. Enquanto se prepara para se lançar nas águas do rio, Severino conversa com o carpinteiro Mestre José (mestre carpina), que tenta dissuadi-lo do suicídio. Nesse momento, ouve-se o choro de uma criança que acabou de nascer, simbolizando a vida que, teimosa, renasce no sertão nordestino. Os versos seguir, os últimos do livro, trazem a fala do Mestre José:

O carpina fala com o retirante
que esteve de fora, sem tomar
parte em nada
— Severino retirante,
deixe agora que lhe diga:
eu não sei bem a resposta
da pergunta que fazia,
se não vale mais saltar
fora da ponte e da vida;
nem conheço essa resposta,
se quer mesmo que lhe diga;
é difícil defender,
só com palavras, a vida,
ainda mais quando ela é
esta que vê, severina;
mas se responder não pude
à pergunta que fazia,
ela, a vida, a respondeu
com sua presença viva.
E não há melhor resposta
que o espetáculo da vida:
vê-la desfiar seu fio,
que também se chama vida,
ver a fábrica que ela mesma,
teimosamente, se fabrica,
vê-la brotar como há pouco
em nova vida explodida;
mesmo quando é assim pequena
a explosão, como a ocorrida;
mesmo quando é uma explosão
como a de há pouco, franzina;
mesmo quando é a explosão
de uma vida severina.

Melo Neto, João Cabral de. *Os melhores poemas de João Cabral de Melo Neto*. 6. ed. São Paulo: Global, 1998. p. 122.

## Nelson Rodrigues

Nelson Rodrigues é o fundador do teatro moderno no Brasil. Sua segunda peça, *Vestido de noiva* (1943), provocou uma verdadeira revolução no teatro brasileiro, contando com três palcos simultâneos para representar a realidade, a memória e a alucinação da protagonista Alaíde, que fora atropelada após ter mantido uma relação adúltera com o cunhado.

A **simultaneidade de planos** promoveu uma ruptura com o enredo linear, permitindo à plateia acompanhar a trama de modo múltiplo, a um só tempo dentro e fora da consciência da personagem.

O universo temático do teatro de Nelson Rodrigues concentra-se na realidade da pequena burguesia urbana. Em histórias recheadas de adultério, ciúme, incesto, suicídio e assassinatos, o autor encenou a corrupção moral do indivíduo comum. Por essa razão, o próprio Nelson definia sua ficção como um olhar pelo buraco da fechadura.

No fragmento a seguir, extraído de *Vestido de noiva*, podemos notar a simultaneidade de planos:

- **alucinação** (Alaíde imagina conversar com Madame Clessi, autora de um diário que encontrara na infância);
- **memória** (relembra uma conversa com os pais); e
- **realidade** (está sobre a mesa em que será operada).

(*Apaga-se o plano da alucinação. Luz no plano da memória. Pai e mãe.*)
MÃE – Cruz! Até pensei ter visto um vulto – ando tão nervosa. Também esses corredores! A alma de madame Clessi pode andar por aí... e...
PAI – Perca essa mania de alma! A mulher está morta, enterrada!
MÃE – Pois é...
(*Apaga-se o plano da memória. Luz no plano da alucinação.*)
MADAME CLESSI – Mas o que foi?
ALAÍDE – Nada. Coisa sem importância que eu me lembrei. (*forte*) Quero ser como a senhora. Usar espartilho. (*doce*) Acho espartilho elegante!
MADAME CLESSI – Mas seu marido, seu pai, sua mãe e... Lúcia?
HOMEM (*para Alaíde*) – Assassina!
(*Apaga-se o plano da alucinação. Luz no plano da realidade. Sala de operação.*)
1º MÉDICO – Pulso?
2º MÉDICO – 160.
1º MÉDICO – Rugina.
2º MÉDICO – Como está isso!
1º MÉDICO – Tenta-se uma osteossíntese!
3º MÉDICO – Olha aqui.
1º MÉDICO – Fios de bronze.
(*Pausa.*)
[...]

RODRIGUES, Nelson. In: *Teatro completo I*: peças psicológicas. Rio de Janeiro: Nova Fronteira, 1981. p. 116-117.

**Glossário**

**osteossíntese**: cirurgia em osso fraturado
**rugina**: instrumento cirúrgico

## Ariano Suassuna

**Dramaturgo** como Rodrigues, Ariano Suassuna também inovou o teatro. Lidou principalmente com **temas regionais** em suas obras, que combinam **cultura popular** e **erudita**. Devido a esse interesse, concebeu, na década de 1970, o **Movimento Armorial**, que funde os grandes clássicos da literatura com a tradição regional – sobretudo a nordestina – para criar uma **estética nacional popular**. Essa incorporação de elementos clássicos visou revalorizar a cultura nordestina, diferenciando-a da cultura de massa.

Sua obra mais célebre é o *Auto da compadecida* (1955), na qual mistura a **sátira**, o **fundo moral** e **religioso** do teatro popular medieval (como o de Gil Vicente) e a **literatura de cordel**, dos cantadores nordestinos. Encenada diversas vezes, ela ganhou também o cinema, evidenciando o alcance popular da obra de Suassuna, que não escrevia apenas para o público letrado.

Podemos, então, organizar a produção literária da terceira fase do Modernismo brasileiro da seguinte maneira:

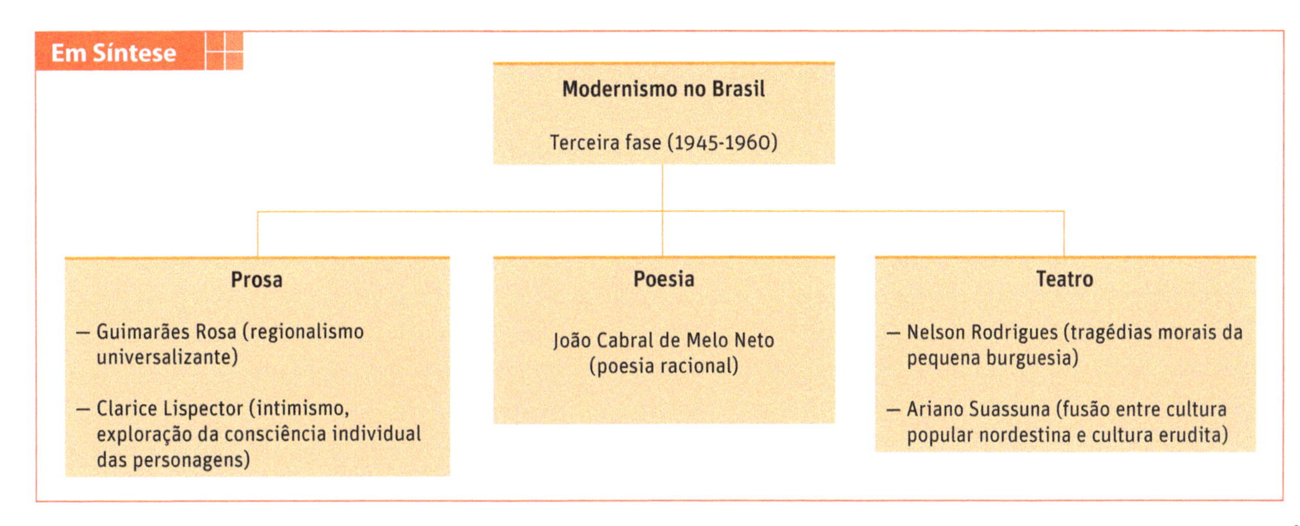

1. **(Ufla-MG)** Leia o texto abaixo para responder à questão **1**.

> [...]
> Mas Primo Argemiro anda sem se voltar. Agora atravessa o matinho.
> — I - v - v - v!... O primeiro calafrio... A maleita já chegou...
> [...]
> O começo do acesso é bom, é gostoso: é a única coisa boa que a vida ainda tem. Para, para tremer. E para pensar. Também.
> Estremecem, amarelas, as flores da aroeira. Há um frêmito nos caules rosados de erva-de-sapo. A erva-de-anum crispa as folhas, longas, como folhas de mangueira. Trepidam, acudindo as suas estrelinhas alaranjadas, os ramos da vassourinha. Tirita a mamona, de folhas peludas, como o corselete de um caçununga, brilhando em verde-azul. A pitangueira se abala, do arrete à grimpa. E o açoita cavalos derruba frutinhas fendilhadas, entrando em convulsões.
> — Mas, meu Deus, como isto é bonito! Que lugar bonito p'r'a gente deitar no chão e se acabar!...
> É o mato, todo enfeitado, tremendo também com a sezão.
>
> Guimarães Rosa, João. Sarapalha (fragmento).

Nesse trecho, verifica-se a utilização do seguinte recurso estético:

a) Atribuir à natureza a condição de personagem principal.
b) Descrever minuciosamente a natureza local, com o objetivo de valorizá-la.
c) Assumir a perspectiva de que somente a natureza tem papel relevante.
d) Integrar as personagens aos ambientes em que vivem.

2. **(ESPM-SP)**

> **Questão de pontuação**
>
> Todo mundo aceita que ao homem
> cabe pontuar a própria vida:
> que viva em ponto de exclamação
> (dizem: tem alma dionisíaca)
>
> viva em ponto de interrogação
> (foi filosofia, ora é poesia)
> viva equilibrando-se entre vírgulas
> e sem pontuação (na política)
>
> O homem só não aceita do homem
> que use a só pontuação fatal:
> que use, na frase que ele vive
> o inevitável ponto-final.
>
> João Cabral de Melo Neto

Assinale a afirmação **inaceitável** sobre o poema:

a) A exclamação estaria relacionada a uma vida exuberante, prazerosa, arrebatada.
b) Há um questionamento existencial sob vários pontos de vista humanos.
c) Numa suposta vida atribulada, o homem deve buscar equilíbrio nas pausas.
d) Na política, sugere-se que não há normas, espécie de liberdade total para mandos e desmandos.
e) O "inevitável ponto-final" é metáfora da morte, ideia com a qual o homem não se conforma.

3. **(Unicamp-SP – adaptada)** O trecho [a seguir] é um fragmento de *Morte e vida severina*, poema escrito por João Cabral de Melo Neto. O poema conta a

história de Severino, um retirante que foge da seca, saindo dos confins da Paraíba para chegar ao litoral de Pernambuco (Recife). Mas, mesmo ali, encontra apenas sinais de morte, como quando estava no sertão. Completamente desacreditado, sugere a um morador da região que pretende o suicídio. Então, inicia com ele uma discussão. Acompanhe:

> — Seu José, mestre Carpina,
> Para cobrir corpo de homem
> Não é preciso muita água.
> Basta que chegue ao abdômen
> Basta que tenha fundura igual a de sua fome.
> — Severino, retirante,
> O mar de nossa conversa
> Precisa ser combatido
> Sempre, de qualquer maneira.
> Porque senão ele alaga e destrói a terra inteira.
> — Seu José, mestre Carpina,
> Em que nos faz diferença
> Que como frieira se alastre,
> Ou como rio na cheia
> Se acabamos naufragados
> Num braço do mar da miséria?
>
> (trecho tirado de teatro representado no Tuca)

O argumento central de Severino para defender sua intenção de suicidar-se é:

a) o de que o rio, tendo fundura suficiente, será o melhor meio, naquela situação, para conseguir seu intento.
b) o de que não é possível lutar com as mãos, já que as mãos não podem conter a água que se alastra.
c) o de que não é possível conter o mar daquela conversa, dada sua extensão e volume.
d) o de que a miséria, entendida como mar, irá naufragar mesmo a todos, independentemente do que se faça.
e) o de que abandonando as mãos para trás será mais fácil afogar-se, já que não poderá nadar.

**4.** **(PUC-RS)** Para responder à questão, ler o trecho do conto "As margens da alegria", de Guimarães Rosa.

> ESTA É A ESTÓRIA. Ia um menino, com os Tios, passar dias no lugar onde se construía a grande cidade. Era uma viagem inventada no feliz; para ele, produzia-se em caso de sonho. Saíam ainda com o escuro, o ar fino de cheiros desconhecidos. A Mãe e o Pai vinham trazê-lo ao aeroporto. [...] O voo ia ser pouco mais de duas horas. O menino fremia no acorçoo, alegre de se rir para si, confortavelzinho, com um jeito de folha a cair. A vida podia às vezes raiar numa verdade extraordinária. Mesmo o afivelarem-lhe o cinto de segurança via forte afago, de proteção, e logo novo senso de esperança: ao não sabido, ao mais. Assim um crescer e desconter-se – certo como o ato de respirar – o de fugir para o espaço em branco. O Menino.

De acordo com o texto, afirma-se:

I. O menino experimentava sensações até então inusitadas no enfrentamento do desconhecido, com sentimentos de entusiasmo e de descoberta.
II. A viagem parecia encaminhar-se na direção do não sabido e da revelação de algo extraordinário.
III. O viajante sentia medo e até dificuldade de respirar durante o percurso, e tinha vontade de fugir do seu destino.

IV. A viagem de avião daria ao menino o acesso a uma cidade ainda sem história.

A(s) afirmativa(s) **correta**(s) é(são):

a) I, apenas.
b) II, apenas.
c) III, apenas.
d) I, II e IV, apenas.
e) I, II, III e IV.

**5.** **(UFSCar-SP)** INSTRUÇÃO: Leia o texto a seguir para responder à questão:

> Talvez a nordestina já tivesse chegado à conclusão de que vida incomoda bastante, alma que não cabe bem no corpo, mesmo alma rala como a sua. Imaginavazinha, toda supersticiosa, que se por acaso viesse alguma vez a sentir um gosto bem bom de viver – se desencantaria de súbito de princesa que era e se transformaria em bicho rasteiro. Porque, por pior que fosse sua situação, não queria ser privada de si, ela queria ser ela mesma. Achava que cairia em grave castigo e até risco de morrer se tivesse gosto. Então defendia-se da morte por intermédio de um viver de menos, gastando pouco de sua vida para esta não acabar. Essa economia lhe dava alguma segurança pois, quem cai, do chão não passa.
>
> (Clarice Lispector, *A hora da estrela*.)

Nesse trecho, Clarice Lispector principia a falar de Macabéa, uma nordestina que, tendo vindo de Alagoas para o Rio de Janeiro, sofre o choque social da cidade grande.

a) Tendo em vista o tema social tratado na obra *A hora da estrela* e, mais especificamente, o texto apresentado, o que caracteriza a escritura da autora, no tratamento desse tipo de tema?

b) Uma das características de Clarice, segundo Alfredo Bosi, é o uso da metáfora insólita. Qual delas, nesse texto, pode enquadrar-se dentro dessa característica?

**6.** **(PUC-RJ)**

> Mais em paz, comigo mais, Diadorim foi me desinfluindo. Ao que eu ainda não tinha prazo para entender o uso, que eu desconfiava de minha boca e da água e do copo, e que não sei em que mundo-de-lua eu entrava minhas ideias. O Hermógenes tinha seus defeitos, mas puxava por Joca Ramiro, fiel – punia e terçava. Que, eu mais uns dias esperasse, e ia ver o ganho do sol nascer. Que eu não entendia de amizades, no sistema de jagunços. Amigo era o braço, e o aço!
>
> Amigo? Aí foi isso que eu entendi? Ah, não; amigo, para mim, é diferente. Não é um ajuste de um dar serviço a outro, e receber, e saírem por este mundo, barganhando ajudas, ainda que sendo com o fazer a injustiça aos demais. Amigo, para mim, é só isto: é a pessoa com quem a gente gosta de conversar, do igual o igual, desarmado. O de que um tira prazer de estar próximo. Só isto, quase; e os todos sacrifícios. Ou – amigo – é que a gente seja, mas sem precisar de saber o por quê é que é. Amigo meu era Diadorim; era o Fafafa, o Alaripe, Sesfrêdo. Ele não quis me escutar. Voltei da raiva.
>
> ROSA, João Guimarães. *Grande sertão*: veredas. Rio de Janeiro: José Olympio, 1979. p. 138-139.

a) Determine os distintos conceitos de amigo que podem ser identificados no texto.

b) Guimarães Rosa é, sem dúvida nenhuma, um dos mais importantes escritores da literatura brasileira. Considerado a sua obra-prima, *Grande sertão*: veredas, romance publicado em 1956, representa uma profunda inovação em termos de narrativa, sendo até hoje referência para a nossa literatura.

A partir da leitura do texto, destaque e comente dois aspectos que reiteram o que foi afirmado acima.

7. **(Mackenzie-SP – adaptada)** Assinale a afirmativa correta sobre Guimarães Rosa.

a) Como Jorge Amado e Raquel de Queiroz, representava literatura regionalista brasileira, distinguindo-se dos primeiros pela primazia que dá à representação realista do pitoresco e do exuberante da realidade física do Nordeste.

b) Escritor da corrente da "literatura social" dos anos de 1930 e 40, pôs sua literatura a favor das causas dos oprimidos, em qualquer contexto em que eles se encontrassem.

c) Imerso na musicalidade da fala sertaneja, introduz na prosa cadências e jogos sonoros que a aproximam da poesia.

d) Evitando o regionalismo típico dos românticos como José de Alencar, praticou o realismo científico e impessoal na visão das relações sociais.

e) Identificando-se com o cronista regional que José Lins do Rego se revela em *Menino de engenho*, dele se distingue por buscar a expressão instintiva, negação de trabalho formal vista, por exemplo, em *Sagarana*.

8. **(Ufop-MG)** Leia o poema "O hospital da Caatinga", de João Cabral de Melo Neto:

> O poema trata a Caatinga de hospital
> não porque esterilizado, sendo deserto;
> não por essa ponta de símile que liga
> deserto e hospital: seu nu asséptico.
> (Os areais lençol, o madapolão areal,
> os leitos duna, as dunas enfermaria,
> que o timol do vento e o sol formol
> vivem a desinfetar, de morte e vida.)
> 2
> O poema trata a Caatinga de hospital
> pela ponta oposta do símile ambíguo;
> por não deserta e, sim, superpovoada;
> por se ligar a um hospital, mas nisso.
> Na verdade, superpovoa esse hospital
> para bicho, planta e tudo que subviva,
> a melhor mostra de estilos de aleijão
> que a vida para sobreviver se cria,
> assim como dos outros estilos que ela,
> a vida, vivida em condições de pouco,
> monta, se não cria: com o esquelético
> e o atrofiado, com o informe e o torto;
> estilos de que a catingueira dá o estilo
> com seu aleijão poliforme, imaginoso;
> tantos estilos, que se toma o hospital
> por uma clínica ortopédica, ele todo.
>
> (Melo Neto, J. C. de. *A educação pela pedra*. Rio de Janeiro: Alfaguara, 2008. p. 235.)

Assinale a alternativa **incorreta**.

a) O poema associa o hospital e a caatinga, mostrando os termos pelos quais esta aproximação se torna consistente.

b) O poema está construído com base numa reflexão que contém uma dimensão metalinguística.

c) O poema mostra a alegorização dos elementos da natureza em sua constante mutação.

d) O poema trata metaforicamente a caatinga de hospital e se desenvolve para tornar esta metáfora mais precisa.

9. **(Ufop-MG)** A metalinguagem está presente nestes versos de ***A educação pela pedra***, de João Cabral de Melo Neto, **exceto** em:

a) Certo poema imaginou que a daria a ver
(sua pessoa, fora da dança) com o fogo.
Porém o fogo, prisioneiro da fogueira,
tem de esgotar o incêndio, o fogo todo;
e o dela, ela o apaga (se e quando quer)
ou o mete vivo no corpo: então, ao dobro.

(Melo Neto, J. C. de. Dois P.S. a um poema. In: *A educação pela pedra*. Rio de Janeiro: Alfaguara, 2008. p. 218.)

b) Catar feijão se limita com escrever:
jogam-se os grãos na água do alguidar
e as palavras na da folha de papel;
e depois joga-se fora o que boiar.
Certo, toda palavra boiará no papel,
água congelada, por chumbo seu verbo:
pois, para catar esse feijão, soprar nele,
e jogar fora o leve e oco, palha e eco.

(Melo Neto, J. C. de. Catar feijão. In: *A educação pela pedra*. Rio de Janeiro: Alfaguara, 2008. p. 222.)

c) Durante as secas do Sertão, o urubu,
de urubu livre, passa a funcionário.
O urubu não retira, pois prevendo cedo
que lhe mobilizarão a técnica e o tacto,
cala os serviços prestados e diplomas,
que o enquadrariam num melhor salário,
e vai acolitar os empreiteiros da seca,
veterano, mas ainda com zelos de novato:
aviando com eutanásia o morto incerto,
ele, que no civil quer o morto claro.

(Melo Neto, J. C. de. O urubu mobilizado. In: *A educação pela pedra*. Rio de Janeiro: Alfaguara, 2008. p. 209.)

d) Quando um rio corta, corta-se de vez
o discurso-rio de água que ele fazia;
cortado, a água se quebra em pedaços,
em poços de água, em água paralítica.
Em situação de poço, a água equivale
a uma palavra em situação dicionária:
isolada, estanque no poço dela mesma;
e porque assim estanque, estancada;
e mais: porque assim estancada, muda,
e muda porque com nenhuma comunica,
porque cortou-se a sintaxe desse rio,
o fio de água por que ele discorria.

(Melo Neto, J. C. de. Rios sem discurso. In: *A educação pela pedra*. Rio de Janeiro: Alfaguara, 2008. p. 229-230.)

10. **(Fuvest-SP)** Leia o trecho do conto "Minha gente", de Guimarães Rosa, e responda ao que se pede.

> Oh, tristeza! Da gameleira ou do ingazeiro, desce um canto, de repente, triste, triste, que faz dó. É um sabiá. Tem quatro notas, sempre no mesmo, porque só ao fim da página é que ele dobra o pio. Quatro notas, em menor, a segunda e a última molhadas. Romântico.
>
> Bento Porfírio se inquieta:
>
> – Eu não gosto desse passarinho!... não gosto de violão... De nada que põe saudades na gente.
>
> Rosa, Guimarães. "Minha gente". *Sagarana*.

a) No trecho, a menção ao sabiá e a seu canto, enfaticamente associados a "Romântico" e a "saudades", indica que o texto de Guimarães Rosa pode remeter a um poema, dos mais conhecidos da literatura brasileira, escrito em um período em que se afirmava o nacionalismo literário. Identifique o poema a que remete o texto de Rosa e aponte o nome de seu autor.

b) Considerando o trecho no contexto de *Sagarana*, a provável referência, nele presente, a um autor brasileiro indica que Guimarães Rosa é um escritor nacionalista, que rejeita o contato com línguas e culturas estrangeiras? Justifique sucintamente sua resposta.

**11.** (UnB-DF – adaptada)

**Alaíde** (*alheando-se bruscamente*) – Espera, estou-me lembrando de uma coisa. Espera. Deixa eu ver! Mamãe dizendo a papai.
(*Apaga-se o plano da alucinação. Luz no plano da memória. Pai e mãe.*)
**Mãe** – Cruz! Até pensei ter visto um vulto. – Ando tão nervosa. Também esses corredores! A alma de madame Clessi pode andar por aí... e...
**Pai** – Perca essa mania de alma! A mulher está morta, enterrada!
**Mãe** – Pois é...
(*Apaga-se o plano da memória. Luz no plano da 13 alucinação.*)
**Clessi** – Mas o que foi?
**Alaíde** – Nada. Coisa sem importância que eu me lembrei. (*forte*) Quero ser como a senhora. Usar espartilho. (*doce*) Acho espartilho elegante!
**Clessi** – Mas seu marido, seu pai, sua mãe e... Lúcia?
**Homem** (para Alaíde) – Assassina!
(*Apaga-se o plano da alucinação. Luz no plano da realidade. Sala de operação.*)
**1º médico** – Pulso?
**2º médico** – Cento e sessenta.
**1º médico** – Rugina.
**2º médico** – Como está isso!
**1º médico** – Tenta-se uma osteossíntese!
**3º médico** – Olha aqui.
**1º médico** – Fios de bronze.
(*Pausa*)
**1º médico** – O osso!
**3º médico** – Agora é ir até o fim.
**1º médico** – Se não der certo, faz-se a amputação.
(*Rumor de ferros cirúrgicos*)
**1º médico** – Depressa!
(*Apaga-se a sala de operação. Luz no plano da alucinação.*)
**Homem** (*para Alaíde, sinistro*) – Assassina!

RODRIGUES, Nelson. *Vestido de noiva*. Rio de Janeiro: Nova Fronteira, 2004. p. 18-20.

Tendo como referência o fragmento da obra *Vestido de noiva*, de Nelson Rodrigues, apresentado acima, julgue os itens seguintes.

48 – Foi empregada a linguagem formal tanto em "Espera. Deixa eu ver!" quanto em "Perca essa mania de alma!", o que se justifica por se tratar de frases usadas em cena que envolve muita tensão emocional dos personagens em interlocução.

49 – Nesse fragmento, verifica-se a presença do jogo teatral, no qual é possível perceber a construção, pelo autor, de situações psicológicas vertiginosas.

50 – Nesse fragmento, é possível identificar elementos expressionistas, explorados pelo emprego de recursos cênicos por meio dos quais se justapõem o passado, as aspirações futuras e a realidade implacável.

51 – Os planos de tempo apresentados nesse fragmento de *Vestido de noiva* estão todos no plano do tempo em que a peça está sendo encenada, ou seja, eles correspondem ao tempo real.

Quais itens estão **corretos**?

# Tendências da literatura brasileira contemporânea

## Contexto histórico

Entre o início dos anos 1960 e a primeira década do século XXI, o Brasil atravessou uma série de transformações. O país integrou-se na globalização, deixando para trás a condição de mero exportador de produtos agrícolas para tornar-se também um importante consumidor de bens de consumo. No âmbito social, embora graves problemas ainda persistam, houve uma clara evolução nos indicadores de qualidade de vida.

Durante boa parte desse período, o mundo viveu sob influência da **Guerra Fria**, conflito pós-Segunda Guerra Mundial que opunha os Estados Unidos e a extinta União das Repúblicas Socialistas Soviéticas (URSS). Os primeiros defendiam um modelo de vida baseado na lógica do consumo ao passo que os soviéticos lutavam pelo comunismo. Demais países participaram desse conflito ideológico, aderindo a este ou àquele modelo econômico-social.

O Brasil optou por um modelo de crescimento alinhado ao capitalismo. Durante o governo de Juscelino Kubitschek, entre 1956 e 1961, o país atraiu um grande número de empresas estrangeiras o que se, por um lado, propiciou o crescimento econômico, por outro resultou em uma grande dependência do capital estrangeiro.

Nos anos 1960, a euforia deu lugar à instabilidade política, o que culminou no **golpe militar**, incentivado pela elite conservadora que temia a aproximação do Brasil com países socialistas. Os anos governados pelos militares foram marcados por repressão, censura prévia e a suspensão de direitos políticos e constitucionais, ou seja, instaurou-se uma **ditadura**.

Diante de tamanha arbitrariedade, cresciam os clamores por democracia, até que em 1985 Tancredo Neves tornou-se o primeiro civil desde 1964 a ser eleito à presidência da República, abrindo espaço para a **redemocratização**. Estabilizado politicamente, em meados dos anos 1990 o país estreitou os laços econômicos e culturais com o exterior, inserindo-se na chamada **globalização**, relação cujos efeitos repercutem até os diais atuais.

## Contexto cultural

Durante o regime militar no Brasil, a arte esteve sob constante ameaça da censura. Mas, apesar da repressão, esse foi um período de múltiplas e significativas produções artísticas, muitas das quais deram forma aos anseios de liberdade. Esse é caso da **poesia marginal**, corrente que via na literatura um instrumento de protesto e denúncia social.

A partir de meados dos anos 1980, já livre do fantasma da ditadura, a arte passou também a representar os efeitos da globalização, como se pode notar pela predileção por temas ligados ao universo urbano e ao dinamismo das relações em suas mais diversas esferas. A violência urbana, o consumismo desenfreado e a desigualdade social, por exemplo, são temas recorrentes na literatura produzida desde então.

Mas ao contrário do que ocorrera durante o Modernismo, em que era possível delinear com maior segurança as correntes estéticas, no cenário atual a produção literária é marcada pela **diversidade**. Embora haja temas recorrentes, as soluções estéticas dadas pelos escritores são as mais diversas, impossibilitando reuni-los em grupos precisos. De todo modo, há tendências com base nas quais pode-se estabelecer uma organização.

## Poesia: "palavras coisa" e palavras à margem

Entre as correntes poéticas mais significativas desse período estão a **poesia concreta** e a **poesia marginal**.

A primeira nasceu no início da década de 1950, liderada pelos irmãos **Haroldo** e **Augusto de Campos** e por **Décio Pignatari**. Essa tendência defendia uma poesia feita de "palavras coisa", ou seja, uma poesia que fosse um objeto em si mesma, despida de quaisquer resquícios de sentimentalismo e subjetivismo.

A busca pela abstração construtivista levou à abolição dos versos tradicionais, à exploração da distribuição gráfica das palavras na página e à valorização da tipologia e das cores das letras. Inventivos, os poetas usavam a polissemia dos vocábulos para criar efeitos de sentido em seus poemas.

Eles estabeleceram ligações entre a produção poética, a música, as artes visuais e o *design* – ao que cunharam de poemas verbivocovisuais –, e deram à sua produção um caráter multissemiótico, distribuindo-a em vários suportes e múltiplas técnicas, como livros, revistas, jornais, cartazes, discos de vinil, *compact discs*, holografias, videotextos e vídeos.

Já a poesia marginal é de natureza diversa da poesia concreta pois seus ideais ultrapassam o âmbito formal. Surgido nos anos 1970 sob a repressão da ditadura militar, o movimento tinha caráter **contestador**. Comumente impressos em mimeógrafo (à margem, portanto, do sistema de publicação tradicional), os poemas eram vendidos a baixo custo pelos próprios autores. Por essa razão, esse grupo de poetas ficou conhecido como "Geração Mimeógrafo".

No plano formal, a poesia marginal caracteriza-se por uma **linguagem direta**, **espontânea**, muitas vezes **coloquial.** No que se refere aos temas, predominam **situações cotidianas** e a **crítica social**, como se pode notar no poema abaixo, escrito por **Cacaso**, um dos grandes representantes da poesia marginal ao lado de nomes como Chacal, Torquato Neto e Ana Cristina César. No poema, Cacaso vale-se de diversas alegorias para aludir à repressão militar, tais como "morcegos de pesadas olheiras" e "cabras malignas":

**Logia e mitologia**

Meu coração
de mil e novecentos e setenta e dois
já não palpita fagueiro
sabe que há morcegos de pesadas olheiras
que há cabras malignas que há
cardumes de hienas infiltradas
no vão da unha na alma
um porco belicoso de radar
e que sangra e ri
e que sangra e ri
a vida anoitece provisória
centuriões sentinelas
do Oiapoque ao Chuí.

Cacaso. *Lero-lero*. Rio de Janeiro: 7Letras; São Paulo: Cosac Naify, 2002.

## Prosa: a fantasia e a brutalidade do cotidiano

A produção contemporânea em prosa apresenta importantes realizações no **conto** e no **romance**. Algumas linhas de força aproximam obras dessas duas formas, como é o caso da exploração de **acontecimentos cotidianos da vida urbana**, ora servindo de gatilho para a **fantasia**, ora para retratar a vida em seu **estado mais bruto**. No conto "As formigas" da paulista Lygia Fagundes Telles, duas moças visitam um sobrado onde formigas começam, misteriosamente, a organizar os ossos dentro de um caixote, dando forma a um esqueleto humano:

– Aí é que está o mistério. Aconteceu uma coisa, não entendo mais nada! Acordei pra fazer pipi, devia ser umas três horas. Na volta, senti que no quarto tinha algo mais, está me entendendo? Olhei pro chão e vi a fila dura de formigas, você se lembra? Não tinha nenhuma quando chegamos. Fui ver o caixotinho, todas se trançando lá dentro, lógico, mas não foi isso o que quase me fez cair pra trás, tem uma coisa mais grave: é que os ossos estão mesmo mudando de posição, eu já desconfiava mas agora estou certa, pouco a pouco eles estão... Estão se organizando.

– Como, se organizando?

Ela ficou pensativa. Comecei a tremer de frio, peguei uma ponta do seu cobertor. Cobri meu urso com o lençol.

– Você lembra, o crânio entre as omoplatas, não deixei ele assim. Agora é a coluna vertebral que já está quase formada, uma vértebra atrás da outra, cada ossinho tomando o seu lugar, alguém do ramo está montando o esqueleto, mais um pouco e... Venha ver!

Telles, Lygia Fagundes. As formigas. In: *Seminário dos ratos*. São Paulo: Companhia das Letras, 2009. p. 15.

Já na prosa de Rubem Fonseca, tanto no conto quanto no romance, a vida urbana é representada em toda a sua brutalidade: **violência**, **corrupção** e **crime** são largamente explorados pelo autor mineiro em narrativas estruturadas como romances policiais. No excerto abaixo, retirado do romance *Agosto*, são narradas as motivações que levaram a personagem Alcino a matar um homem.

> A obrigação que assumira de matar o tal jornalista se tornara uma agonia sem fim para ele. Mas fora a maneira que encontrara para satisfazer o sonho da sua vida, ter uma casa própria, pois ele sempre atrasava o pagamento do aluguel mensal de quinhentos e cinquenta cruzeiros da casa que morava. Desde maio que Climério vinha lhe adiantando o aluguel.
>
> Fonseca, Rubem. *Agosto*. São Paulo: Companhia das Letras, 1993. p. 217.

Outro a explorar a brutalidade da vida nas cidades é o também mineiro Luiz Ruffato, notabilizado por representar indivíduos das classes baixa e média às voltas com problemas das metrópoles brasileiras, como evidencia o fragmento abaixo, extraído do romance *Eles eram muitos cavalos*:

> Vêm os três, em fila, pela trilha esticada à margem da rodovia. A escuridão dissolve seus corpos, entrevistos na escassa luz dos faróis dos caminhões, dos ônibus e dos carros que adivinha a madrugada. Caminham, o mato alto e seco roça as pernas de suas calças.
>
> São pai e filho e um rapaz, conhecido-de-vista, que, encorajado, *Pode sim. Tem dez anos que vou a pé. É uma economia danada no fim do mês,* resolveu acompanhá-los.
>
> O homem dirige empilhadeira numa transportadora no Limão.
>
> O menino tem dez-onze anos, embora, franzino, aparente bem menos. Agora, largou a escola, vende cachorro-quente – com molho de tomate ou de maionese – e Coca-Cola em frente à firma onde o pai trabalha. À noite, guarda o carrinho no pátio da empresa, os vigias tomam conta. Quando crescer, perder-se Brasil afora, sonha, caminhoneiro.
>
> O rapaz, desempregado, aceita qualquer empreitada, *O negócio tá feio!*
>
> Ruffato, Luiz. *Eles eram muitos cavalos*. São Paulo: Companhia das Letras, 2013. p. 16.

Cabe ainda destacar a produção do amazonense Milton Hatoum, premiado romancista contemporâneo. Segundo parte da crítica, o tema principal de sua obra é **a família que se desfaz**. A região amazônica é o espaço escolhido por Hatoum para ambientar histórias em que indivíduos em crise buscam o sentido da vida em suas origens. No fragmento abaixo, extraído de seu romance mais celebrado, *Dois irmãos*, a personagem Yaqub relembra o último encontro com seu irmão Omar. Interessante notar a metáfora construída com base no cenário: a cidade, tal a personagem, é "irreconciliável com o seu passado".

> [...]
>
> Naquela época, quando Omar saiu do presídio, eu ainda o vi num fim de tarde. Foi o nosso último encontro.
>
> O aguaceiro era tão intenso que a cidade fechou suas portas e janelas bem antes do anoitecer. Lembro-me de que estava ansioso naquela tarde de meio-céu. Eu acabara de dar minha primeira aula no liceu onde havia estudado e vim a pé para cá, sob a chuva, observando as valetas que dragavam o lixo, os leprosos amontoados, encolhidos debaixo dos outizeiros. Olhava com assombro e tristeza a cidade que se mutilava e crescia ao mesmo tempo, afastada do porto e do rio, irreconciliável com o seu passado.
>
> [...]
>
> Hatoum, Milton. *Dois irmãos*. São Paulo: Companhia das Letras, 2000. p. 264.

**Glossário**

**aguaceiro**: chuva muito forte
**dragar**: limpar um caminho navegável
**liceu**: escola de Ensino Médio
**outizeiro**: (oitizeiro) árvore típica da vegetação brasileira, comum nas regiões Norte e Nordeste
**valeta**: pequena vala para escoamento das águas

## Atividades

**1.** **(UFRGS-RS)** Leia o poema abaixo, de Ana Cristina César.

> **Final de uma ode**
>
> Acontece assim: tiro as pernas do balcão de onde via um sol de inverno se pondo no Tejo e saio de fininho dolorosamente dobradas as costas e segurando o queixo e a boca com uma das mãos. Sacudo a cabeça e o tronco incontrolavelmente, mas de maneira curta, curta, entendem? Eu estava dando gargalhadinhas e agora estou sofrendo nosso próximo falecimento, minhas gargalhadinhas evoluíram para um sofrimento meio nojento, meio ocasional, sinto um dó extremo do rato que se fere no porão, ai que outra dor súbita, ai que estranheza e que lusitano torpor me atira de braços abertos sobre as ripas do cais ou do palco ou do quartinho. Quisera dividir o corpo em heterônimos – medito aqui no chão, imóvel, tóxico do tempo.

Considere as seguintes afirmações sobre esse poema.

I. O eu lírico assume postura confessional, atento aos elementos desconexos do cotidiano.

II. O eu lírico declara sentir-se fragmentado ("dividir o corpo em heterônimos"), pois percebe o ambiente que o circunda a partir de pontos de vista divergentes entre si.

III. O eu lírico sofre e se descontrola diante de sua incapacidade para mudar os fatos que o atormentam.

Quais estão **corretas**?

a) Apenas I.
b) Apenas II.
c) Apenas I e II.
d) Apenas I e III.
e) I, II e III.

**2.** **(Ufop-MG)** Leia o texto abaixo:

> Cartão-postal de Curitiba:
>
> Pare na primeira esquina e conte os minutos de ser abordado por um pedinte, assediado por um vigarista e trombado por um pivete – se antes não tiver a nuca partida pela machadinha do teu Raskolnikov.
>
> TREVISAN, Dalton. *Pico na veia*. Rio de Janeiro: Record, 2002. p. 173.

Marque a alternativa **incorreta**.

a) Para produzir seu efeito crítico, o texto parodia a linguagem imperativa dos guias turísticos e da publicidade.
b) As ações narradas no segundo parágrafo subvertem completamente o sentido proposto na primeira linha.
c) A tematização da violência urbana aproxima esse texto de uma das vertentes hegemônicas da literatura brasileira contemporânea.
d) Com seu humor e brevidade, o texto apresenta uma celebração multiculturalista da convivência democrática nos grandes centros urbanos.

**3.** **(UPF-RS)** Na década de 1950, surge, no Brasil, o movimento da poesia concreta, liderado pelos irmãos Augusto e Haroldo de Campos e por Décio Pignatari. Algumas características marcantes da poesia concreta são:

a) a valorização da palavra solta, que se fragmenta e se recompõe na página, e o uso do espaço gráfico como elemento estrutural do poema.
b) a retomada das formas fixas, como o soneto e o epigrama, e a valorização dos temas universais.

c) o emprego da linguagem coloquial e o desenvolvimento de temas do cotidiano.
d) o uso estilizado de formas da literatura oral, como o cordel nordestino, e a pregação político-partidária.
e) o recurso à musicalidade do verso e a afirmação do corpo e do desejo.

4. (PUC-Campinas-SP)

> Perto do alpendre, o cheiro das açucenas-brancas se misturava com o do filho caçula. Então ela sentava no chão, rezava sozinha e chorava, desejando a volta de Omar. Antes de abandonar a casa, Zana via o vulto do pai e do esposo nos pesadelos das últimas noites, depois sentia a presença de ambos no quarto em que haviam dormido. Durante o dia eu a ouvia repetir as palavras do pesadelo, "Eles andam por aqui, meu pai e Halim vieram me visitar... eles estão nesta casa", e ai de quem duvidasse disso com uma palavra, um gesto, um olhar.
>
> (Milton Hatoum. *Dois irmãos*)

No fragmento acima, o

a) autor descreve pormenorizadamente o que acontecia a Zana antes da noite em que ela deixou a casa em que morava, descrição exemplificada na primeira frase.
b) narrador em terceira pessoa, ao contar a história de Zana, revela-se onisciente, conhecedor da intimidade mais profunda da personagem, como se nota, por exemplo, em "rezava sozinha e chorava".
c) narrador-personagem relata o que testemunhou sobre Zana, deixa o leitor ouvir a voz dessa personagem e comenta, inclusive, o comportamento da mulher de Halim, como se nota na última frase.
d) narrador em primeira pessoa ocupa-se prioritariamente com a caracterização do espaço – como se nota pela ocorrência de palavras como "alpendre, chão, casa, quarto" – entendendo-o como determinante do estado psicológico da personagem.
e) narrador vale-se do discurso indireto para contar o que Zana repetia durante o dia, lembrando-se do pesadelo em que, sozinha, chorava pela partida de Omar.

**(UEMG)** Leia o seguinte texto, presente na obra *Eles eram muitos cavalos*, de Luiz Ruffato, e responda às questões **5** e **6**:

> **13. Natureza-morta**
>
> A tia girou a chave, empurrou a porta, Ê!, algo a emperrava, estranhou. O corpo no ombro direito, a custo cedeu, pororoca estraçalhando, arrastando, O quê? Em algazarra, as crianças, às suas costas, espiavam-na, assustadiças, curiosas. Pela fresta, antecipou-se a manhã frágil iluminando o quadro de avisos – feltro verde colado sobre uma placa de cortiça – agora ponte em diagonal ligando o rodapé à maçaneta, garatujas e desenhos ainda assentados com tachinhas.
>
> No corredor, onde desaguavam as três salas-de-aula, gizes esmigalhados, rastros de cola colorida, massinhas-de-modelar esmagadas, folhas de papel sulfite estragadas, uma lousa no chão vomitada, trabalhinhos rasgados, pincéis embebidos de fezes que riscaram abstrações nas paredes brancas, pichações ininteligíveis, uma garrafa de coca-cola cheia de mijo, um cachimbo improvisado de crack – a capa de uma caneta bic espetada lateralmente num frasco de Yakult. Ao fundo, a fechadura arrombada, cacos do vidro do basculante, do barro do filtro d'água, marcas de chutes nas laterais do fogão, panelas e talheres amassados. Em correria, gritos atravessam as telhas francesas, olhos mendigam explicações.

Puxada, empurrada, vozes choramingas, "A hortinha, a hortinha...", conduziram a tia ao quintal: à sua frente, fuçadas as leiras, legumes e verduras repisados, arrancados, enterrados, brotos de cenoura, beterrabas, alfaces, couves, tomates, tanto carinho desperdiçado, nunca mais vingariam, as crianças caminhando, com cuidado, por entre os pequenos cadáveres verdes, olhos baços, e ela, até onde a vista alcança, observa as escandalosas casas de tijolos à mostra, esqueletos de colunas, lajes por acabar, pipas singrando o céu cinza, fedor de esgoto, um comichão na pálpebra superior esquerda e a solidão e o desespero.

5. Nesse fragmento da obra de Luiz Ruffato, há o seguinte procedimento de construção textual:
   a) **Ambiguidade**: o título remete a um modo de pintura e a uma cena concreta presente no texto.
   b) **Metalinguagem**: a menção aos "gizes esmigalhados" e à "caneta bic" constitui um indício de que o texto reflete sobre sua própria estrutura.
   c) **Ironia**: a exclamação das crianças sobre a "hortinha" parece exprimir pesar, mas soa ironicamente.
   d) **Musicalidade**: o parágrafo final do texto explora propositalmente a reiteração de fonemas, a fim de sensibilizar o leitor.

6. A cena descrita na passagem compõe um quadro de miséria e solidão, recorrente nas narrativas de ***Eles eram muitos cavalos***. Esse mesmo quadro pode ser identificado no trecho:
   a) À mesa minúscula, com a ponta da faca raspa a geleia de morango que resta no fundo do pote e cobre a superfície irregular de uma bolacha cream cracker. Leva-a à boca. Arremessa longe a bolacha, a faca e o pote vazio, que rola no carpete sem se quebrar. Merda! Merda! Merda! Levanta-se, corre para a sacada. Lágrimas azuis ameaçam arruinar seu dia Calma Fran, calma! calam-se escorregando pela garganta Calma, meu bem, calma. O telefone vai tocar, Fran, já já. ("Fran")
   b) Ontem, quando avisado que seu Aprígio tinha passado desta, murcho e sozinho desfiou as ruas pobres do Jardim Varginha, garrafa de cachaça debaixo do sovaco. Houve quem tenha visto seus passos cambaleantes empurrarem-no ao encontro da noite áspera, mas só a manhã surpreendeu o índio esticado sob a marquise de uma loja de material de construção na Avenida Santo Amaro, abraçado a um casco branco vazio, a tudo alheio, a tudo. ("Um índio")
   c) [...] outros tempos esteve ligada à rede Globo, papéis secundários em novelas, pontas em especiais, aparições rápidas em programas dominicais, vilã, ingênua. Chegou a, na rua, ser apontada, cutucada, mexida, apalpada, você não é da televisão? Televisão... televisão é pra poucos, pra uns. ("Fran")
   d) Desci do norte de pau-de-arara. Se o senhor soubesse o que era aquilo... Um caminhão velho, lonado, umas tábuas atravessadas na carroceria servindo de assento, a matula no bornal, rapadura, farinha dias e dias de viagem, meu deus do céu! Mas posso reclamar não. São Paulo, uma mãe pra mim. Logo que cheguei arrumei serviço, fui trabalhar de faxineiro numa autopeças em Santo André. ("Táxi")

7. **(ITA-SP)** Observe o estilo do texto abaixo:

Foi até a cozinha.Tomou um gole de chá com uma bolacha água-e-sal. Ainda pensou em abandonar o plano. Mas, como se salvaria? Lavou as mãos e o rosto. Saiu de casa. Trancou o minúsculo quarto-e-cozinha. Aluguel atrasado. Despensa vazia. Contava os trocados para pegar o ônibus.

(Augusto, Rogério. "Flores". *Cult*. Revista Brasileira de Literatura, n. 48, p. 34.)

   a) Do ponto de vista redacional, que traços permitem considerar esse texto como contemporâneo?
   b) De que forma se revela o clima existente nesse breve texto descritivo-narrativo?

# Gabarito

## Introdução à Literatura

**Página 12**

1. (02 + 04 + 16) = 22
2. Resposta: b

**Página 13**

3. Resposta: d
4. Resposta: d
5. Resposta: d

**Página 14**

6. Resposta: b
7. Resposta: a

**Página 15**

8. Resposta: d
9. Resposta: b
10. Resposta: d

## Trovadorismo

**Página 20**

1. Resposta: d
2. Resposta: b
3. Resposta: d
4. Resposta: d

**Página 21**

5. Resposta: b
6. Resposta: b
7. Resposta: e
8. Resposta: a

## Humanismo

**Página 25**

1. Resposta: a
2. Resposta: c
3. Resposta: e

**Página 26**

4. Resposta: a
5. Resposta: c
6. Resposta: e

**Página 27**

7. Resposta: e
8. Resposta: c
9. Resposta: c

## Classicismo

**Página 33**

1. Resposta: b
2. Resposta: b
3. Resposta: a

**Página 34**

4. Resposta: e

**Página 35**

5. Respostas:
   a) O tema de ambos os textos é a inexorabilidade da vida, conforme evidenciam as passagens: "Muda-se o ser, muda-se a confiança" (Camões) e "as pessoas não estão sempre iguais [...] elas vão sempre mudando" (Guimarães Rosa).
   b) No trecho de *Grande sertão: veredas*, o diabo é retratado como aquele que promove mudanças abruptas ("o diabo, é às brutas"), ao contrário de Deus, que "faz é na lei do mansinho...".
6. Resposta: b

## As manifestações literárias no Brasil quinhentista

**Página 38**

1. Resposta: c
2. Resposta: a

**Página 39**

3. Resposta: d
4. Resposta: e
5. Resposta: e

## Barroco

**Página 45**

1. Resposta: b

**Página 46**

2. Resposta: e
3. Resposta: e
4. Resposta: e

**Página 47**

5. Resposta: a
6. Resposta: d
7. Resposta: c
8. Resposta: c

**Página 48**

9. Resposta: a

**Página 49**

10. Resposta: c
11. Resposta: a
12. Resposta: b

## Arcadismo

**Página 54**

1. Resposta: e
2. Resposta: c
3. Resposta: e

### Página 55

4. Resposta: e

### Página 56

5. Resposta: b

6. Resposta: b

### Página 57

7. Resposta: e

8. Resposta: e

9. Resposta: (08 + 16) = 24

## Romantismo

### Página 66

1. Resposta: e

2. Resposta: e

3. Resposta: a

### Página 67

4. Resposta: e

5. Resposta: b

6. Resposta: e

7. Resposta: b

### Página 68

8. Resposta: e

### Página 69

9. Resposta: b

10. Resposta:

    A obra *Lira dos vinte anos*, que reúne os poemas de Álvares de Azevedo, foi organizada pelo próprio poeta em três partes. A primeira e a terceira, bastante parecidas, apresentam uma perspectiva idealista na abordagem do amor e cultivam o tema da morte; a segunda apresenta ironia e aproxima-se da realidade. O primeiro trecho exemplifica a primeira parte por tratar do desejo de morte e reafirmar o sofrimento de viver; já o segundo evidencia o sarcasmo na referência à tripa do eu lírico que deve ser reutilizada para o canto de esperanças e amores.

11. Resposta: c

### Página 70

12. Resposta: d

13. Resposta: d

### Página 71

14. Resposta: a

15. Resposta: d

### Página 72

16. Resposta: a

17. Resposta: b

18. Resposta: c

### Página 73

19. Resposta: (01 + 02 + 08 + 32) = 43

## Realismo e Naturalismo

### Página 81

1. Resposta: d

### Página 82

2. Resposta: e

3. Resposta: a

4. Resposta: d

### Página 83

5. Resposta: b

6. Resposta: c

### Página 84

7. Resposta: e

8. Resposta: e

9. Resposta: a

10. Resposta: d

### Página 85

11. Resposta: e

12. Resposta: d

### Página 86

13. Resposta: e

14. Resposta: a

15. Resposta: e

### Página 87

16. Resposta: a

17. Resposta: a

### Página 88

18. Resposta: c

19. Resposta: d

20. Resposta: (01 + 02) = 03

### Página 89

21. Resposta: d

22. Resposta: e

23. Resposta: b

## Parnasianismo e Simbolismo

### Página 94

1. Resposta: c

2. Resposta: a

3. Respostas:
   a) Tais poemas pertencem ao Parnasianismo.
   b) As principais características do Parnasianismo são: esmero formal, valorização dos ideais clássicos de beleza e sobriedade (o que justifica a recusa ao sentimentalismo romântico) e a defesa de que a arte não devia ter outro fim senão ela mesma, o que ficou conhecido como "arte pela arte".

### Página 95

4. Resposta: 01

### Página 96

5. Resposta: a

6. Resposta: c

### Página 97

7. Resposta: (01 + 02 + 04 + 16 + 32) = 55

8. Resposta: a

## Pré-Modernismo

### Página 102

1. Resposta: c

2. Resposta: a

3. Resposta: d

### Página 103

4. Respostas:
   a) Os empregados da repartição provavelmente estavam se referindo ao romance *Ubirajara*, do escritor romântico José de Alencar, cujo herói representa o povo nativo brasileiro, em uma fase anterior à chegada dos portugueses.
   b) O apelido e o estudo do tupi-guarani mostram o nacionalismo de Policarpo, que, entretanto, é visto como excêntrico por seus colegas de trabalho.

5. Resposta: e

### Página 104

6. Resposta: a

7. Resposta: d

8. Resposta: d

### Página 105

9. Resposta: e

10. Resposta: b

## Vanguardas europeias e Modernismo português

### Página 111

1. Resposta: a

2. Resposta: d

3. Resposta: a

4. Resposta: d

### Página 112

5. Respostas:
   a) O eu lírico sugere que o "poeta" e o "carpinteiro" aproximam-se por realizar um trabalho calculado e técnico, representado na imagem da "construção de um muro". Essa concepção racional da arte é rejeitada na segunda estrofe, na qual o eu lírico propõe uma concepção mais próxima da harmonia e da espontaneidade da natureza.
   b) Na terceira estrofe, afirma-se a preferência pela compreensão direta das coisas, sem a intromissão da cultura ou da metafísica, evidenciada no verso "Penso nisto, não como quem pensa, mas como quem respira,". O verso também mostra a valorização da apreensão sensorial, evidente, igualmente, em "E olho para as flores e sorrio.../ Não sei se elas me compreendem/ nem se eu as compreendo a elas,". Nota-se também o objetivismo, presente em "Mas sei que a verdade está nelas e em mim".

### Página 113

6. Resposta: e

## Modernismo no Brasil – Primeira geração

### Página 119

1. Resposta: a

2. Resposta: a

### Página 121

3. Resposta: c

4. Resposta: a

5. Resposta: b

### Página 122

6. Resposta: b

7. Resposta: d

### Página 123

8. Resposta: d

9. Respostas:
   a) Um dos aspectos mais marcantes do Modernismo brasileiro é o uso de temas prosaicos. Esse aspecto no poema é evidente já em seu título, uma vez que foi "tirado de uma notícia de jornal".
   b) Essa característica do poema visa estimular a participação do leitor, ou seja, cabe a ele, de seu ponto de vista pessoal, interpretar os fatos mencionados.

## Modernismo no Brasil – Segunda geração

### Página 132

1. Resposta: e

### Página 133

2. Resposta: b

3. Resposta: b

4. Resposta: b

### Página 134

5. Resposta: a

6. Resposta: c

### Página 135

7. Resposta: e

### Página 135

8. Respostas:
   a) O poeta está impossibilitado de ir ao encontro da poesia sobre temas transcendentais, místicos, ou seja, que se voltam profundamente para o interior do eu lírico em detrimento do que está fora dele, mais precisamente do meio social.
   b) Este poema pertence à segunda fase de Vinicius de Moraes, voltada para o mundo material (temas sociais e amorosos passam a ser tratados sob uma perspectiva mais material, concreta).

### Página 136

9. Resposta: e

10. Resposta: c

### Página 137

11. Resposta: c

12. Resposta: b

## Modernismo no Brasil – Terceira geração

### Página 144

1. Resposta: d

2. Resposta: b

### Página 145

3. Resposta: d

4. Resposta: d

### Página 146

5. Respostas:
   a) Entre os temas centrais do romance *A hora da estrela* estão a exclusão social e o vazio interior da nordestina Macabéa. Para representar esses temas, Clarice utiliza uma linguagem predominantemente simples e por vezes cria palavras que reforçam a condição "rala" da personagem, como "Imaginavazinha".
   b) A expressão "alma rala" é considerada uma metáfora insólita, pois o adjetivo "rala" que remete ao mundo físico é aplicado a um substantivo de sentido imaterial - "alma".

6. Respostas:
   a) O texto apresenta dois conceitos de amizade: o primeiro, bruto, baseado no "sistema dos jagunços" ("Amigo era o braço, e o aço!"); e outro, afetuoso, livre de violência e interesses pessoais ("Amigo, para mim, é só isto: é a pessoa com quem a gente gosta de conversar, do igual o igual, desarmado.").
   b) Entre os aspectos formais que podem ser destacados estão o uso de neologismos ("desinfluindo") e a estilização da fala de Riobaldo, na qual são combinados elementos da fala popular e inovações no plano sintático: "Ou — amigo — é que a gente seja, mas sem precisar de saber o por quê é que é."

### Página 147

7. Resposta: c

8. Resposta: b

### Página 148

9. Resposta: c

10. Respostas:
    a) O trecho remete à célebre "Canção do exílio" de Gonçalves Dias. Poema nacionalista da primeira geração do Romantismo brasileiro.
    b) Não. Uma das características mais marcantes da obra de Guimarães Rosa é a combinação da fala local do sertanejo com registros linguísticos de outros tantos idiomas conhecidos a fundo pelo autor. Para além da linguagem, Guimarães absorve outros elementos da cultura estrangeira, tais como diferentes manifestações religiosas.

### Página 149

11. Resposta: 49 e 50

## Tendências da literatura brasileira contemporânea

### Página 153

1. Resposta: c

2. Resposta: d

3. Resposta: a

### Página 154

4. Resposta: c

### Página 155

5. Resposta: a

6. Resposta: b

7. Respostas:
   a) Períodos articulados por coordenação (sintaxe paratática ou "estilo telegráfico"); palavras e expressões que remetem à coloquialidade.
   b) O clima de angústia e opressão fica evidente no cenário sufocante ("Trancou o minúsculo quarto-e-cozinha."), na falta de recursos da personagem ("Aluguel atrasado. Despensa vazia.") e nas dúvidas e inquietações que marcam a personagem ("Ainda pensou em abandonar o plano. Mas, como se salvaria?").